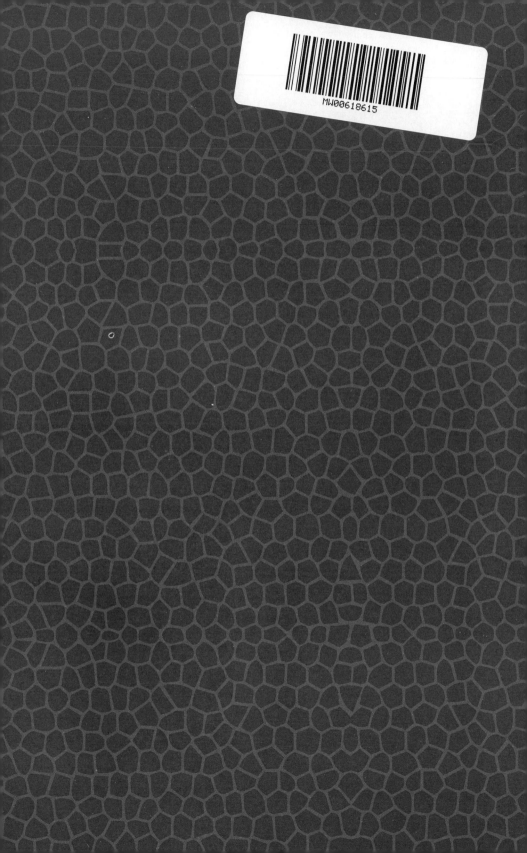

THE
CORONAVIRUS
PANDEMIC

MOSAICA PRESS

THE CORONAVIRUS PANDEMIC

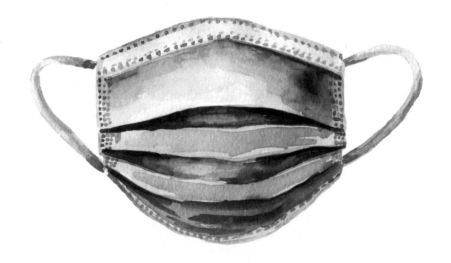

Historical, Medical, and Halachic Perspectives

Rabbi Prof. Avraham Steinberg, MD
Ari Ciment, MD

Rabbi Prof. Avraham Steinberg
Rechov Sholom Aleichem 6
Jerusalem, Israel
steinberg@e-tal.org

ISBN: 978-1-952370-19-9

Published by Mosaica Press, Inc.
www.mosaicapress.com
info@mosaicapress.com

Table of Contents

PART 2

COVID-19 EXPERIENCES

Stories of Tragedies, Triumphs,
and Connectedness
from a Critical Care Physician

PART 3

Q&A

Practical Halachic Issues during the COVID-19 Pandemic

This book has been sponsored
by Larry and Helen Ciment.

PART 1

The Coronavirus Pandemic

HISTORICAL, MEDICAL, AND HALACHIC PERSPECTIVES

By Rabbi Professor Avraham Steinberg, MD

Elul 5780, Jerusalem

I am greatly indebted to Rabbi Dr. Jason Weiner for the English translation and to Dr. Lazer Friedman for his editorial work.

Introduction

A. Background

In the modern era, the coronavirus[1] (COVID-19) pandemic[2] has been the most serious pandemic to affect the entire world since the Spanish influenza pandemic a hundred years ago—astonishing even experts and scientists.[3] In recent decades, many scientists have arrogantly claimed that in the modern and technologically advanced world there would be no more global pandemics of this sort. However, we are discovering that with all of our sophisticated science we are still incapable of preventing such outbreaks, nor do we have the ability to effectively treat or prevent them. Moreover, the mortality and morbidity rates of coronavirus are as severe as they were in similar pandemics in the ancient and medieval world.[4]

This lends support to the fact that our world is ultimately controlled only by God.

---

1   The World Health Organization (WHO) of the United Nations has categorized coronavirus as a pandemic.

2   In Hebrew, a pandemic is referred to as a *mageifah*, which comes from the root, *negef*, meaning "to be defeated" or "knocked down." Therefore, in modern Hebrew, a virus is translated as *nagif*, meaning a "minute cell that leads to an outbreak" (*mageifah*). In English, we differentiate between an epidemic, a rapidly spreading infectious disease that temporarily infects many people, and a pandemic, which spreads even wider to impact an entire country or major segments of the entire world, and particularly, large populations of people. In English, *mageifah* is synonymous with "plague" (from the Latin *"plaga"* which means a "blow" or a "welt"), which is sometimes referred to specifically as the bubonic plague.

3   See below in this essay.

4   It is interesting to note that following the Spanish influenza pandemic of 1918, an article was written in the influential journal *Science* (N.S., vol. XLIX, no. 1274, p. 501ff., 30.5.1919) which, with a simple date change, could easily be mistaken as a description of the current coronavirus pandemic.

Editions

The first edition of this essay was written at the beginning of Iyar 5780 (April 2020), in the midst of the first wave of the global pandemic. The second edition was written in the middle of Sivan 5780 (June 2020), at which time it appeared that the first wave of the pandemic had subsided, but because it had not fully resolved, predicting its final course proved very difficult. At the time of writing the current third edition (September 2020), we are witnessing the second wave of morbidity in Israel and throughout the world.

With each subsequent edition of this publication, many new halachic issues have been adjudicated by our *rabbanim*, and I have incorporated them into this edition. I have also added numerous halachic sources to the issues addressed in the previous editions, as well as several updates on some issues addressed in the previous editions, based on further developments since then.

The Epidemiological Data

The epidemiological data that serves as the background for the current edition is accurate as of the time of its writing. Based on accumulated experience and predictive models, we unfortunately anticipate significant mortality and impact on the health-care system.

The current data as of October 25, 2020, includes:

- Worldwide: Approximately 43,000,000 have been infected, and approximately 1,150,000 have died. The pandemic has spread to 215 countries and territories.
- Israel: Approximately 310,000 infected and ill, and approximately 2,370 have died.

The coronavirus pandemic has created a long list of halachic dilemmas, some of which were dealt with in previous pandemics and others that are relatively new and have yet to be analyzed in detail. In this essay, I will survey the history of pandemics in general and the coronavirus in particular, the health-science aspects of the coronavirus pandemic, and the halachic issues this pandemic has given rise to.

B. On Disagreement in Jewish Law (Machlokes)

At the time of creation, all people "had the same language and the same words."[5] *Rashi* writes: "They came with one plan." It turns out that such a situation, even though it seems ideal, is not ideal for humanity, for agreement on every matter, and absence of debate and differences of opinion, leads to negative things.

Commenting on this verse, the *Netziv* in *Ha'amek Davar* makes this point:

> *Since people's opinions are not all alike, they were concerned that people would not agree with their opinion and would have different ideas...so the fact that they were of the same ideas was an obstacle and they thus decided to kill anyone who didn't think like them.*

The punishment of the generation of the tower of Bavel was that "the Lord confounded the language of the whole earth; and from there the Lord scattered them over the face of the whole earth."[6]

This is the reality today: people are spread across the entire world, and there is no common language, shared approach, or common opinion. Chazal declared, "Their opinions are not identical just as their faces are all unidentical."[7] Today we know even more about the unique genetic individuality of every person and the significant differences between people's "faces." We recognize that there are differences of opinions, outlooks, understandings, and tendencies between all people.

However, we must find the proper balance between the extremes—not necessarily the same language and the same ideas, but also not unlimited languages with no agreements. Rather, discussion and debate, followed by consensus to an approach and opinion, as the Talmud explains: "Even a father and his son, or a rabbi and his student,

---

5   *Bereishis* 11:1.

6   Ibid., 11:9.

7   *Berachos* 58a; *Bamidbar Rabbah* 21:2.

who are engaged in Torah together become enemies with each other,[8] but they do not leave there until they love each other."[9]

Chazal have thus taught: "Any disagreement that is for the sake of Heaven will endure."[10] There are numerous explanations of this teaching,[11] and one of them is, "Through differences of opinion and back-and-forth debates on each side, the truth becomes clarified and explained to everyone as clear as day."[12] Furthermore, the essence of the disagreement will endure, and even though the issue was not decided in one's favor, the dissenting and unaccepted opinion is retained, for perhaps in the future, circumstances may change requiring a revision of the ruling.[13]

The Talmud states that "Torah scholars increase peace in the world."[14] It is specifically Torah scholars—who are characterized by many disputes and arguments—that bring peace and perfection to the world, because through their genuine disputes (for the sake of Heaven), they reach the peace and perfection of proper conclusions.

---

8   *Rashi*: due to the intensity of their debate, and they don't accept the words of the other.

9   *Kiddushin* 30b.

10   *Avos* 5:17.

11   See commentary on *Maseches Avos*, *Mesivta* edition, in the *Yalkut Biurim* on this Mishnah; see *Meiri*, *Magen Avos*, the twentieth matter.

12   *Tiferes Yisrael* there.

13   As the *Tiferes Yisrael* explains on the Mishnah in *Eduyos* (1:5) that states: "Why do we mention the minority opinion among the majority when it is not accepted? In case the court prefers that opinion and relies upon it." The *Tiferes Yisrael* there (*Yachin* 21) explains: "It seems to me that sometimes we can rely on the minority opinion in a case of need. As it says: 'Rabbi Shimon is worthy of being relied upon in a case of need' (*Gittin* 19)." Some explain that the word *machlokes* in this Mishnah refers to a group (like a "unit" in the army): "*Machlokes* Hillel and Shamai" simply means their groups, as does the *machlokes* of Korach and his followers, referring to their group. According to that understanding, a group that organizes itself for the sake of Heaven will last, whereas a group that does not organize itself for this purpose will not survive, like Korach and his followers, who were swallowed by the earth. As explained by Rabbi Natan, *Av Hayeshiva* (published in the translation of Rabbi Kapach's Mishnayos, El Mekorot edition): "Any group that separates from people because of a mitzvah will last. Any that is not for a mitzvah will not last. Which group was for a mitzvah? Hillel and Shammai. Not for a mitzvah? Korach and his followers." See also A.Z. Melamed, "*L'Leshonah shel Maseches Avos*," *Leshoneinu* 20 (5717), 107.

14   *Berachos* 64a.

Concerning halachic disagreements and halachic decision-making, the Mishnah describes the proper way of accepting the truth: "And why do they record the opinions of Shammai and Hillel for naught [even though the halachah does not follow Shammai in this topic]? To teach subsequent generations that a person should not always persist in his opinion, for behold, even Shammai and Hillel did not persist in their opinion."[15] The *Rambam* explains there: "One should not insist on their opinion being followed, and should not find it difficult to follow the opposite of their own opinion, for the fathers of the world, which are Shammai and Hillel, allowed their opinions to be rejected, and the Sages were not stubborn on their words."[16] The *Tiferes Yisrael* writes: "Persevering on one's opinion leads to a deficiency in the human psyche and a great hindrance to arriving at the truth."

The *Rambam* also writes in the introduction to his commentary on the Mishnah:

> And the reason Rabbi Yehudah recorded in the Mishnah an opinion of a Sage who subsequently retracted that opinion—for example, "The House of Shammai said like this and the House of Hillel said like that, and subsequently the House of Hillel retracted to instruct like the words of the House of Shammai"—was in order to teach you of the need for the love of truth and the power of righteousness and justice. For when these honorable, pious, and magnanimous men, who were outstanding in their wisdom, recognized that the words of the one who is in disagreement with them were better than their words and their investigation is correct, they conceded to him and retracted to his opinion. Even more so, when ordinary people see that the truth is leaning toward the one with whom they have a conflict, they should also lean toward the truth and not

---

15   *Eduyos* 1:4.

16   See *Sefer Hamaspik* by Rabbeinu Avraham son of the *Rambam* (Danah edition, p. 71), who writes on his commentary differing with his father: "If my father would have heard you, he would have agreed, since we are commanded to admit the truth, and I always saw him agreeing with the smallest in stature of his students if it was true, even though he was so learned."

be stiff-necked. And this is the meaning of the verse, "Justice, justice shall you pursue" (Devarim 16:20). And about this the Sages said, "Concede to the truth" (Avos 5:7). Meaning, even though you can save yourself in an argument with rhetorical claims, when you know that the words of your fellow are true, but your claim upon him looks better because of his weakness or because of your ability to distort the truth, concede to his words and abandon the fight.

The *Ramban* wrote:

Those who read my works should not say to themselves that all of my responses to Rabbi Zerachya are victorious and convincing…That is not so, for anyone who studies our Talmud knows that there are no concluding proofs in the commentaries…for this area of knowledge doesn't have clear proofs such as in other disciplines such as mathematics and astronomy. Rather, we put all of our intellectual effort into trying our best to understand the laws, concepts and all of the commentaries.[17]

The *Chasam Sofer* wrote to the *Maharitz Chayus* as follows:

When you disagree over matters of dispute, your intention should not be to move the other person's opinion to that of your own, but to establish your own opinion and way of thinking, such that if your disputant's claim makes sense you'll reexamine your position, and if not, then you can remain firm in your thinking. What difference does it make to me if my disputant agrees with me or not? My goal isn't to make others think like me. It's fine if my disputant remains firm in his position, and after this dispute people can follow the majority. But those who specifically want others to agree with them, and their goal is to change their minds to their own way of thinking, are

---

17   Introduction to *Milchamos Hashem* on the *Rif*.

diverging from the path of truth, and it will lead to a corrupted judgement.[18]

In this essay, I have tried to quote the different opinions and what appears correct to me in the many areas that deal with these issues. I am not stubborn on my positions and do not insist that they must be accepted, but one who is able to should investigate each matter and decide based on the depth of their own knowledge. If one does not have the ability to do so, he must determine how to act based on the guidance of a competent Rabbinic authority.

All of the above is regarding a halachic dispute (*machlokes*) that derives from a true desire to arrive at the truth of the Torah, in which case a dispute can help to further one's understanding and clarify the topic more completely. On the other hand, people who persist in disputes in other areas violate a prohibition,[19] as it says, "Do not be like Korach and his followers."[20] The great rabbis throughout the generations have all emphasized the significance of the prohibition against *machlokes* and the horrible damage it inflicts upon the Jewish People,[21] such as the baseless hatred that resulted in the destruction of the Temple.[22] Disputes also cause the belittling of Torah scholars, which led to the

---

18 Responsa *Chasam Sofer, Orach Chaim* #208; see also responsa *Igros Moshe, Orach Chaim* 4:25.

19 *Sanhedrin* 110a. See *Rambam, Sefer Hamitzvos, shoresh* 8, and *Meiri, Sanhedrin* there. On the other hand, the *Ramban* on that *Rambam*, and in *Shichechas Halavin* 17, is of the opinion that *machlokes* in relation to the priesthood is a Torah prohibition, whereas other areas of *machlokes* are a Rabbinic prohibition. *Rabbeinu Yonah* in *Shaarei Teshuvah* 3:58, and *Chafetz Chaim*, introduction, prohibitions 12, are of the opinion that all *machlokes* is prohibited by the Torah. See *Be'er Mayim Chayim* there in the name of the *Sma"g*, prohibitions 157, that all *machlokes* is prohibited by the Torah.

20 *Bamidbar* 16:5.

21 On the severity of the prohibition against disputes see *She'iltos, Korach* 131; *Rashi, Bamidbar* 16:27; *Shelah, Shaar Ha'osiyos* 2; *Shevet Mussar* 37; *Shemiras Halashon, Shaar Hazechirah* 17; *Birkas Avraham* (Erlanger), *Sanhedrin* 110; *Ma'or La'Torah* (Segal), *Korach*; Rabbi Zalman Nechemia Goldberg, *Moriah* 84 (year 15, 1–2), p. 62ff.; *Shevivei Eish* (Stern) on the Torah, part 2, *Korach*; *Mishpetei Hashalom* (Silver) 4; *Chazon La'Moed* (Shapira) 3:16; and more.

22 See *Yoma* 9b; see *Tosafos, Bava Metzia* 30b, s.v. "*lo.*"

destruction of Jerusalem; it is an illness for which there is no cure.[23] It is only when Jews gather together as one group, and there is peace among them that Hashem is the King of the Jews, but not when there is dispute among them.[24]

The *Chafetz Chaim* writes: "Come and see how difficult *machlokes* is, for anyone who assists with a *machlokes*, God abandons their memory...and in the end, God takes account of his life from him."[25]

Even though the rabbis in each generation have spoken out against disputes that were not for the sake of Heaven, and accentuated the profound damage they bring upon the Jewish People, they have nevertheless not been able to prevent difficult disputes that have led to *chillul Hashem* (desecration of the Divine Name), and regretfully our generation is no different. *Rashi* comments at the beginning of *Parashas Korach*, which is the classic example of a *machlokes* that is not for the sake of Heaven: "This *parashah* has been well interpreted." With a touch of sarcasm, his words imply that while the *parashah* of *machlokes* has indeed been interpreted beautifully by the rabbis in each generation, unfortunately, it remains just a nice *derashah*.[26]

The *Netziv* writes:

> *Why did Bilaam characterize our forefathers specifically with the name yashar (upright), as opposed to tzaddikim, chassidim, or any other designation depicting righteousness? Furthermore, why is the book of Genesis characterized by the title of Yashar, and why would Bilaam pray for himself that his end should be as those who possess this characteristic? The meaning of yashar is as described in the Song of Ha'azinu:*

---

23   *Shabbos* 119b.

24   *Rashi, Devarim* 33:5.

25   *Shemiras Halashon* there. See also the *Chafetz Chaim's* letter to Rav Kook, from Wednesday of *Parashas Shelach* 5683, on the topic of the damage of *machlokes*, quoted in *Igros Re'ayah* 4, *Nispachos*; There is a double meaning of *machlokes*: (1) halachic disputes of different opinions, which are positive and customary throughout the generations; and (2) fights and conflicts that lead to separation, which are negative and disruptive.

26   See *Maharal, Netzach Yisrael* 25, who expounds on the negative ramifications of *machlokes* on the Jewish People.

*"The Rock—perfect is His work, for all His paths are justice;
a faithful God without injustice—righteous and yashar is
He" (Devarim 32:4). By praising God as yashar, the Torah
acknowledges the Holy One, blessed be He, to justify God's
sentence against a generation such as those who would live
during the destruction of the Second Temple, who are described
as a perverse and twisted generation (ibid., 32:5). Though they
were righteous and pious, toiling in Torah study, they were not
upright in their societal behavior. And so, due to the baseless
hatred for one another residing within their hearts, they sus-
pected anyone who was not religious in accordance with their
viewpoint to be a Sadducee or heretic, which led to rampant
murder along with a transgression of all the other evils in the
world, causing the destruction of the Temple. This is how the
Torah presents the acknowledgment of God's justice here: The
Holy One, blessed be He, is yashar, being intolerant of those
types of distorted righteous individuals, but accepting of those
who act in a way that is socially yashar—unlike those who act
in a perverse manner, even when their actions are performed
for the sake of Heaven. As such a deficiency can lead to the
destruction of God's creation and the ruin of civilization. This
was the greatness of our forefathers, that in addition to being
righteous, pious, and lovers of God to the utmost degree, they
were also yesharim. That means they were civil with the other
nations of the world, despite them being detestable idol wor-
shippers. Our forefathers nevertheless extended them love and
concern for their welfare, as this fortifies God's creation.*[27]

Therefore, it is very clear that there is a holy obligation upon all
faithful Jews to unite in the battle against coronavirus, and to put aside
all disputes.

---

27   *Ha'amek Davar*, Introduction to *Bereishis*.

1

Historical Background

A. Pandemics in the Past

In Tanach, there are many descriptions of epidemics, though these are limited to the Jewish People or other specific nations:

- *Dever* (pestilence) was the fifth of the ten plagues. This only impacted the Egyptians' animals, not the people.[1]
- When the spies entered the land of Israel, a plague had infected the leaders of the Canaanites, and the people of the city were involved in burying them.[2]
- As a result of the plague in the story of Korach, 14,700 people died.[3]
- In the plague of *Baal Peor*, twenty-four thousand people died.[4]
- In the plague in the days of King David, which resulted from the sin of counting the nation, seventy thousand people died.[5]
- Many of the Philistines who took the *Aron* were stricken with *afalim* (*techorim*).[6] Some say they were stricken with dysentery, which is an infectious illness of the digestive system that causes diarrhea,[7] and some say it was the bubonic plague.[8] In Beit

---

1   *Shemos* 9:3–7; the plague of the firstborn is also referred to as a *negef* (*Shemos* 12:13).

2   *Tanchuma, Shelach* 7.

3   *Bamidbar* 17:14.

4   Ibid., 25:9.

5   *Shmuel II* 24:15. See also Josephus Flavius, *Kadmoniyos Hayehudim* 7, 324.

6   *Shmuel I* 5:9,12.

7   According to Josephus Flavius, *Kadmoniyos Hayehudim* 2, 300. Dysentery is caused by bacteria, specifically shigella, and parasites, specifically amoeba.

8   *Encyclopedia Ha'Ivrit* 11, "*Dever*," 871; S.H. Blondheim, *Korot* 1:265, 1955.

Shemesh, 50,070 people died because they peered disrespectfully at the *Aron*.[9]

- The 185,000 soldiers of Ashur, led by Sancheriv, were killed at night.[10] Chazal discuss this plague,[11] as did Josephus Flavius[12] and other scholars,[13] who each speculated differently as to the nature of that plague.

The expression *"dever"* in the Bible and Rabbinic literature certainly includes the medical ailment of that name.[14] However, the general intention in the Bible and Rabbinic literature is not about a specific ailment but rather a general title for any contagious illness that causes death to many people in a brief time and close location.[42] The word *dever* is thus synonymous with *mageifah* and *negef*.[15]

During the time of the Mishnah, there is a description of a plague in which twenty-four thousand of Rabbi Akiva's students were struck.[16]

In the ancient world, there were several worldwide pandemics.

- During the Peloponnesian War in 430 BCE, there was a **bubonic plague**, which killed a quarter of the Athenian soldiers and a quarter of the civilian population.

9   *Shmuel I* 6:19

10   *Melachim II* 19:35; *Yeshayahu* 37:36; see also *Divrei Hayamim II* 32:21.

11   *Sanhedrin* 94b–95a; *Megillah* 31b; *Shemos Rabbah* 18:5; *Yalkut Shimoni, Yeshayahu* 10:415.

12   *Kadmoniyos Hayehudim* 2, 10 (1:21). Based on his description it seems that the plague was caused by drinking contaminated water.

13   See S.Y. Feigen, *Mistarei Ha'avar: Mechkarim Bamikra U'B'Historiah Atikah*, 5703, p. 88ff.; Z. Yaavetz, *Toldos Yisrael* 5687 part 2, p. 140ff.; M. Wholman, *Tekufas Yeshayahu V'Chezyonosav*, 5689, p. 267ff.; D. Yelin, *Chikrei Mikra: Bi'urim Chadashim B'Mikraos (Yeshayahu)*, 5699, p. 91ff.; N. Rogin-Meor, *Harefuah*, 1999, 136:650; Y. Margolin, *Harefuah*, 2000, 138:171. These scholars describe sudden fevers, earthquakes, fires, or strong blasts of wind.

14   A contagious illness caused by the bacteria *Yersinia pestis*, which exists in nature in various rodents, such as rats, and passes to humans via flea bites. This is called bubonic plague.

15   It is possible that the Hebrew term *dever* is derived from the fact that everyone talks (*medabrim*) about it because of the many casualties. Rabbi S.R. Hirsch, *Shemos* 9:3, relates the term to the word of God (*devar Hashem*). Regarding *dever* in the Torah and Chazal, see in my *Encyclopedia of Jewish Medical Ethics* II:537–8.

16   *Yevamos* 62b.

In the middle ages, there were serious plagues. For example:

- The **Justinian plague** in the year 541 killed close to twenty-five million people, which represented approximately 13 percent of the world population at that time.
- The **black death** in the fourteenth century, which was apparently also a bubonic plague that began in Asia and traveled to Europe. In the course of six years, it caused twenty-five million deaths in China, and another twenty to twenty-five million deaths in Europe, which was a quarter of the world's population.[17]

In the modern era, there have been several serious pandemics. For example:

- The seven **cholera** epidemics, which lasted about 150 years—with brief intervals between them—from 1816 until 1966.[18] These epidemics occurred in various parts of the world.[19]
- The **Spanish flu**, which began in 1918 and spread to almost the entire world.[20] It lasted about eighteen months, infected about a half a billion people, and killed about 50 million.[21]

---

17 This plague caused one of the tragic chapters of Jewish history, with blood libels, increased anti-Semitism, and pogroms against Jews. The Jews generally lived in closed communities, unlike the Christians who would gather in churches during the plagues, spreading the disease. Further, the Jews were hygienic as a result of ritual handwashing. It thus seemed to the Christians that fewer Jews died, leading to rumors among the masses that Jews poisoned the wells with the intention of ridding the world of Christians.

An interesting description of a plague in the Jewish ghetto in Rome in 1656 can be found in the book *Otzar Hachaim*, book 2, sect. 19, by Rabbi Yaakov Tzahalon, a rabbi and physician.

18 At that time, some Jewish people Hebraicized the word "cholera" as *"choli-ra*—evil illness." It is an illness of the small intestines with diarrhea caused by the Vibrio cholerae bacteria. It is usually the result of fecal-oral contact when someone gets infected by the bacteria in excrement or ingests contaminated food or drink.

19 These epidemics led to more halachic discussions than any other epidemic. See the summary of the issues in H.J. Zimmels, *Magicians, Theologians and Doctors* (E. Goldston and Son, 1952). Rabbi Akiva Eiger was the Rav in Posen during the second cholera epidemic from 1829–1837, and he organized life cycle based on halachah. These were published in the *Letters of Rabbi Akiva Eiger*, letters 71–73. Letter 71 was also published in some editions of the novella of Rabbi Akiva Eiger on *Nedarim* 59a. See below in the halachic section of this essay.

20 Caused by a virulent strain of the H1N1 Influenza A virus.

21 See the detailed description in J. Brown, *Influenza—The Hundred Year Hunt to Cure the Deadliest Disease in History* (Simon and Schuster, 2020).

- The **Ebola virus epidemic**, which began in 1976 in Africa, and has reemerged every two to three years. It has a mortality rate of 40 percent.
- The **AIDS epidemic**, which began in 1981 in Africa, and spread across the entire world. Estimates are that twenty-seven million people have died so far from this epidemic.
- The **SARS virus epidemic**, which began in 2003 and is a similar virus to the coronavirus.
- The **MERS outbreak**, which began in the Middle East in the Arabian Peninsula in 2012 and spread to many nations.

B. The Coronavirus Pandemic

This pandemic began to spread in December 2019 in Wuhan, the capital of the Hubei province of China. The theory is that the coronavirus is a zoonotic virus that passed to humans from bats, snakes, and other animals that are sold illegally in the Wuhan fish market, where many other types of animals are sold in addition to fish. Some suspect that the origin of the coronavirus was from an experiment in the viral laboratory in Wuhan that went out of control.

In February 2020, the virus began to spread out of China, and by March 2020, it had reached nearly the entire world.

The first case in Israel was diagnosed on February 27, 2020.

The first wave of the disease was the first time in world history that a third of humanity—about 2.5 billion people—were required to be isolated at the same time.

2

Medical Background

The coronavirus,[1] known as COVID-19,[2] is a contagious and harmful illness that is caused by the SARS-CoV-2 virus[3] from the coronavirus family. It seems to have originated in animals, but it spreads from person to person.

A. Symptoms

The symptoms of the illness are similar to the symptoms of the flu, and include fever, cough, and respiratory problems, such as shortness of breath and difficulty breathing. Many cases have led to severe pneumonia, kidney insufficiency, and even death. Symptoms can include cardiovascular, blood clotting, digestive problems, muscle pain, and temporary or permanent loss of smell and taste.

B. Statistics

Approximately 10 percent of infected individuals require critical care and ventilatory support, and approximately 15–20 percent survive after being on the ventilator.

The average international mortality rate is 3–4 percent, but the rates have shown to vary based on age, geographical location, and the quality of the local health-care services, particularly their ability to provide advanced critical care. There is a higher mortality rate in patients with significant preexisting conditions and those with reduced performance

---

1   It is called coronavirus because it looks like a crown when viewed under a microscope.
2   It is called Corona Virus Disease-19 because it began to spread at the end of 2019.
3   Severe Acute Respiratory Syndrome Corona Virus 2.

scores (i.e., ability to perform motor skills according to a set of scores), and those of advanced age.

C. Infection

The virus is transmitted by droplet secretions from person to person via coughing or sneezing. It can also be transmitted by indirect contact when a carrier of the virus touches an object, and a non-infected individual touches that object.

The incubation period of the virus in an asymptomatic individual is highly variable. The median incubation period is five days, although 97 percent can develop symptoms until eleven days, with a range of two to fourteen days. During this time, an asymptomatic individual can also transmit the virus.

D. Diagnosis

The disease is diagnosed by taking a sample from the infected individual. The sample can be bodily fluids from respiratory tissues, such as mucus or phlegm, or from areas of the upper respiratory tract such as nose or throat mucus. The samples are collected with a sterile swab, which is tested and can produce a result in a relatively short time. Serological tests (IgG and IgM) have been developed, which make it possible to determine whether a person was infected in the past and recovered, are at the active phase of infection, or were not infected at all.

E. Vaccination and Medications

At the time of this publication, there is no vaccine for the coronavirus, but the hope is that it will be developed soon and providing the possibility of overcoming this pandemic.

Similarly, there is no effective treatment yet. Various experimental medications have been evaluated, but their efficacy remains uncertain. Among them are anti-viral and anti-malaria formulations.

F. Prevention

Currently, the only way to effectively deal with the coronavirus is the prevention of transmission. Implementation requires various strategies, which have been enforced in some countries.

Among the many strategies to prevent the spread of the virus, public health officials have advocated the following:

- Proper hand hygiene, including washing with water and soap, or using alcohol-based hand sanitizers.
- Proper hygiene for coughing and sneezing into the inside of one's elbow and not into the palm of the hand.
- The use of surgical masks to cover the nose and the mouth, to prevent the spraying of tiny particles into the environment.[4]
- Social distancing: remaining at least two meters (six feet) apart from others; avoiding hand shaking, hugging, or kissing; and avoiding gatherings of more than a given number of people (the precise number varies in different times and locations).
- An infected individual or one who has been in direct contact with someone who is infected must quarantine in a room, house, or appropriate facility.
- In countries or areas with significant spread of the virus, some require complete isolation of all citizens.
- All countries infected with the coronavirus have also restricted travel to and from other countries.

G. Economic and Social Issues

The coronavirus has caused severe economic damage to individuals, communities, business and industry, and entire countries. In addition, the coronavirus has caused a significant drop in stock markets and a rise in unemployment rates.

Due to the social isolation and quarantine, various aspects of the economy have been shut down, including tourism, aviation, shops, commercial and industrial businesses, institutions, and nonprofit organizations. In some instances, the number of employees has been reduced to only 20–30 percent of their previous workforce, with the rest being laid off or put on leave with payment.

---

4   See *Biur Halachah* 554:6, s.v. *"u'bimkom choli,"* citing from the book *Pischei Olam*, that during a cholera epidemic, someone leaving home must wear a piece of cloth to cover his mouth and nose and add a little Mentha or peppermint.

Similarly, many international, national, and local events have been canceled, such as international conferences, celebrations, and cultural and sporting events.

Religious events have also been significantly impacted, including communal prayer, study in religious schools, bar and bat mitzvah celebrations, weddings, funerals, and holiday gatherings.

3

Specific Practices and Halachos

A. General Behavior and the Obligation to Adhere to Government and Health Authorities

1. According to the Talmud, one should flee a city when there is a plague.[1]

   The *poskim* write that the halachah advises one to flee at the beginning of a plague, but if the plague has already spread, it is better not to leave one's city or home.[2] One *posek* writes that those who have already been stricken with the illness, or who are able to help others with necessary services, should not flee the city during a plague.[3]

   Indeed, during the coronavirus outbreak, the directive has been to remain inside the home and not leave at all, and certainly

---

1   *Bava Kama* 60b. See *Maharsha* there; responsa *Rashbash* #195; responsa *Maharil* #41:1; *Rema, Yoreh De'ah* 116:5 (See the introduction of the *Rema* to his book *Mechir Yayin* on *Megillas Esther*, where he writes that he fled from his hometown of Krakow to Szydłów because of pollution and illness in the air); *Magen Avraham* 626:3. This advice was already hinted to by the *Navi* in *Yirmiyahu* 21:9–10. And see *Biur HaGra, Yoreh De'ah* 116:16; *Torah Temimah, Devarim* 32 (75). See further *Zohar, Vayeira* 113a; *Sefer Chassidim* #372; *Rabbeinu Bachya, Bamidbar* 16:21; *Yam Shel Shlomo, Bava Kama* 6:26; responsa *Zera Emes* #32; see also *Shelah, Shaar Ha'osios, Dalet, Derech Eretz,* and *Magen Avraham* 626:3, that this ruling applies primarily to parents to flee with their children when there is a plague.

2   Responsa *Maharil* #41; *Yam Shel Shlomo, Bava Kama* 6:26; *Rema, Yoreh De'ah* 116:5. See also responsa *Divrei Moshe* (Mizrachi) *C.M.* #81. And see also Y. Weisinger, *Assia* 103–104:35–50, 5777.

3   *Yam Shel Shlomo, Bava Kama* 6:26.

not to go to other places. As the pandemic progressed, there was nowhere safe to flee, as there was ubiquitous spread of the virus. The Talmudic dictum to flee may be the halachic source for evicting corona patients from their homes to concentrated places (such as hotels), in order to stop the chain of infection within the house, especially in small houses with large families.

2. During a pandemic, all residents are halachically obligated to conduct themselves in accordance with the directives of the medical authorities, and in accordance with the guidelines of medical and infectious disease experts based on the medical knowledge of the time and place.

This halachah is derived from many obligations, some of which are related to protecting oneself from danger, some to the prohibition against injuring or damaging others, and some to the prohibition against desecrating the Divine name or causing anti-Semitism:

- "But take utmost care and watch yourselves scrupulously"[4] and "For your own sake, be very careful"[5]—From these verses we learn to safeguard our body from danger.[6] Indeed, no other Biblical commandment uses the descriptor of "very" (*me'od*) like the latter verse.[7] Although the context of these verses refers to the prohibition against forgetting Torah,[8] and the importance of remembering the Revelation at Sinai and the general observation of mitzvos,[9] and does not specifically speak of safeguarding one's health, the

---

4   *Devarim* 4:9.

5   Ibid., 4:15.

6   *Berachos* 32b; *Shavuos* 36a; *Sheiltos, Sheilta* 134; *Rambam, Rotze'ach U'Shemiras Hanefesh* 11:4 and *Sanhedrin* 26:3; *Shulchan Aruch C.M.* 427:8; *Levush Y.D.* 116:1; *Kitzur Shulchan Aruch* 32:1; See *Chiddushei Ritva, Shavuos* 36:1 s.v. *"amar Rabbi Yannai"* (in Mossad Harav Kook edition s.v. *"dichtiv"*). See *Ha'amek Davar, Devarim* 4:9; *Yabia Omer Y.D.* 1:8(2).

7   *Pele Yoetz*, "*shemirah*." See there where he says that one must nevertheless carefully weigh everything and not be overly cautious in areas where they said to minimize, and not minimize in areas where they said to be extra cautious. See also *Igros Chazon Ish* 1:136.

8   See *Rashi* on the verse.

9   See *Ramban* on the verse.

rabbis had a tradition that these verses also refer to another matter, and so they applied it to the safeguarding of one's body.[10]

- "You shall make a parapet for your roof, so that you do not bring bloodguilt on your house"[11]—The commandment and the prohibition connected to the commandment to build a parapet serve as a general source for the obligation to remove danger.[12] If one does not remove the danger, but leaves it and it causes damage, they have foregone the opportunity to fulfill this mitzvah and have violated the prohibition of "do not bring bloodguilt."[13] This is the source for the obligation to prevent situations that lead to damage and danger.[14]

- "You must not destroy"[15]—The prohibition against wanton destruction includes destruction to the body. In order to prevent bodily damage, the rabbis permitted destruction

---

10 *Maharsha, Berachos* there, s.v. *"kesiv b'soraschem."* See *Minchas Chinuch* 546, and *Kometz Haminchah* there, who questions and answers accordingly, not having seen the *Maharsha* before him. See also *Sefer Chassidim* 1551; *Sm"a C.M.* 427:12; *Biur HaGra* on *Shulchan Aruch C.M.* 427:6; *Kli Yakar, Devarim* 4:9; *Ha'amek Davar, Devarim* 4:9; *Darchei Teshuvah*, *Y.D.* 116:57; *Torah Temimah, Devarim* 4:9. See *Rabbeinu Bachya, Devarim* 4:9, who connected between the two understandings of the verse, that if you forget the memory of standing at Sinai you will deny the foundations of the Torah, which is losing the body and the soul. To sharpen it, there are those who explain "Guard you soul" as "for your soul," meaning guard your body so that your soul will last and you'll be able to fulfill mitzvos.

11 *Devarim* 22:8.

12 *Rabbeinu Bachya* there.

13 *Rambam, Rotze'ach U'Shemiras Hanefesh* 11:4. See *Minchas Chinuch*'s question on the *Rambam* in *Kometz Haminchah* 546.

14 *Kesubos* 41b; *Bava Kama* 15b; *Rambam, Nizkei Mamon* 5:9 and *Rotze'ach U'Shemiras Hanefesh* there 1–4; *Shulchan Aruch C.M.* 409:3 and 427:8; *Sm"a* there 427:12. See further *Pri Megadim O.C.* 157, beginning of introduction to *Netilas Yadayim; Chayei Adam* 15:24; *Ha'amek She'elah* 145:17; *Malbim, Devarim* 22:8. See *Devar Avraham* 1:37(25) and *Shemiras Haguf V'Hanefesh*, Introduction 2, if the obligation to build a parapet is only for fear of death or also for fear of damage. See at length regarding the obligation of building a parapet in the book *V'Nishmartem Me'od L'Nafshoseichem* (Schwartz), p. 69ff. and *Talmudic Encyclopedia*, vol. 35, s.v. *"lo sasim damim,"* p. 133ff.

15 *Devarim* 20:19.

of objects in order to protect one's health.[16] Indeed, most *poskim* rule in accordance with the opinion that there is a prohibition against destroying one's body and not just objects.[17]

- "None of you shall go outside the door of his house until morning"[18]—From this prohibition, the rabbis determined that one must protect themselves during a plague.[19]
- "And man became a living soul"[20]—Rav Yehudah said that Rav said this verse is a command: "The soul I placed within you, preserve and sustain it."[21]
- "And the Lord will ward off from you all sickness"[22]—The rabbis explained the words "from you" to mean that no sickness will come to you,[23] i.e., it is up to each individual to ensure that no sickness comes to them.[24]
- "Do not test the Lord your God"[25]—Some explain this as a general Torah warning of the principle that we may not rely on a miracle.[26]

---

16   *Shabbos* 129a and 140b; *Bava Kama* 91b.

17   See *Rif, Shabbos* 52a; *Rosh, Shabbos* 18:5; *Sma"g*, prohibitions 229; *Sma"k* 175; *Shaarei Teshuvah* 3, 82; *Sefer Chassidim* (Margaliot) 1014; *Yam Shel Shlomo, Bava Kama* 8:59. See *Torah Temimah, Devarim* 20:57 who explains that the *Rambam* doesn't list this law, apparently because he doesn't hold that this prohibition applies to a person's body. See also M. Slei, *Issur Ha'ishun B'Halachah*, 5748, 13–16.

18   *Shemos* 12:22.

19   *Bava Kama* 60b. See there more verses on this idea. See responsa *Rashbash* 195; responsa *Radbaz* 2:682; *Torah Sheleimah, Shemos* 12(447*).

20   *Bereishis* 2:7.

21   *Taanis* 22b. See *Meiri* there; *Sefer Hachinuch* 374, "*shorshei hamitzvah*."

22   *Devarim* 7:15.

23   *Vayikra Rabbah* 16:8.

24   *Matnos Kehunah*, there.

25   *Devarim* 6:16.

26   See *Shabbos* 32a, a list of several Amora'im who were very careful about danger and did not rely on miracles; *Pesachim* 64b, regarding the dispute between Abaye and Rava, Abaye says we can rely on a miracle, and Rava says we cannot, and it is known that the halachah always follows Rava except for six instances, and so rules the *Rema Y.D.* 116:5; *Yerushalmi, Yoma* 1:4, one opinion that the prohibition against endangering oneself is learned from the verse "Do not test the Lord your God" (*Devarim* 6:16), but the Gemara in *Taanis* 9a explains this verse differently. See *Kuzari* 5:20, *Radak, Bereishis* 42:4 and *Shmuel I*, 16:2, *Chovos Halevavos, Shaar*

- "Thorns and snares are in the path of the crooked; he who values his life will keep far from them"[27]—Even if a person trusts in God, they should not put themselves in danger, they should avoid dangerous circumstances as much as possible. They should guard their soul—meaning their body—and stay away from danger.[28]

- "*Chamira sakanta me'issura*"[29]—This is an expression of Chazal suggesting that matters of danger supersede matters of prohibitions. Therefore, although a "double doubt" is sufficient in matters of prohibitions, when it comes to danger, even a double doubt is insufficient.[30] In dealing with prohibitions, God absolves situations of a double doubt, and man is not held liable. However, when it comes to danger, it is impossible to return a soul.[31] In matters of danger, we are fastidious and do not employ the usual Rabbinic rule of majority.[32]

- "*Pikuach nefesh*"—For anyone who has a dangerous illness, even if it is only a remote possibility,[33] it is a mitzvah to violate Shabbos for them, and one who is expedient to do so is

---

Habitachon 4, that we do learn from this verse the prohibition against endangering oneself. On this topic, see also *Yerushalmi, Shekalim* 6:3; *Ramban, Bamidbar* 1:45; responsa *Rashba, Hameyuchas L'Ramban* 283; *Rema Y.D.* 179:2; *Derashos HaRan, drush* 8; *Akeidas Yitzchak, Bereishis* 26; *Sedei Chemed, Maareches Aleph*, 379 and *Nun* 45, and *Pei'as Hasadeh, Aleph* 18; *Talmudic Encyclopedia*, 1 s.v. "*ein somchin al ha'nes*," p. 679ff. See responsa *Tuv Taam V'Daas*, 3rd ed. 2:198, and see *Bitachon V'Hishtadlus* (Weinrot) 8.

27   *Mishlei* 22:5.

28   *Meiri* there. See *Tosafos, Kesubos* 30a s.v. "*ha'kol bi'yedei shamayim*" in explanation of this verse. See also *Ha'emunah Haramah* of the *Raavad* 2:6; *Chovos Halevavos* 5:5; responsa *Rashbash* 195.

29   *Chulin* 10a and *Rif* there; *Kesef Mishneh, Berachos* 6:2; *Shulchan Aruch O.C.* 173:2; *Rema, Y.D.* 116:5; *Levush* there 1; *Chiddushei Chasam Sofer, Avodah Zarah* 30a; *Aruch Hashulchan O.C.* 116:12.

30   *Pri Megadim* there, *Mishbetzos Zahav* 10; this is also implied by responsa *Avkas Rochel* 213. See also responsa *Divrei Malkiel* 2:53; responsa *Minchas Elazar* 2:76; responsa *Keren L'David O.C.* 1; responsa *Tuv Taam V'Daas* 3:198; responsa *Yabia Omer* 1 *Y.D.* 9 (8 and 13).

31   *Chiddushei Chasam Sofer, Avodah Zarah* 30a.

32   Responsa *Noda B'Yehudah* 1st ed., *E.H.* 10; responsa *Maharsham* 1:58. See *Tosafos Pesachim* 115 2 s.v. "*kafa*." See at length responsa *Yabia Omer* 1 *Y.D.* 9 (10–16).

33   *Shabbos* 129a; *Yoma* 83a–84b; *Arachin* 7b; *Rambam, Shabbos* 2:1; *Shulchan Aruch O.C.* 329:3.

praiseworthy.[34] One who delays in order to make inquiries is liable and is considered to have shed blood, and the rabbi of whom the question is asked is disrespected.[35] Therefore, we do not follow the majority when it comes to saving a life,[36] for the Torah states, "That a person shall do and live by them."[37] Chazal expounded upon this to mean "You shall not die by them."[38] In this way, there should be no circumstance whereby a Jew would die as a result of observing one of the commandments.[39] This demonstrates the principle that one life of a Jew is more precious to God than the commandments.[40] From this we infer that the laws of the Torah are not meant to wreak vengeance upon the world, but to bestow on it mercy, kindness, and peace. And to those heretics that claim that this behavior desecrates Shabbos and therefore should be forbidden, the verse says: "I too have given them statutes that are not good and judgments that they will not live with."[41]

- "Do not stand by the blood of your fellow."[42]
- "*Rodef*"—When a person is pursuing another with the intention of killing him, every Jew is commanded to attempt

---

34   *Yoma* 83b; *Yerushalmi, Yoma* 8:5; *Shulchan Aruch O.C.* 328:2; *Mishnah Berurah* there 17.

35   *Yerushalmi* there; *Toras Ha'adam, Shaar Hameichush, Inyan Hasakanah; Meiri, Chibbur Hateshuvah* 2:10 s.v. *"v'achar shebiarnu;" Terumas Hadeshen, Pesakim U'Kesavim* 156; responsa *Tashbetz* 1:54; *Shulchan Aruch* there and *Mishnah Berurah* there 6; responsa *Radvaz* 4:67 (1139).

36   *Yoma* 84b–85a; *Kesubos* 15b. See *Rashash, Yoma* 84b: It is obvious that even if there is a doubt that one will die in another year or two, we violate Shabbos for them. See responsa *Rabbi Akiva Eiger* 60 s.v. *"l'aniyus daati."* See also *Tzitz Eliezer* 8: 15(7).

37   *Vayikra* 18:5.

38   *Yoma* 85b.

39   *Tosafos, Yoma* 85a, s.v. *"u'l'fakeach;" Rash, Machshirin* 2:7 s.v. *"im."* See *Chiddushei Chasam Sofer,* end of the first chapter of *Kesubos.*

40   *Hamichtam, Pesachim* 25b, s.v. *"v'rotzeach."*

41   *Yechezkel* 20:25. *Rambam, Shabbos* 2:3.

42   *Vayikra* 19:16.

to save the person being pursued, even if it is necessary to kill the pursuer.[43]

- *"Chav l'achrinei"*—A person should be more careful not to damage others than they are not to damage themselves.[44]
- *"Dina d'malchusa"*—The law of the land is the law.
- *"Chillul Hashem"*—Also, outside of Israel there is the concern of causing *eivah* (hatred) since gentiles will say that Jews are spreading the disease.
- "Before the blind do not place a stumbling block," "Love your neighbor as yourself," and "Do not stand idly by"[45]—Some say that one who infects others violates these prohibitions.

3. The following is a collection of rabbinical statements of previous generations on the obligation to safeguard oneself during a plague:

Responsa *Rashbash* #195 states:

> *During a plague one must be exceedingly careful, especially to wash oneself, not eat excessively, eat small amounts of food that are of high quality, rest a lot while avoiding strenuous work, and avoid frustration while increasing joy. All of this to an extreme and not just a little.*

Rabbi Akiva Eiger writes in letter #73:

> *I have constantly warned that one's eating and drinking should follow the doctors' prescription and they should avoid medically forbidden foods as if they are halachically forbidden foods, and not violate the doctor's orders even a little. One must observe each and every one of their doctor's orders, such as not leaving their home in the morning without eating something, and the need to drink warm beverages. One who violates the doctors' orders is considered to have gravely sinned to God, since we say that "gadol*

---

43   *Sanhedrin* 73a–b; *Rambam, Rotze'ach*, 1:6; *Shulchan Aruch*, C.M. 425:1; See *Tosafos* there s.v. *"af,"* that saving the person who is pursued by taking the life of the pursuer is a mitzvah.

44   See *Tosafos, Bava Kama* 23a s.v. *"u'l'chayiv."*

45   *Sefer Chassidim* 773.

sakanta me'issura—greater is danger than even a prohibition,"
particularly in a place of danger to oneself and to others, which
could cause a spread of the disease in the city, God forbid, and their
sin will be too much to bear.[46]

Responsa *Nishmas Kol Chai* (2, *C.M.* 49) writes that congregants
may prevent a doctor who treats infected patients during a pan-
demic from entering the synagogue. Therefore, he should place a
partition between himself and the other congregants.

4. When it became apparent that the Orthodox Jewish population
   in Israel, the United States, and England experienced a dispro-
   portionate degree of infection in the community, virtually all of
   the Rabbinic authorities publicized the necessity to follow all
   requirements of the medical experts and the health authorities,
   including closing down the yeshivos, praying alone at home, sig-
   nificantly decreasing participation in weddings, circumcisions,
   funerals, etc. Some even ruled against holding small *minyanim*
   in outdoor areas, while others ruled it was permissible to con-
   tinue *minyanim* provided they were approved by the health au-
   thorities, and that there was a distance of two meters (six feet)
   between participants. Once the latter option was prohibited by
   the authorities, the rabbis ruled that one must pray at home.
   All communal gatherings were suspended, even gatherings for
   a mitzvah or religious celebration. All Rabbinic authorities from
   the various communities required their members to strictly fol-
   low the medical and public health recommendations.

   Indeed, virtually all the rabbis stated that everyone must follow
   the medical guidance:

   • "One must follow the medical directives, and God forbid
     to risk one's life or other people's lives with something for
     which there is even a remote doubt of danger to individuals

---

46   See *Igros Rabbi Akiva Eiger* #71, who required following the various behavioral recommen-
     dations of the doctors at the time to be careful of the cold, to eat healthy food, to care for
     personal hygiene, to walk in the fresh air, and to avoid sadness.

and others. It is strictly prohibited to try to outsmart the medical guidelines. The Rabbinic principles of *chamira sakanta me'issura* (danger supersedes prohibition), *pikuach nefesh* (danger to life) and *chav l'achrinei* (damage to others), are employed and it is thus a major sin to belittle these directives."[47]

- "There is a strict prohibition against violating any of the Ministry of Health's guidelines, with no exception. See *Rambam, Rotze'ach* 11."[48]

- "It is obvious that God-fearing individuals are obligated to be especially careful, without exception, God forbid. If one does not protect themselves to the best of their abilities and adhere to all the rules of hygiene and caution, not only does one transgress the prohibition of abandoning oneself and violating 'you shall guard your soul,' but they could potentially harm others as well, particularly those who are elderly or immunocompromised. God forbid should one belittle one of the three strictest prohibitions in the Torah."[49]

- "One who sees people disparaging the directives of the health authorities is obligated to protest and inform the authorities, because this is categorized as a '*rodef*.' The principles of 'guard your souls' and 'do not stand idly by' are current obligations, and there are no leniencies on this matter."[50]

---

47 Letter titled *"Min Hameitzar Karanu,"* signed by all the rabbis of the *Badatz* of the *Eidah HaChareidis*, under the leadership of Rabbi T. Weiss and the *Ra'avad* Rabbi M. Sternbuch, dated 4 Nissan, 5780.

48 The Rosh Yeshivah and Gaon, Rav Gershon Edelstein, publicized in the *chareidi* press at the beginning of Nissan 5780.

49 Letter of the rabbis of *Peleg Yerushalmi*, signed on 4 Nissan, 5780, by Rabbi Z. Friedman, Rabbi B. Deutsch, Rabbi A. Auerbach, Rabbi S. Markovitch, Rabbi E. Deutsch, and Rabbi Y. Ehrenberg.

50 Letter from the rabbis of Bnei Brak, Rabbi M.Y. Landau and Rabbi S.Z. Rosenblatt, dated 4 Nissan, 5780. So, too, writes *Kuntres Minchas Asher—B'Tekufas Corona* (2nd ed.) #16(7). However, in *Chashukei Chemed* on Corona (Rabbi Y. Zilberstein) 2, p. 5, wrote not to publicize when he knows he is sick and may infect others.

- "One must follow the advice of the physicians, and one who disparages their directives, thus endangering others, is categorized as a *'rodef.'* If one causes another person's death by denigrating the medical guidance, they can be considered as having committed a near-intentional crime. It is permissible to scold one who breeches his obligation for quarantine and leaves their home. Moreover, it is permissible to report one who ignores the health authorities' guidelines to the government. One may also leave their phone on during Shabbos in case physicians need to reach them, and one may answer since it is potentially lifesaving."[51]

- "One should be extremely careful to precisely follow all of the medical directives and all of the health authorities' guidelines, and not deviate from them. One who is required to be quarantined should not leave their home nor endanger others." "I must relate my pain, anger, and frustration about those who do not listen to the guidelines of the health authorities and undermine the rules of isolation. Do they not know that this could infect others, God forbid, and even kill them? Causing death inadvertently, even if it is only by a *grama*, or even a double *grama*, is considered murder in the Heavenly court, and even if there is no intend to cause harm, nevertheless this is considered inadvertent murder and its punishment is too great to bear."[52]

- "I have come to explain that there are no halachic guidelines that override the guidance of the Ministry of Health. The halachic guideline on this topic is to absolutely adhere to all of the Ministry of Health's guidelines with no exceptions, and any ruling disseminated by the Ministry should be treated as if it is a halachic ruling in every way."[53]

---

51   Response of Rabbi Chaim Kanievsky to questions he was asked. Publicized in the *chareidi* press.

52   *Kuntres Minchas Asher—B'Tekufas Corona* 1, p. 6 and par. 10.

53   *Kerias Kodesh* of the *Rishon Letzion*, 16 Adar 5780.

- "I have already publicized our opinion, the opinion of the holy Torah, that there is no halachah in the world strong enough to override the rulings of the physicians and the health authorities' guidelines which are intended to protect the community. Quite the contrary, anyone who supports those who gather to form a minyan is considered in the category of a '*rodef*' and they endanger people, and perhaps would even be described as murderers."[54]

At the outset of the pandemic, protective precautions were not fully implemented, and the *chareidi* communities in Israel and abroad suffered disproportionate morbidity and mortality. Once the severity of the problem was appreciated, the rabbinical leadership impressed upon the community the importance of heeding precautions, and the need to follow the expert guidance, the *chareidi* community became particularly careful, and the morbidity and mortality decreased accordingly.

In the absence of a vaccine or effective treatment against the coronavirus, the international expert guidelines suggest that the most effective way to reduce the spread of the virus is for the population to isolate themselves, even if it prevents communal prayer, Torah study, etc. There is an obligation to carefully observe expert medical guidance, and it is even permissible to report violators to the authorities. Moreover, it is permissible to mandate isolation on the population in order to protect the community, provided that there is evidence for the efficacy of this practice.

One is allowed and even obligated to report people who ignore the guidelines set forth by the Ministry of Health regarding quarantine requirements, communal prayer, and social gatherings.[55]

---

54   The Chief Rabbi of Israel, the *Rishon Letzion*, Rabbi Yitzchak Yosef, in a letter dated 16 Nissan 5780. See *Ein Yitzchak—Hacorona B'Halachah* (Rabbi Y. Yosef), p. 1 and on.

55   Ruling of Rabbi Chaim Kanievsky quoted above; *Kuntres Minchas Asher—B'Tekufas Corona* 1 12(7).

It should be pointed out that the concept of isolation and quarantine as the ideal manner of preventing the spread of disease has its origins in the Torah in regard to the *metzora*.[56] Chazal already recognized the great importance of isolation during a plague:

> *The Sages taught: If there is a plague in the city, gather your feet, as it is stated: "And none of you shall go out of the opening of his house until the morning."[57] And it says: "Come, my people, enter into your chambers, and shut your doors behind you."[58] And it says: "Outside the sword will bereave, and in the chambers terror."[59] What is the reason for the additional verses, "And it says"? If you would say that this matter applies only at night, but in the day the principle does not apply, Come and hear: "Come, my people, enter into your chambers, and shut your doors behind you." And if you would say that this matter applies only where there is no fear inside, but where there is fear inside, one might think that when he goes out and sits among people in general company it is better, therefore, Come and hear: "Outside the sword will bereave, and in the chambers terror." This means that although there is terror in the chambers, outside the sword will bereave, so it is safer to remain indoors. At a time when there was a plague, Rava would close the windows of his house, as it is written: "For death has come up into our windows."[60]*

We thus see that the Torah and Chazal preceded the current medical world in understanding that isolation and quarantine are the ideal methods of preventing the spread of contagious disease.[61]

---

56   *Vayikra* 13:4ff. about *metzora*; *Bamidbar* 12:15 about Miriam; *Melachim II* 15:5 and *Divrei Hayamim II* 26:23 about Uziah.

57   *Shemos* 12:22.

58   *Yeshayahu* 26:20.

59   *Devarim* 32:25.

60   *Bava Kama* 60b. See responsa *Rivash* 195 in explanation of this Rabbinic saying on the natural aspects during a plague.

61   See also *Otzar Hachaim* by Yaakov Tzahalon (book 2, *Chakirah* 19) description of the plague in the Ghetto of Rome in 1656, that everyone was required to stay in their homes. And in *Likutei Amarim*, letter 13, description of the plague in Tiberias in 5546 by the Rebbe, Rabbi

B. Definition of a Mageifah

1. Chazal defined a *mageifah* as follows:

> *What is considered dever?*[62] *If a city that sends out five hundred infantrymen, and there are three dead people taken out of the city on three consecutive days, this is dever. If the death rate is lower than that, it is not dever.*[63]

2. The *Rambam* rules:

> *What constitutes dever? When three people die on three consecutive days in a city that has five hundred inhabitants, this is considered dever. If this many people die on one day or on four days, it is not considered dever. If a city has a thousand inhabitants and six people die on three consecutive days, it is considered dever. If this many people die on one day or on four days, it is not considered dever. Similarly, this ratio should be followed for all cities. Women, children, and older men who no longer work are not included in the census in this context.*[64]

3. One of the greatest Acharonim writes:

> *Dever as mentioned in the Talmud was not due to a specific illness, but rather was the sudden death of more than the usual number of people, and defined specifically as the death of three people on three consecutive days in a city of five hundred inhabitants. This scenario proves that the disease has intensified, and the air has changed, as is written in the Beis Yosef #576. However, the illness we refer to as "choli ra" (cholera), once it has appeared in some people, we recognize that the air has been damaged, and even if not many people have died, but many people became ill, we see*

Menachem Mendel of Vitebsk, that they were shut in their courtyards, "and nobody was in the streets other than empty, reckless people, and non-Jews, *l'havdil.*"

62 See above that this term refers to any plague.

63 *Taanis* 19a.

64 *Rambam, Taaniyos* 2:5; *Shulchan Aruch O.C.* 576:2.

that the air has changed and become damaged. Once many people get sick from that illness, we can establish that it has arrived.[65]

C. Prayers, Fasts, and Charity

1. In addition to disciplined behavior in accordance with all medical guidelines and accepted medical treatments, one should pray with special intensity (*kavanah*).[66] Prayer during times of great tragedy is a Biblical obligation according to all *poskim*.[67]

2. In particular one should recite with their heart and soul the sections of *Ketores Ha'samim* and *Pitum Ha'ketores* as a *segulah* (charm) for removing plagues.[68]

3. Some advise adding prayers such as *Avinu Malkeinu* (particularly, "Withhold plague from Your heritage"); saying "*E-l rachum shemecha, aneinu Hashem aneinu, mi she'anah...*";[69] reciting the passages of *Korbanos* if one does not normally do so;[70] saying the *Yom Kippur Katan* prayers on Erev Rosh Chodesh; reciting chapters of *Tehillim*;[71] reciting *V'hu Rachum* on Mondays and Thursdays after the *Shemoneh Esreh* prayer out loud, in tears;

---

65   Responsa *Divrei Malkiel* 2 #90. See further responsa *Chavos Ya'ir* 197.

66   See *Taanis* 21a–b, *Rambam*, *Taaniyos* 2:1, 5–6; *Shulchan Aruch O.C.* 576:1–3.

67   There is a dispute among the *Rishonim* whether praying at least once a day is a Biblical obligation—this is the opinion of the *Rambam* in *Sefer Hamitzvos* #5 and *Tefillah* 1:1, and others; or if it is only a rabbinical obligation—this is the opinion of the *Ramban* in *Sefer Hamitzvos*, there, and others, but even the *Ramban* there wrote that prayers during tragedies are a Biblical obligation.

68   See *Peirush Hasulam* on the *Zohar*—*Bereishis, Vayeira* essay, "*V'Hinei Sheloshah Anashim*—*Va'yochlu*" #122: "Elijah said to me, at the time that plagues happen to people, a covenant is established, and an announcement goes out to all of the heavenly hosts, that if God's children gather in the synagogues and houses of study in Israel and say with heart and soul the topic of *ketores ha'samim*, the Jews will be able to cancel the plague from them." See *Midrash Ne'elam* 1, 100b. See also *Midrash Tanchuma, Tetzaveh* 15, and at length in *Maavar Yabok*, "*anan haketores*," #3. See Letters of Rabbi Akiva Eiger #71; *Aruch Hashulchan*, *O.C.* 576:9. A strong source is the verses in the Torah, *Bamidbar* 17:11–13, that the *ketores* stopped the plague.

69   Letters of Rabbi Akiva Eiger, there.

70   *Yalkut Yosef, Kitzur Shulchan Aruch, O.C.* 1:29.

71   Specifically, chaps. 3, 8, 20, 91, 130. See letters of Rabbi Akiva Eiger, there, on reciting *Tehillim* in general.

reciting every day before *Shomer Yisrael* the *Yehi Ratzon* before *Avinu She'ba'shamayim*, which is said at the Torah reading.[72]

4. Some have composed special prayers for such situations.

5. However, some say that during a difficult time we should not take too much time for prayer, as it says in the *Mechilta*[73]: "God said to Moshe, "Moshe, My children are struggling in pain and the sea is closing in on them and their enemies are chasing them, and you stand there and pray?"[74]

6. When there is a plague in a city, the inhabitants should fast and cry out.[75] However, nowadays, we do not fast at all during a plague.[76] Nevertheless, during the coronavirus pandemic, there is no medical evidence to suggest deleterious effects of fasting for healthy individuals, or even those who tested positive for the virus but are asymptomatic.[77]

7. Because of the difficult economic situation during a pandemic, one must increase charity and support the poor with food, medicine, and medical bills.[78] During the coronavirus, one must do all they can to support the health of those who are quarantined or isolated, ensure they have their basic needs and money, and support their business.

8. Despite the discontinuation of Torah study in the schools and yeshivos, parents should not request refunds for tuition, lest it cause a collapse of the educational institutions, and the "remainder of the Jewish community should not support such an injustice."[79]

---

72   Responsa *Chasam Sofer, Likutim, Kovetz Teshuvos* #1.

73   *Mechilta* of *Rabbi Yishmael, Beshalach.*

74   *Ben Yehoyada, Shabbos* 10a.

75   *Taanis* 19a; *Rambam, Taaniyos* 2:2; *Shulchan Aruch, O.C.* 576:2; See responsa *Rashbash* #360.

76   *Magen Avraham* 576:2; *Mishnah Berurah*, there #2. And this is how the great rabbis behaved during the cholera epidemic—see further.

77   See below, section on Tishah B'Av and other fast days.

78   Letters of Rabbi Akiva Eiger #73.

79   Rulings of Rabbi Hershel Schachter. See: https://www.kolcorona.com/rav-schachter-official-pesakim. However, the Israeli Ministry of Health publicized that schools will reimburse

9. Similarly, one who has reserved a vacation in a hotel for the Jewish holidays and has paid a deposit, but the reservation had to be canceled due to the pandemic, is technically not required to pay and should receive their deposit back, as this is categorized as a "statewide tragedy."[80] But some rabbis rule that one should go beyond the letter of the law, in the spirit of charity and righteousness, and compromise with the organizers and hotel owners, not requesting a refund for their deposit—which may have already been spent—as an act of charity and compassion.[81]

D. Self-Endangerment of Health-Care Providers— Doctors, Nurses, Laboratory Personnel, and Technicians

1. Anyone who can save another person's life is obligated to do so based on the verse, "You shall not stand idly by."[82] However, most authorities rule that one is not obligated to put themselves into possible danger in order to save someone else even from certain danger.[83]

2. However, when it comes to health-care workers, the ruling is different. Indeed, physicians and other essential health-care providers are permitted to care for patients even if there is a concern that it might endanger their lives, and certainly according to all opinions, there is no prohibition against entering into a possible danger.[84] Therefore, medical workers may treat contagious coronavirus patients, with appropriate precautions, ensuring they are careful to avoid contracting the disease.

---

parents for educational expenses that were not utilized. The former Minister of Health, Rabbi Rafi Peretz, announced that parents will not pay for what they did not receive.

80   As explained in *Rema, C.M.* 321:1.

81   Rabbi Schachter, ibid.

82   *Vayikra* 19:16. See *Sanhedrin* 73a; *Rambam, Hilchos Rotze'ach* 1:14; *Shulchan Aruch, C.M.* 426:1.

83   See at length in my book *Harefuah K'Halachah*, vol. 5, p. 53ff.

84   *Igeres Rabbi Akiva Eiger* in the book *Igros Sofrim*, letter #30; responsa *Tzitz Eliezer* 8:15(10:13) and 9:17(5); responsa *Shevet HaLevi* 8:251(7); Rabbi Y.Y. Neuwirth, quoted in *Nishmas Avraham* (2nd ed.), *C.M.* 426:2(4); *Shiurei Torah L'Rofim* 1:46; responsa *Minchas Asher* 3:122. See also *Nishmas Kol Chai* 2 C.M. #49; responsa *Rema* #19; responsa *Divrei Yatziv, C.M.* #79.

3. However, if a medical worker has someone ill in their house, and by contracting coronavirus they would endanger that individual, they should not treat coronavirus patients. This is because the danger to the member of their household is severe, and there are others who can care for the coronavirus patients in their stead.[85]

4. Part of the obligation to protect oneself is to wear a properly fitting facemask over the nose and mouth to prevent becoming infected or infecting others. This mask must be sealed as well as possible. Many experts feel that a beard hampers the ideal protection of the mask. In such a situation it is permissible to shave one's beard (in a permissible manner) for the sake of *pikuach nefesh*.[86]

5. When performing a resuscitation, one must endeavor to avoid mouth-to-mouth resuscitation. In the event this cannot be avoided, only a healthy young member of the resuscitation team should provide mouth-to-mouth rescue breathing, as such an individual, even if infected with coronavirus, has a relatively low morbidity rate. Older individuals or those with preexisting medical conditions may not perform rescue breathing without adequate protection.

6. It is appropriate to heed the words of the Rabbinic authorities: "There is no clear fundamental rule when it comes to how much danger a person should engage in to save another person. Rather, it is based on the specific case and should be weighed carefully, but one should not protect themselves excessively or be overly cautious."[87] As it says, anyone who is overly careful for themselves at the expense of others will ultimately come to

---

85 *Kuntres Minchas Asher—B'Tekufas Corona* (2nd ed.) #8.

86 Ibid., #7. There is a Kabbalistic principle of keeping one's beard and not removing even a single hair (see *Zohar* 3:130b; *Taamei Hamitzvos*, *Kedoshim*, in the *Arizal*'s opinion), and it is a Jewish custom to keep a beard. However, the basic halachah according to most *poskim* is that there is no prohibition to remove one's beard in a permissible manner, and there is proof that such was the practice among great rabbis in Europe (See *Shiurei Berachah*, Y.D. 181:7–9; responsa *Chasam Sofer*, O.C. 159), therefore it is obvious that in a lifesaving situation it is completely permitted.

87 *Pischei Teshuvah*, C.M. 426:2; *Aruch Hashulchan*, C.M. 426:4; *Mishnah Berurah* 329:19.

experience that fate.[88] Not every distant concern is *safek pikuach nefesh* (a doubt of endangering life). If there is no possible concern of death, there is an obligation to save, and this determination is transmitted to the wise and expert (i.e., those who are knowledgeable and have expert training).[89]

E. Self-Endangerment for Experimental Treatment or Developing a Vaccine

1. The coronavirus is especially dangerous for the elderly, individuals with preexisting conditions, and people with functional disabilities. Currently, there is no effective medication for this illness, but investigations are underway to test various treatments. Regarding the use of established medications for other illnesses, such as anti-malaria agents or antivirals, it is permissible for a patient with an intermediate or severe illness, particularly if they have one of the risk factors mentioned above, to take part in such studies, as long as informed consent is provided, and the expected benefit of the experimental medication clearly outweighs its known side effects.[90]

   However, regarding a novel medication or agent that has never been previously tested, it is permissible for a patient with an intermediate or severe illness to take part in such a study provided that they have been approved by all the governmental and institutional agencies for research studies. For individuals infected with coronavirus who have mild illness and no risk factors, and certainly if they are asymptomatic, it is forbidden for them to endanger themselves with the potential side effects of experimental treatment until the treatments are determined not to be dangerous.[91]

---

88   *Bava Metzia* 33a; *Shulchan Aruch*, C.M. 264:1.
89   *Pischei Teshuvah*, there.
90   See responsa *Minchas Shlomo* 2:82 (12).
91   See at length what is permitted and forbidden in terms of endangering oneself in seeking medical treatment in my book *Harefuah K'Halachah*, vol. 5, p. 65ff. See also *Kuntres Minchas Asher—B'Tekufas Corona* (2nd ed.) #5(1).

2. Saving multitudes of people from the coronavirus is dependent on the discovery of an effective vaccine against the virus, which requires placebo trials in one of two ways. One way is to randomize test subjects into two groups, whereby group A receives the vaccine, while group B serves as the placebo group. Over time, researchers monitor the incidence of disease in each group. If the incidence of disease is higher in group B, it suggests vaccine efficacy. This method is problematic, as it may take a prolonged period of time until sufficient people have been exposed naturally to the virus.

   An alternative method is to carry out the same protocol as above, but in this case, all subjects are deliberately exposed to the coronavirus. In this way, the researchers can compare the two groups—the vaccinated versus the control—after a relatively short period of time, knowing that everybody was exposed to the virus.

   To participate in this study, only young, healthy volunteers without risk factors and with informed consent should be recruited. This raises the halachic question of whether it is permissible for a young, healthy individual to enter a possible danger in order to save many people from death. This halachic topic has been dealt with extensively by the *poskim*.[92] The conclusion of many *poskim* is that if the level of potential danger to the one trying to save others is very low, and the amount of good they can do to save many individuals in certain danger is great, then they are obligated to take that risk, based on the verse, "Do not stand idly by." Other *poskim* rule that there is no obligation to enter that degree of risk, but it is permissible to do so, and it is considered to be a pious act.[93] Based on the fact that the danger of the coronavirus infection for young and healthy people is very low, and the amount of potential to do good is very high, it is

---

92   See at length in my book *Harefuah K'Halachah* vol. 5, p. 53ff.
93   Ibid. And see there, vol. 6, p. 482ff., regarding living organ donation.

permissible to take part in such an experiment, and it would be pious to do so.[94]

F. Visiting the Sick

1. The primary fulfillment of *bikur cholim* (visiting the sick) is actually going to the house of the patient and fulfilling all of the purposes of the mitzvah, including nursing and environmental support.[95]

2. Due to the highly contagious nature of the coronavirus, it is forbidden to visit a patient in quarantine or in hospital.[96] Under these circumstances, one can at least partially fulfill the mitzvah by phone.[97] In this way, at the very least, one fulfills the mitzvah of *chessed* (kindness).[98] It is even more preferable to use an

---

94   *Kuntres Minchas Asher—B'Tekufas Corona* (2nd ed.), 5(2).

95   See the acts of Rabbi Akiva in *Nedarim* 40a.

96   See, however, the *Reshimos Shiurim* of Rabbi Yosef Dov Soloveitchik, *Bava Metzia* 30b (p. 147), who testifies that his grandfather, Rabbi Chaim of Brisk, visited the sick during the cholera epidemic, even though it was contagious. He distinguished between when there was only a possible danger, when it may be done to do a mitzvah; and when there is a certain danger, where one need not put themselves into such a danger. This is also quoted in responsa *Teshuvos V'Hanhagos* 5 #390, where he also quotes that the Rav of Lodz, Rabbi Meizels, had the same practice.

97   Some write that in this way one fulfills part of the mitzvah of visiting the sick after the fact: See Rabbi Y.E. Henkin, *Hapardes*, year 48 #1; responsa *Igros Moshe, Y.D.* 1 #223; responsa *Minchas Yitzchak* 2 #84; responsa *Minchas Shlomo* 2 #82(9); responsa *Be'er Moshe* 2 #104; responsa *Chelkas Yaakov, Y.D.* #188; responsa *Tzitz Eliezer* 5, *Kuntres Ramas Rachel* #8(6); *Yechaveh Daas* 3, #83 and *Chazon Ovadia* 1, p. 12. Some write that one does not fulfill the mitzvah of visiting the sick at all in this manner: responsa *Mahari Shteif* #294; Rabbi Y.S. Elyashiv, quoted in responsa *Yisa Yosef* 2 #71(1) and also in his name in *Mishnas Ish* #163. See also regarding Rabbi Elyashiv's view in *Tziyunei Halachah*, p. 313, and his letter published in *Kisvuni L'Doros*, letter 402. However, see *Kav V'Naki* 2 #349; *Yalkut Yosef, Aveilus* 26:9; *Ratz Ka'Tzvi, Inyanei Aveilus* #8(11). *Pachad Yitzchak* (Rabbi Hutner), *Igros U'Kesavim*, #33 writes that one completely fulfills the mitzvah of visiting the sick by phone because the term *"bikur"* is not to go to a person, but *"bikores tihiyeh"* (*Vayikra* 19:20), which means to look into the situation of a sacrifice, and so *bikur cholim* is to look into the situation of the patient, which can also be done completely by phone (see more on his position in *Ratz Ka'Tzvi, Inyanei Aveilus* #8[13]). See further *Rashi* and *Metzudas David* and *Malbim, Yechezkel* 34:11. See also responsa *Ratz Ka'Tzvi* 2 #10(4) and *Ratz Ka'Tzvi, Inyanei Aveilus* #3 and *Assia* 81–82, 5768, p. 125ff.

98   *Kol Bo, Aveilus* 2, responsa #1:1(1); *Minchas Asher* on *Bereishis*, #20(4). See also responsa *Chelkas Yoav* 2 #128; *She'arim Hametzuyanim B'Halachah* 193:1.

electronic device that enables one to see the patient while they speak, since that fulfills the mitzvah of *bikur cholim* according to almost all opinions.[99]

3. It is uncertain whether one fulfills the mitzvah of visiting the sick through a messenger.[100]

G. Communal Prayer, Blessing of Kohanim, Torah Reading, Yeshivos

1. It is well-known that prayer in synagogue with a minyan is a great and important mitzvah, though it is only a Rabbinic obligation.[101] However, it is also well-known that *pikuach nefesh* overrides the entire Torah other than the three cardinal sins, and it certainly overrides communal prayer. Therefore, if the government authorities opine that there is a risk of contagion as a result of communal prayer, one is obligated to listen to them.[102]

2. During the first stages of the coronavirus pandemic in Israel, the Ministry of Health permitted prayer in a synagogue with

---

99 See responsa *Minchas Yitzchak* 2 #84. See Rabbi Weisinger, *Assia* 103–104, 5777, p. 35ff.

100 See responsa *Igros Moshe* Y.D. 1 #223; responsa *Be'er Moshe* 2 #104–105; responsa *Tzitz Eliezer* 17 #6(6). The doubt is that on the one hand, the mitzvah of visiting the sick is part of *chessed*, which can certainly be done by a messenger. On the other hand, one purpose of the mitzvah is to actually help the patient, which is like a mitzvah done with the body. Also, one is required to pray for the patient, which is more effective if one goes in person and sees their pain. Indeed, it is quoted that Rabbi Akiva Eiger would hire messengers who would visit patients in his name (see *Maskil el Dal* [Rabbi Hillel of Kołomaya] 4 *klal* 2, *prat* 1:1; *Chut Hameshulash* 5723 edition), p. 208; *Karnei Re'em* (Rabinovitch), p. 201; *Chiddushei Rabbi Akiva Eiger Hachadashim, Nedarim* 39b. The *Aderes* discusses this issue (see Rabbi Danderovitch, *Hamaayan* #200, 5772, p. 147ff.).

101 *Rambam, Tefillah* 8:1, writes that one should not pray alone if he can pray with the community, and *Shulchan Aruch*, O.C. 90:8, writes that one should make an effort to pray with a minyan in a synagogue. *Igros Moshe*, O.C. 2:27 and 3:7 is of the opinion that it is a complete obligation, but see *Kuntres Minchas Asher—B'Tekufas Corona* 1 16:1 and *Ein Yitzchak—Hacorona B'Halachah* (Rabbi Y. Yosef), p. 9, that it is not a complete obligation, but one should try hard to do it.

102 See *Otzar Hachaim* by Yaakov Tzahalon (2:19) about the plague in the Ghetto of Rome in 1656, when there was a complete lockdown and they forbade opening the synagogues and prayer with a minyan.

a minyan of just ten men, with everyone staying at least 2 (six feet) meters away from each other.

Rabbi Akiva Eiger already had a good understanding of the need for social distancing during a pandemic, and for spacing between each congregant. During the second cholera epidemic, he wrote:[103]

> *It is true that gathering in a small space is inappropriate, but it is possible to pray in groups, each one very small, about fifteen people. They should begin with the first light of day and then have another group, and each one should have a designated time to come pray there. The same for Minchah...and they should be careful not to be crowded, and perhaps they should ask the police to supervise so that if the number of congregants will exceed fifteen people, they should stop them, and please let the authorities know that I ordered you to behave in this way; and if they refuse, it will be appropriate to let the government here know. I am confident that you will be successful if you mention my name that I warned the congregants not to gather in a crowded narrow space in the synagogue, and they should recite Tehillim, and they should also pray for the king.*

He also wrote:[104]

> *In every synagogue, in both the men's and the women's sections, it is only permitted to fill half of the seats on Rosh Hashanah and Yom Kippur, such that next to every person there will be an empty seat. Therefore, only half of the seats in the synagogue will be available on the High Holidays. Since everyone has equal right to a seat, half will get their seats on the two days of Rosh Hashanah and the other half will get their seat on Yom Kippur, day and night.*

---

103   *Igeres Rabbi Akiva Eiger* #71.

104   In the book *Pesakim V'Takanos Rabbi Akiva Eiger* (Rabbi N. Gestetner's edition, 5731), *Hanhagos V'Takanos* #20.

Furthermore, he wrote:

> *They should hold a lottery between the various groups, and every group will receive a card in a special shape, and there will be a military guard placed at the entrance of the synagogue to allow in only those who have the apporporiate ticket for each day. Policemen will be assigned to oversee the organization of the synagogue. Those who couldn't go to synagogue will pray in private house minyanim, but they will have to keep the same spacing precautions there.*

3. Subsequently, the Ministry of Health in Israel forbade prayer in synagogues, though they still permitted small outdoor *minyanim* of just ten men with 2 meters (six feet) in between. Even though the halachah requires a person to not pray in an open place, such as a field,[105] in a time of great need such as a plague, the rabbis allowed prayer in an open area within the above parameters.[106] If there are trees, it is ideal to stand between them and pray.[107]

4. Subsequently, the authorities forbade even praying in an open area, and required everyone to avoid all gatherings anywhere. During that time, all the great Rabbinic authorities ruled that everyone must adhere to this guidance and pray at home.[108]

There were individuals who wished to continue communal prayer, even with the requirement to remain at home, by praying while standing on their balconies in order to be able to see each other during prayer. The *poskim* disagree over whether a minyan in which not everyone is in the same house, yet they

---

105 *Shulchan Aruch*, O.C. 90:5. See *Berachos* 34b that praying outdoors is considered arrogant.

106 See *Mishnah Berurah* there #11, that everyone agrees that travelers may pray in a field, and it seems that a plague should obviously be the same. See responsa *Minchas Yitzchak* 2:44. See *Kuntres Minchas Asher—B'Tekufas Corona* 1 #20 and 2nd ed. #29.

107 *Mishnah Berurah* there.

108 See *Igros Moshe*, O.C. 3:7, that some people feel that they can pray better alone than with a group, nonetheless in normal circumstances they should still pray with a minyan. However, in a situation of lifesaving emergency, when there is an obligation to pray alone, one should certainly focus on *kavanah* in their prayer. See *Maaseh Ish* (Yabrov) 3:155–6 that the *Chazon Ish* advised Rabbi M.Y. Lefkowitz, to pray alone after his marriage because he found the prayers in the minyan in the great synagogue there disturbing, as they differed from what he was accustomed to in his yeshivah.

can see each other, is considered a minyan allowing the recital of Kaddish and other parts of the prayer service that require a minyan.[109] Those who permit such minyanim allow Kohanim to recite *Birkas Kohanim* with a minyan from a balcony, However, regarding *krias HaTorah*, since those on the balconies cannot be called up to the Torah, it is preferable for the Torah reader to get each *aliyah* and recite the blessings seven times.[110] This ruling is only when there is no public property, or even a private walkway, separating between those praying.[111] Individuals only fulfill their obligation of minyan if they can hear the chazzan. Those who cannot hear the chazzan are not included in the minyan.[112] If there are ten men on one balcony, other individuals can join this minyan from different balconies as long as they see at least part of the minyan.[113]

5. At a later stage of the coronavirus pandemic, the authorities allowed praying outdoors for a maximum of nineteen men while maintaining social distancing. They also required everyone to wear a facemask. Prayer in this manner is permitted, and even the chazzan and the Kohanim may wear facemasks as long as their voices can be heard.[114]

---

109 The *Shulchan Aruch* rules (*O.H.* 55:13): "All the ten need to be in one place, and the prayer leader with them." Based on that ruling, and other opinions among the Acharonim, the *Rishon Letzion*, Rabbi Yitzchak Yosef, ruled that Sephardim do not fulfill prayer with a minyan when everyone stands on their own balcony. On the other hand, the *Pri Chadash* writes in 55:13, and many Acharonim follow him, including the *Mishnah Berurah* 55:54, that this ruling of the *Shulchan Aruch* only applies when each person doesn't see each other, but if some of them see some others they can join for a minyan, but only in a case of need, as stated in *Shaar Hatziyun* there #57. It seems therefore that Ashkenazim can fulfill a minyan this way. See responsa *Minchas Yitzchak* 2 #44; *Halichos Shlomo, Tefillah* 5:12; *Minchas Asher—B'Tekufas Corona* 1 #18 and 2nd ed. #25 and 27.

110 *Minchas Asher—B'Tekufas Corona* (2nd ed.) #26. This is based on *Shulchan Aruch, O.C.* 143:5, when there is nobody in the community who knows how to read.

111 *Shulchan Aruch, O.C.* 195:1; *Taz* there #2; *Pri Megadim O.C.* #55, *Eshel Avraham* #12.

112 *Taz, O.C.* 124:2. However, the *Pri Chadash* 55:8 disagrees with the *Taz*, but see *Minchas Asher—B'Tekufas Corona* (2nd ed.) #26, that one should follow the *Taz*.

113 *Shulchan Aruch, O.C.* 55:20 and see *Mishnah Berurah* there #52.

114 So ruled Rabbi Y. Zilberstein.

6. When space is limited, and the number of men permitted to pray in one location exceeds the safety guidelines, it is necessary to establish a method for choosing participants to be part of the small minyan. Some say the preference should follow the Mishnah in *Horayos* 13:1: a Kohen before a Levi, a Levi before a Yisrael, etc., and a Torah scholar before everyone; and the Torah reader (*baal korei*) should come before all because the community needs him, and all others should go elsewhere.[115]

7. Concerning the ritual handwashing of Kohanim by Levi'im, the source of this custom is found in the *Zohar*,[116] and it is so ruled in the *Shulchan Aruch*,[117] and Levi'im should not degrade this custom.[118] Some *poskim* rule that only one Levi should wash the hands of one Kohen,[119] whereas other *poskim* justified the Ashkenazic custom that several Levi'im wash the hands of one Kohen.[120] There are several other issues the *poskim* have dealt with related to this custom: Should the Levi go out to wash the hands of the Kohen and miss parts of the blessings during the repetition of *Shemoneh Esreh*? Can a Levi walk in front of a person who is in the middle of *Shemoneh Esreh*? Should a Levi who is a *talmid chacham* wash the hands of a Kohen who is an *am ha'aretz* (ignoramus)? and so on.[121]

Therefore, because the ritual handwashing is a custom, and because there are questions regarding its practice under different

---

115 *Peninei Chashukei Chemed Al Mageifas Corona* (Rabbi Y. Zilberstein) 1, p. 17. See below, on lifesaving triage, that we do not follow this Mishnah. However, regarding priorities, we can distinguish between the laws of saving a life and other matters. However, due to the ways of peace it is usually best to follow the rule of "first come, first served."

116 *Zohar, Parashas Naso* 146b. See also *Rikanati, Bamidbar* 6:2–3, who cites a source from *Midrash Rus*. And see *Beis Yosef, O.C.* #128.

117 *Shulchan Aruch, O.C.* 128:6. And see *Shulchan Aruch Harav* there #10, and *Aruch Hashulchan* there #15.

118 Responsa *Igros Moshe, O.C.* 4 #127.

119 Responsa *Shevet Hakehasi* 2 #57, in the name of Rabbi Y.S. Elyashiv.

120 Ibid., there.

121 *Magen Avraham* 128:7; *Mishnah Berurah* there 22; responsa *Shevet HaLevi* 8 #47; responsa *Shraga Hameir* 8 #36; responsa *Teshuvos V'Hanhagos* 3 #48; responsa *Tzitz Eliezer* 15 #22 and 21 #7.

circumstances, during the circumstances of a plague one should minimize the contact between the Kohen and Levi. It is therefore preferable that a Kohen wash his hands without a Levi in order to avoid close contact between them, or it should at least be minimized by having one Levi for one Kohen.

8. Those who pray at home should pray at the same time that their community prays.[122] However, at the early stages of the coronavirus pandemic, when all communal prayer became forbidden in all places, there was no time of communal prayer. There was, however, a permanent small minyan at the Kosel and at Me'aras Hamachpeilah, so it was possible to coordinate with those *minyanim*. When there is no way to establish such coordination, it is preferable to establish a fixed time for prayer so that each individual praying alone will be doing so at the same time as other individuals of his community.[123]

9. One who needs to say Kaddish for someone who is deceased, but is prevented from doing so due to the restrictions, should instead learn Mishnayos for the elevation of their memory.[124]

10. When the government permitted communal prayer with social distancing, everyone, including the gabbai and the one who is called up to the Torah, were required to wear facemasks over the nose and mouth. The one who gets an *aliyah* is allowed to stand at a distance and listen to the reading, even if he does not see the letters of the Torah.[125] However, it is preferable that the one who gets an *aliyah* should read his portion himself, even if he is not precise with the *trop*, as long as he reads the words correctly and is careful about the end of the verses.

---

122 *Shulchan Aruch, O.C.* 90:9. And see *Halichos Shlomo, Tefillah* 5:18 and *Devar Halachah* there, that this ruling applies only if he intends to join a specific minyan, otherwise in big cities there are *minyanim* throughout the day. So, too, in *Meromei Sadeh, Berachos* 6.

123 *Kuntres Minchas Asher—B'Tekufas Corona 1* #17.

124 Ibid., #22.

125 Ibid., #23 and 2nd ed., #31. See his proofs there.

11. The Torah reading on Shabbos, Mondays, and Thursdays is only required in a congregation.[126] Therefore, when one is in isolation there is no requirement to read from the Torah scroll, and one does not fulfill the obligation by reading from a *Chumash*. However, one must still read the weekly *parashah* twice and the *Onkelos* translation once. If the community will be able to pray the following week, they can make up the *parashah* that they missed.[127]

12. Regarding making up missed Torah readings from the weeks in which there was no minyan, there is a disagreement over whether on the first Shabbos in which *minyanim* resume only the previous week's *parashah* should be read,[128] or all the *parshiyos* that were missed.[129] In such a circumstance, a Kohen is called for the first *aliyah*, which consists of the entire previous week's *parashah* and the first *aliyah* of that new week's *parashah*, and then everyone else gets the normal *aliyos* of that week.[130] However, if the Torah was not read on a week that included two *parshiyos*, it is not made up on the next week,[131] and if the week when the minyan returns to read the Torah is a week with two *parshiyos*, the *parashah* that was missed is not added.[132] One *posek* ruled that during the coronavirus pandemic, when synagogue attendance was not possible due to the danger, only that week's *parashah* should be read upon return to the synagogue.[133] Since this involves a dispute among

---

126   *Halichos Shlomo, Tefillah, Milluim* #17.

127   *Shulchan Aruch, O.C.* 135:1.

128   *Agudah, Megillah* 3 #30; responsa *Maharam Mintz* #85; *Rema, O.C.* 135:2; *Magen Avraham* there #4; *Shaarei Efraim* 7:9 and 39.

129   As implied by *Ohr Zarua* 2, *Hilchos Shabbos* #45. So ruled by *Elyah Rabbah* 135:2; responsa *Maharam Shick, O.C.* #335 in the name of the *Chasam Sofer*, who testified that this is what Rabbi Nosson Adler did; *Gra, Tosefes Maaseh Rav,* #34; *Aruch Hashulchan, O.C.* 135:6; *Chazon Ish* quoted in *Pe'er Hador* 3, p. 33; *Chazon Ovadia, Shabbos* 2, p. 332; *Yalkut Yosef, Hilchos Krias HaTorah,* p. 20 and *Ein Yitzchak—Hacorona B'Halachah* (Rabbi Y. Yosef), p. 53ff.; responsa *B'Tzel Hachochmah* 1 #7. See *Mishnah Berurah* 135:7 who quotes both opinions.

130   Responsa *Yabia Omer* 9, *O.C.* #28.

131   Responsa *Maharam Mintz* #85; *Magen Avraham* 135:4.

132   *Mishnah Berurah* 135:7.

133   *Kuntres Minchas Asher—B'Tekufas Corona* (2nd ed.) #34. His reason is that according

the *poskim* on a matter that is a *takanah*, and since during an epidemic there is a danger in gathering together for prolonged periods of time, it is preferable not to extend the prayer time by adding extra *parshiyos*. Regarding the haftaros, everyone agrees that one need not make up what was missed.[134]

13. Although some are accustomed to kissing the mantle of a *Sefer Torah*[135] and the mezuzah[136] to show affection, they should not do so during a pandemic, out of concern of infection.

14. Some coronavirus patients lose their sense of taste, but they should still recite blessings before eating food.[137]

15. Even though Torah study is of the highest value,[138] and the world is only sustained by the Torah learning of children,[139] and the Torah protects and saves,[140] the ruling is different when there is a

---

to *Shaarei Efraim* 4:39, the rules of making up *parshiyos* is only if the community prayed together but for some reason couldn't read from the Torah; but we do not make up Torah readings when the community did not gather at all. Furthermore, based on responsa *Shvut Yaakov* 3 #6, we only make up Torah readings when one week was missed, not if it was many weeks.

134 *Ein Yitzchak—Hacorona B'Halachah* (Rabbi Y. Yosef), p. 57.

135 *Rema, O.C.* 149:1 writes in the name of the *Or Zerua* that they bring children to kiss the Torah to train them and excite them about mitzvos. However, there is no source for all adults before whom a *Sefer Torah* passes to kiss it. Rabbi Elyashiv is quoted as saying that when one kisses a Torah, they should not touch it with their lips but just come close to it and kiss the air. His source is the *Rambam, Shemiras Hanefesh* 12:4, *Shulchan Aruch, Y.D.* 116:4, and *Shach* there, that it is forbidden to place money in their mouth out of concern that it could spread illness, since many people have touched it, so certainly one should be careful about a mantle of a *Sefer Torah* that is kissed by mouth. It is also quoted in the siddur *Tzlosa D'Avraham (Shacharis)* that Rabbi Avraham of Ciechanów said that one should not kiss the Torah cover by mouth, so certainly not during a pandemic.

136 *Rema, Y.D.* 285:2 writes: "Some say that when a person leaves their house they should put their hand on the mezuzah (*Maharil*, and proven from *Avoda Zarah* 11), and they say: May God protect my going, etc. (*Midrash*); so, too, when one enters their house, they should put their hand on the mezuzah." It does not say to kiss it, but the *Kitzur Shulchan Aruch* 11:25 says one should kiss the mezuzah. See *Chashukei Chemed* on *Avodah Zarah* 17a. However, it is clear that there is really no source for kissing the mezuzah, so during the coronavirus pandemic, one should certainly not kiss the mezuzah.

137 *Kuntres Minchas Asher—B'Tekufas Corona* (2nd ed.) #43. See his reasons there.

138 Mishnah, *Peah* 1:1.

139 *Shabbos* 119b.

140 *Sotah* 21a.

potential for danger,[141] and nothing stands in the way of *pikuach nefesh*. Therefore, when it is clear that people gathering together during a plague causes contagion and danger for each individual, there is no choice but to close the schools and yeshivos, and to learn Torah in other ways.[142]

H. Birkas Ha'gomel

1. One who was infected with the coronavirus and suffered from pneumonia, and certainly one who was on a ventilator, is obligated to recite *Birkas Ha'gomel* after they recover.

2. One who tested positive for coronavirus and suffered from minor, flu-like symptoms does not recite *Ha'gomel* if they are generally in good health. However, if the individual had preexisting conditions, they may be allowed to say *Ha'gomel*.[143] An individual who leaves quarantine but was not ill should not recite *Ha'gomel*.[144]

3. One who is obligated to recite *Ha'gomel* but does not have access to a minyan, can do so via video conferencing, such as Zoom. The reason is that the requirement of a minyan for *Ha'gomel* is not because it is a holy matter that requires a minyan, but is based on the concept of publicizing the miracle; therefore, it is sufficient to have people witness it by video.[145]

4. Even though a priori, the *Ha'gomel* blessing should be recited within three days after recovery, if there is no such possibility—and during the coronavirus pandemic, there were times

141 *Pesachim* 8b.

142 See Shai Agnon, *Sofer V'Sippur*, who describes the plague during the times of the *Maharal* of Prague's older brother, and the friend of the *Rema*, Rabbi Chaim son of Rabbi Betzalel, author of the *Sefer Hachaim*: "In those bad days when the plague ruled over us...they and their house was closed for two months, the yeshivos were canceled...and they could not make the matters of Abaye and Rava their concern, and delve into the depth of the halachah."

143 See *Kuntres Ne'os Mordechai* (Rabbi M. Gross), *Shu"t L'Eis Tzarah*, and see *Kuntres Minchas Asher—B'Tekufas Corona* (2nd ed.) #17(1).

144 *Kuntres Minchas Asher—B'Tekufas Corona* (3rd ed.) #6.

145 *Piskei Corona* of Rabbi Hershel Schachter.

without minyanim—it is permissible to postpone the blessing to a future time when there will be a minyan.[146]

I. Shabbos and Yom Tov

1. When government authorities require everyone to wear a face-mask over their mouth and nose, and gloves on their hands, in order to prevent contracting the virus, it is permitted to do so in a public domain on Shabbos, even if there is no *eiruv*.[147]

2. It is permissible to use hand sanitizer gel on Shabbos, and it is not considered smoothing (*memachek*).[148] It is also permissible to use alcohol wipes.[149]

3. Even though there is an automated system in hospitals that checks body temperature of all individuals entering the building, it is nevertheless permissible to visit non-coronavirus patients there on Shabbos because one is entering without doing an action; they are simply intending to fulfill a great mitzvah.[150]

4. One may drive within a city on Shabbos or Yom Tov in order to make public announcements regarding potential contacts of coronavirus. It is better to have a non-Jew do this, but if this is impossible, it may be done by a Jew.[151]

5. Due to *pikuach nefesh*, it is permissible for someone who has coronavirus to be evacuated on Shabbos to a place where coronavirus patients are being isolated in order to prevent infecting others.

---

146   *Shulchan Aruch, O.C.* 219:6. Some limited the time of blessing until one year after recovery (responsa *Shevet HaKehasi* 1:100. See *Chazon Ovadia, Berachos,* p. 358); Others ruled the obligation never ceases, and one can recite the blessing even after several years (responsa *B'Tzel Hachochmah* 5:88(2); *Halachah Berurah* 219, in *Berur Halachah* 25). See *Minchas Asher—B'Tekufas Corona* (2nd ed.) who limited the time to up to thirty days.

147   See *Kuntres Minchas Asher—B'Tekufas Corona 1* #9 and 2nd ed. #13; *Ein Yitzchak—Hacorona B'Halachah,* pp. 50–51.

148   *Kuntres Minchas Asher—B'Tekufas Corona* (2nd ed.) #16(3).

149   See responsa *Har Tzvi* 1:190; responsa *Igros Moshe, O.C.* 2:70; *Shemiras Shabbos K'Hilchasah* 14:37, in the name of Rabbi S.Z. Auerbach. Although there are other *poskim* who disagree, in the face of possible danger one should be lenient.

150   *Kuntres Minchas Asher—B'Tekufas Corona* (3rd ed.) #7.

151   *Kuntres Minchas Asher—B'Tekufas Corona 1* #13.

6. One who has been infected with coronavirus and has recovered is assumed to have antibodies in their blood (for a limited time). Donating their plasma to those who are currently infected is potentially lifesaving. If it is clear to the doctors that a recovered individual could donate antibodies to seriously ill patients, they may drive on Shabbos in order to do so. Ideally, the driver should not be Jewish.

7. If a patient suffers from depression or anxiety, or is undergoing psychological or psychiatric treatment, there may be concern that complete quarantine without any relatives or friends on Shabbos and Yom Tov could be detrimental to his mental health. If those treating the patient are of the opinion that speaking on the telephone would help him, they may call relatives or his therapist to relieve his isolation, ideally by deviating from the normal manner.[152]

8. One may travel on Shabbos to the hospital with his wife who is going to give birth, [153] even if he will not be permitted to stay in the hospital because of infection control guidelines. He may then return home with a driver who is not Jewish.[154]

9. When an ambulance driver is called on Shabbos or Yom Tov to transfer coronavirus patients from the hospital to continue their quarantine at home, he may drive them if he knows there is a bed shortage in the hospital, which necessitates discharging those who are less ill in order to make room for more seriously ill patients, and it is not possible to move them to another unit out of fear of infection. This may even be done if there is no way to clarify the circumstances due to *safek pikuach nefesh*.

10. Medical professionals caring for coronavirus patients must thoroughly cleanse themselves upon returning home in order to prevent infecting others. Some say that they may do so on

---

152   Rulings of Rabbi Hershel Schachter. See: https://www.kolcorona.com/rav-schachter-official-pesakim.

153   On the principle of the permission to escort one's wife to the hospital on Shabbos, see my book *Harefuah K'Halachah*, vol. 2, p. 256 #31.

154   *Kuntres Minchas Asher—B'Tekufas Corona 1* #15.

Shabbos only with cold water,[155] and some say one may even use lukewarm water.[156] On Yom Tov, everyone agrees one is allowed to wash even with lukewarm water.

11. One of the symptoms of coronavirus is the loss of the ability to smell. In such a case, one does not recite the blessing on *besamim* during Havdalah after Shabbos.[157] If they are reciting Havdalah on behalf of their young children, who are at the age of *chinuch* and don't yet know how to say the blessing, they may recite the blessing on *besamim*, even though they are unable to smell it.[158] Nevertheless, one who is unable to smell can answer amen to the blessing on *besamim* during Havdalah. It is not considered an interruption as it is part of Havdalah and shows respect for the mitzvah.[159]

12. On Friday night, one who prays alone should only recite *Vayechulu* after the *Shemoneh Esreh*, and not *Magen Avos*.[160]

---

155 Rulings of Rabbi Hershel Schachter. See: https://www.kolcorona.com/rav-schachter-official-pesakim. The prohibition to wash one's entire body on Shabbos with hot water, even if it was heated before Shabbos, is because of the "enactment of the bathhouse attendants" (*Shabbos* 40a); *Rambam, Shabbos* 22:2; *Shulchan Aruch, O.C.* 326:1. Even though the custom is not to bathe on Shabbos even in cold water, see *Magen Avraham* there (8) and *Mishnah Berurah* (21), but in a situation like this one should not be strict.

156 *Kuntres Minchas Asher—B'Tekufas Corona* (2nd ed.) #16(16). See Rabbi Akiva Eiger on *Shulchan Aruch, O.C.* 307:5 and 326:1, who permits bathing on Shabbos in water that was heated before Shabbos for one who is uncomfortable. Still, it appears preferable to use water that was heated by a sun-heated water tank and not with an electric one. In either case, one must be careful to avoid wringing water out of anything.

157 *Shulchan Aruch, O.C.* 297:5; responsa *Terumas Hadeshen, Pesakim U'Kesavim* #204.

158 *Shulchan Aruch* there states that one can even say the blessing on behalf of adults who do not know how to recite the blessing themselves, and responsa *Shvut Yaakov* 3 #20 agreed. However, most Acharonim disagree with the *Shulchan Aruch* on this, as the *Mishnah Berurah* says there (#13) that it can only be recited for young children for the sake of educating them, but not for adults, even if they do not know how to recite it. See responsa *Radvaz* 5 #2321, who writes not to say the blessing, and see the *Hagahos Rabbi Akiva Eiger* on this responsum, at the end of #297. See at length responsa *Yabia Omer* 4, *O.C.* #24. See responsa *Chelkas Yoav*, 1st ed., *Ones* #4. Also the *Mishnah Berurah* there (#11) says this is referring to one who is unable to smell at all, but responsa *Halachos Ketanos* 2 #183 says this applies also to one who has a cold, even though that is just temporary, which is similar to the situation of corona.

159 *Minchas Shlomo*, on *Pesachim*, p. 298, see *Halichos Shlomo, Mo'adim* 2 #16, in *Orchos Halachah* n. 35.

160 *Shulchan Aruch, O.C.* 268:10, *Mishnah Berurah* 24. This is true even if one prays with a

13. *Anim Zemiros*, which is sung on Shabbos, is supposed to be said communally; one who prays alone does not say it.[161]

14. One who leaves quarantine on Chol Hamoed and had therefore been unable to have a haircut before the holiday may have one on Chol Hamoed.[162]

15. A physician may launder their medical or surgical garments on Chol Hamoed.[163]

J. Pesach

1. *Siyum*: It is customary for firstborn males to fast on Erev Pesach, but the practice has become to make a *siyum* celebrating the completion of learning a tractate of Talmud, or joining someone else's celebration, so that the celebratory meal exempts one from the fast.

   However, during the coronavirus pandemic, when it is forbidden to gather together, especially those in quarantine, a firstborn must learn on his own and make his own *siyum* in order to be exempt from the fast. If he is unable to complete a Talmudic tractate, he can learn an order of the Mishnah, or even just one tractate of Mishnah or a book of *Nevi'im* in depth.[164] However, with the latter types of study, one can only exempt themselves and not others.[165]

---

minyan in a home—they do not recite *Magen Avos*—and certainly not when praying alone. See *Kuntres Minchas Asher—B'Tekufas Corona* (2nd ed.) #28. However, in the Old City of Jerusalem, it is customary to recite *Magen Avos* wherever one prays. See *Ein Yitzchak—Hacorona B'Halachah* (Rabbi Y. Yosef), pp. 17 and 51, and see *Minchas Asher* there.

161 Rulings of Rabbi Hershel Schachter. See: https://www.kolcorona.com/rav-schachter-official-pesakim. See there in the name of Rabbi Yosef Dov Soloveitchik, who said this poem is considered a *"davar she'b'kedushah."*

162 *Kuntres Minchas Asher—B'Tekufas Corona* (2nd ed.) #44.

163 *Minchas Asher* there, #46.

164 On all of this see *Piskei Teshuvos* 470:9, and the sources cited there. See *Igros Moshe*, O.C. 1 #157 and 2 #12, who rules that even a book of the *Chumash* is sufficient, but only if one learns it with the Rabbinic commentaries of the Rishonim, and not just any commentary.

165 Responsa *Yabia Omer* 1, O.C. #26.

On Erev Pesach 5780, the Chief Rabbinate of Israel permitted hearing a *siyum* by phone or other methods, in cases of need.[166]

2. Sale of *chametz*: Selling *chametz* can be done by signing, granting permission to a rabbi by fax or email, and in a case of great need—when no other option exists—transferring permission to the rabbi by phone.[167]

One can also sell *chametz* via the website of a rabbi who will sell the *chametz* on behalf of the community.

If an individual is sedated and intubated, others may appoint an agent to sell his *chametz* on his behalf due to the principle that one can acquire merit for a person without their presence.[168]

3. Burning *chametz*: Regarding Pesach 5780, some poskim ruled that one should avoid burning *chametz* outside and instead fulfill the commandment to destroy their *chametz* by breaking it into small pieces and flushing these down the toilet.[169] This is necessary only in a place where there is a lockdown and it is forbidden to go outside of one's home for any reason, or in a place where many people would otherwise gather together to burn their *chametz*. However, in a place where it is permissible to go outside (like in Israel, where it was permissible to go outside one hundred meters [just over a hundred yards] from one's home), there seems to be no reason to prohibit burning very small amounts of *chametz*.

4. *Hallel* at night: Some say that one who is in isolation and prays alone should not recite *Hallel* during *Maariv* on Seder night[170] as that was established only for communal prayer.[171] However,

---

166 So, too, ruled Rabbi Hershel Schachter, and *Kuntres Minchas Asher—B'Tekufas Corona 1* #12(6).

167 Ruling of the rabbis of the *Badatz* of the Eidah HaChareidis in Jerusalem, under Ga'avad Rabbi T. Weiss and Ra'avad Rabbi M. Sternbuch. Also, *Ein Yitzchak—Hacorona B'Halachah* (Rabbi Y. Yosef), p. 25ff.; *Kuntres Minchas Asher—B'Tekufas Corona* (2nd ed.) #36.

168 *Ein Yitzchak—Hacorona B'Halachah* (Rabbi Y. Yosef), p. 27.

169 Ruling of Rabbi D. Feinstein, Rabbi S. Kamenetsky, and Rabbi H. Schachter in the United States.

170 For those accustomed to saying *Hallel*, as explained in *Shulchan Aruch* 487:4.

171 *Biur HaGra*, O.C. 487:4. See *Nefesh HaRav* (Rabbi Y.D. Soloveitchik), p. 222.

some say even an individual can recite *Hallel* during *Maariv* on Seder night.[172]

5. Seder: People in isolation, particularly elderly people whose families are required to avoid interacting with them physically in order to prevent them from being infected by the virus, must still perform the Pesach Seder alone according to all of its rules.[173]

6. Haggadah: In the paragraph of *Ha Lachma Anya*, the line "Anyone who is hungry, come and eat" is recited despite the inability to send an invitation. This is because it refers to the times of the Beis Hamikdash, when people would be invited to join in the *Korban Pesach*.[174]

7. Matzah: One who has lost their sense of taste due to coronavirus can nevertheless still eat matzah on Seder night and recite the blessing on it, for one fulfills the requirement just by swallowing matzah.

8. *Maror*: One does not fulfill the requirement to eat *maror* just by swallowing it without tasting the bitterness; therefore one should eat it without saying the blessing.[175]

9. *Yizkor*: The *Yizkor* prayer can be said alone, without a minyan.

10. *Birkas Ha'ilanos*: The blessing of *Birkas Ha'ilanos* may be recited by an individual in quarantine through a window.[176]

---

172 *Birkei Yosef* 487(8); *Kaf Hachaim* 487:39–42; *Kuntres Minchas Asher—B'Tekufas Corona* (2nd ed.) #39–40.

173 This is very difficult from an emotional-social perspective, and some rabbis permitted using various methods of video technology in order to include elderly people with their families while they made their *sedarim*. Using such technology is forbidden also on Yom Tov (*Ein Yitzchak—Hacorona B'Halachah* (Rabbi Y. Yosef), p. 35 and on; *Kuntres Minchas Asher—B'Tekufas Corona* (2nd ed.) #41). Some suggested performing certain parts of the Seder by video in the afternoon before the onset of Yom Tov, when there is no prohibition against using such technology; in the times of the Beis Hamikdash, the *Korban Pesach* was brought after the afternoon sacrifice, before the holiday began. Only the parts of the Seder that must take place at night would need to be left to do alone (Rabbi Y. Bin Nun).

174 *Piskei Corona* of Rabbi Hershel Schachter.

175 *Kuntres Minchas Asher—B'Tekufas Corona* 1 #30, who is in doubt whether the mitzvah of *maror* has to be fulfilled by eating or whether the taste of bitterness is an integral part of the mitzvah. Due to the doubt, such a person should not recite the blessing.

176 See responsa *Or L'Tzion* 3:6(1).

K. Sefiras Ha'omer

1. Music: The custom is to avoid listening to instrumental music, even prerecorded music, during *Sefiras Ha'omer*. However, during the coronavirus pandemic, when people are isolated, if they are lonely—especially if they are old and sick—and also children who find the long period of isolation difficult, there is room to be lenient about listening to prerecorded music, and certainly a cappella. If needed, such people can listen even to instrumental music, since this can uplift the spirits of the lonely.[177] Ideally, if one can be satisfied by listening to singing that inspires a person but does not lead to dancing, or listening to *chazanus*, that is preferable, since this music is permissible even in the absence of a pandemic.[178] The above leniencies do not apply to healthy individuals who are not depressed despite being in isolation.[179]

2. Haircuts: During the lockdown that began after Purim 5780, all barber shops were closed and people were unable to get a haircut before the start of *Sefiras Ha'omer*. Therefore, one *posek* ruled that in a case of need, one could change from their custom of observing the mourning period until Lag B'Omer and start from Rosh Chodesh Iyar instead, and thus get a haircut after Pesach.[180] Another *posek* ruled that the mourning practices during *Sefiras Ha'omer* are the same as those during the year of mourning for

---

177 The basic prohibition against listening to instrumental music is not mentioned by the Rishonim or the *Shulchan Aruch*. But the Acharonim have ruled it is a clear prohibition as part of the mourning during *Sefiras Ha'omer*, see *Aruch Hashulchan, O.C.* 493:2; *Mo'ed L'Chol Chai* 6(11); responsa *Igros Moshe, O.C.* 1 #166, 3 #87, 4:21, 5:67, and 137, and there, *Y.D.* 2:137; responsa *Minchas Yitzchak* 1 #111; responsa *Mishneh Halachos* 8:188 and 11:402–403; responsa *Yechaveh Daas* 3 #30, 6:34, and more. They also forbade vocal music, see *Halichos Shlomo, Mo'adim* 1 #11:14 and n. 53; responsa *Shevet HaLevi* 8 #127; responsa *Tzitz Eliezer* 15 #33. However, in situations of illness and psychological difficulties, there is no room to be strict. So ruled the *Rishon L'Tzion* Rabbi Y. Yosef in *Ein Yitzchak—Hacorona B'Halachah*, p. 44ff. And see *Halichos Shlomo* there, p. 54, that Rabbi S.Z. Auerbach once ruled to allow playing piano for a sick woman in order to strengthen her spirits.

178 *Halichos Shlomo, Moadim* 1 #11:14 and n. 22.

179 *Kuntres Minchas Asher—B'Tekufas Corona* (2nd ed.) #47.

180 *Igros Moshe, O.C.* 1 #159.

a parent.[181] Therefore, one can get a haircut as soon as others would make negative comments about their hair.[182] Some say that in any well-known situation beyond a person's control, one may get a haircut during *Sefiras Ha'omer*, though this only pertains to one's hair and not the beard.[183]

3. There is a Jewish custom (with the exception of Yemenite Jews), not to get married during *Sefiras Ha'omer* as a form of mourning.[184] However, we find in the *poskim* various unusual circumstances in which marriage is permitted.[185] Therefore, the Rabbinic Council of the Chief Rabbinate of Israel publicized on 8 Nissan 5780 a previous ruling from 19 Tammuz 5779 that in certain circumstances, with permission of the local rabbi, a wedding ceremony may be arranged even on the days on which it is customary not to get married, such as during *Sefiras Ha'omer* and the Three Weeks.

L. Rosh Hashanah

1. Regarding prayers on Rosh Hashanah during a plague, Rabbi Akiva Eiger[186] writes that they should be limited to only five hours, some of the *piyutim* should not be recited at all, and the *chazzanim* should not extend the prayers with their melodies.[187]

---

181 See the opinion of Rabbi Y.D. Soloveitchik in *Nefesh HaRav*, p. 191.

182 See *Rema*, Y.D. 390:4, that the amount of time until one would make negative comments is considered three months, and *Igros Moshe*, Y.D. 3 #156, that nowadays, since we get haircuts more frequently, the amount of time is two months.

183 *Ein Yitzchak—Hacorona B'Halachah* (Rabbi Y. Yosef), p. 48ff.

184 *Shulchan Aruch*, O.C. 493:1. Its source is in the *Geonim*, see *Otzar Hageonim*, *Yevamos* 62b, *Teshuvos Hageonim* 376–377. This custom is not mentioned in the Talmud nor is it quoted in the *Rambam*.

185 Rabbi Ratzon Arusi expounds on this in an unpublished responsum.

186 *Pesakim V'Takanos Rabbi Akiva Eiger* (Rabbi N. Gestetner's edition, 5731), *Hanhagos V'Takanos* #20.

187 Below are suggestions as to which *piyutim* to remove:
Rosh Hashanah, day 1, *Shacharis*: During the chazzan's repetition, skip: "As Chil Yom Pekudah," "Naaleh Ba'din," "Taalas zu k'chafetz l'has'il," "Melech Elyon," "Even Chug Metzuk Neshiyah," and "Adirei Ayumah."
Rosh Hashanah, day 1, *Mussaf*: During the chazzan's repetition, skip: "Upad Me'az," "Naaleh

Therefore, in order to shorten the davening, it is advised to omit some *piyutim*; recite the morning blessings and *Pesukei D'Zimra* at home, and gather in shul at *Nishmas Kol Chai*; recite *Lamenatze'ach* before shofar blowing only once; shorten or omit altogether the *Mi She'beirach* during the Torah readings; shorten melodies; and to shorten sermons.

2. *Selichos*: Following recitation of *Ashrei* and half-Kaddish, it is recommended to shorten the *piyutim* of *Selichos* by reciting only a few selected *piyutim* followed by the thirteen *middos*. The conclusion of the *Selichos* should follow the short version used on Erev Yom Kippur. In the event everyone is required to pray at home, one can recite the *piyutim* of *Selichos*, except for the thirteen *middos* and the *piyutim* in Aramaic.[188]

3. One *posek* wrote that a person in quarantine during Erev Rosh Hashanah may carry out *hataras nedarim* via Zoom or even telephone.[189]

4. Shofar: Since blowing the shofar spreads particles to a much greater distance, the following precautions should be taken: it is preferable to pray outside and the *baal toke'a* should stand further away from the congregants; if the minyan is inside the shul, the *baal toke'a* should stand next to an open window and blow away from the congregants or be isolated from the rest of the congregants with a thick plexiglass. Another option is to

---

Shofar," "*Tefen B'Machon*," "*Olam B'Vakerach*," "*Af Orach Mishpatecha*," "*Melech Elyon*," and "*Ha'ochez B'Yad*."

Rosh Hashanah, day 2, *Shacharis*: During the chazzan's repetition, skip: "*Imrasecha Tzerufah*," "*Bo Shu'anenu*," "*Tamim Pa'alecha*," "*Sefaseinu Medovevos*," "*Medaber B'Tzedakah*," "*Melech Elyon*," and "*Kol Shinanei*."

Rosh Hashanah, day 2, *Mussaf*: During the chazzan's repetition, skip: "*H'aochez B'Yad Midas Mishpat*." The *Shulchan Aruch* and *Rema*, O.C. 112:2 argue whether it is permissible to say *piyutim* during the repetition of *Shemoneh Esreh* at all, although the custom is to say them (See responsa *Radvaz* 3:532, *Bach*, O.C. #88). However, during a pandemic, it certainly is permissible to omit them.

188   *Mishnah Berurah* 581:4.

189   *Kuntres Minchas Asher—Yerach Ha'eitanim B'Idan HaCorona*, 2nd ed., #3.

cover the open side of the shofar with a face mask attached with a rubber band.[190]

5. If the government authorities determine that everything must be closed on Rosh Hashanah, it is ideal to allow the *baalei toke'a* to go from courtyard to courtyard or stairwell to stairwell to blow the shofar for the community.

6. If one has to daven alone, he should pray *Mussaf* after three halachic hours of the day,[191] but *Shacharis* can be recited earlier in the day, at the time that a minyan is praying.[192]

7. Mikvah: see below page 66.

M. Yom Kippur

1. Regarding prayers on Yom Kippur day, Rabbi Akiva Eiger wrote[193] that in the morning, the *Selichos* and *piyutim* should not be recited, and all the prayers must be completed by 10:00 a.m., after which all the synagogues should be closed.[194] It is incumbent

---

190 In an experiment our *baal tokea* performed for me, there was no change in the quality of the shofar's sound with or without the mask, and even when testing the frequencies, there was almost no change. However, Chief Rabbi Yitzchak Yosef, wrote in a responsum to me that because there might be a slight change in voice because of the mask, one should use other precautions and that a mask can only be used in situations where there is no other choice, provided it does not change the sound of the shofar and the mask is totally outside the shofar. However, *Minchas Asher—Yamim Nora'im B'Idan HaCorona* #5–6 allowed the covering of the shofar with a mask when there is a risk of danger, as well as separating between the *baal toke'a* and the community with plastic.

191 *Shulchan Aruch, O.C.* 591:8.

192 *Mishnah Berurah*, there 14. See *Shaar Hatziun*, there.

193 In *Pesakim V'Takanos*, there.

194 Below are suggestions as to which *piyutim* to remove:
At all *Selichos*: end at "*yakiru v'yede'u ki la'Hashem Elokeinu ha'rachamim v'ha'selichos.*"
Yom Kippur, *Shacharis*: During the chazzan's repetition, skip: "*Imatzta Asor,*" "*Ka'tzaharayim Mishpateinu,*" "*Taavas Nefesh,*" "*Nefesh Naanah,*" "*Enosh Mah Yizkeh,*" "*Ichadeta Yom Zeh,*" "*Imru L'Elokim,*" and "*Maaseh Elokeinu.*"
Yom Kippur, *Mussaf*: During the chazzan's repetition, skip: "*Shoshan Emek Ayumah,*" "*Sefaseinu Medovevos,*" "*Yom Mi'yamim,*" "*Kofer Pidyon Nefesh,*" "*Enosh Eich Yitzdak,*" "*Tzefeh B'Vas,*" "*Imru L'Elokim,*" "*Ha'ochez B'Yad,*" "*Ashrei Ayin Raasa,*" "*Lo Ishim V'Lo Asham,*" "*Tachfu Aleinu,*" "*Tanos tzaros...*until *Zechor Rachamecha,*" and "*Al Tira Yaakov.*"
Yom Kippur, *Minchah*: During the chazzan's repetition, skip: "*Eitan hikir emunasecha,*"

on the chazzanim to shorten their singing, and there must be adequate breaks for the rest during the day.

2. During a plague, if physicians determine that fasting is detrimental to one's health, it is permitted for everyone to eat less than a minimal amount, *pachos mi'shiur* (but not delicacies), even on Yom Kippur,[195] and this must be announced so the public is informed not to fast. There is also no need to make up the fast later.[196]

It is reported that during the cholera epidemic in Vilna in 1848, Rabbi Yisrael Salanter, the father of the *Mussar* movement, ascended the bimah and told everyone not to fast, and some say he himself made Kiddush and ate in front of them.[197]

"*Tzedaka techashev lanu,*" "*Ma'ehav V'Yachid L'Imo,*" "*Lefanav Yekimenu,*" "*Erelim B'Shem,*" "*Keil Na Refa Na La.*"

195   *Divrei Nechemiah, O.C.* #40–41; responsa *Chasam Sofer* 6 #23; responsa *Ramatz, O.C.* #39.

196   Responsa *Divrei Malkiel* 3 #26.

197   Rabbi Y.Y. Weinberg, the pupil of the pupil of Rabbi Yisrael Salanter, described this event in great detail in his responsa *Seridei Eish* 4, p. 289. See responsa *Mitzpeh Aryeh*, 2nd ed., *C.M.* #45; *Hamoadim B'Halachah*, p. 83; Shai Agnon, *Yamim Nora'im*, p. 273; *Mekor Baruch* 2 #11. Some add that Rabbi Y. Salanter announced that before Yom Kippur began he had every Jew swear not to eat a full amount from the beginning of Yom Kippur until its end, so that the prohibition against eating would be because of the oath, not because it was Yom Kippur, since one prohibition cannot be added to another prohibition. Thus, they would all be Biblically permitted to eat a half of an amount (*chatzi shiur*)—see what responsa *Ravaz* #11 writes about this. See also *Tenuas Hamussar* 1, p. 152ff. See also *Rabbi Israel Salanter* (by Immanuel Etkes), p. 183. See responsa *Igros Moshe, O.C.* 3 #91 that during the cholera epidemic, Rabbi Yisrael Salanter commanded everyone, including those who were healthy, to eat so that they wouldn't get sick, since starving was a reason for susceptibility. See, however, responsa *Minchas Shlomo* 1 #31 (and *Halichos Shlomo, Moadim* 2, #5 n. 58), that there is testimony that Rabbi Yisrael Salanter himself did not eat. There is also a testimony that the Chafetz Chaim's father died in Vilna during the cholera epidemic on Simchas Torah two weeks after that Yom Kippur.

The version of the story that Rabbi Yisrael Salanter himself made Kiddush and ate a piece of cake is difficult to accept from a halachic point of view. That is because on Yom Kippur, there is no Kiddush at all, even for a sick person who is permitted to eat. Also, even a sick person should eat less than a *shiur* if possible, and certainly so for a healthy person who might be permitted to eat on Yom Kippur as a preventive measure. Kiddush, however, is made only when there is a meal, i.e., if one eats a full *shiur*—but who would allow this for a healthy person?

Indeed, other *poskim* who allowed healthy people to eat on Yom Kippur during a pandemic allowed it without Kiddush, and only less than a *shiur*.

It is also reported that during the cholera epidemic in 1847, the Belzer Rebbe, Rabbi Shalom, announced that anyone who felt very weak should drink or eat as much as needed in order to strengthen their heart.[198]

It is also written that in 1873, the author of the responsa *Sho'el U'Meishiv* instructed both those in his community who were ill and those who were healthy not to fast, and to eat only smaller amounts than a *shiur*.[199]

Similarly, when Rav Kook was the Rav of Zeimelis at the outbreak of the cholera epidemic, he ruled people should "eat lightly" (without explaining exactly what that meant) on Yom Kippur. He himself did so in the synagogue during communal prayers, and the community did likewise.[200]

However, some *poskim* ruled that "it must be made known to generations—because of the principle that when an event happens three times it establishes legal validity—that thousands and tens of thousands of men and women all fasted, thank God, on Yom Kippur in the years 1838, 1848, and 1866 throughout our entire land, and no evil, God forbid befell them; and these events became known throughout almost the entire world at the time."[201]

There does not seem to be any true disagreement among the opinions; rather, it depends on the physician's assessment of the particular plague. If fasting will make matters worse, then one must eat on Yom Kippur, but if not, they must fast.

3. Unlike dysentery, where dehydration is a critical element of the disease, coronavirus does not appear to depend on eating

198 Shai Agnon, *Yamim Nora'im*, p. 273.

199 Responsa *Mitzpeh Aryeh* there.

200 *L'Sheloshah B'Elul*, p. 9.

201 *Reishis Bikkurim*, p. 33, quoted in *Hamoadim B'Halachah*, p. 84. Responsa *Mitzpeh Aryeh* there quotes that the rabbis of Vilna disagreed with Rabbi Yisrael Salanter. See *Mateh Efraim* #618, *Elef Hamagen*, Introduction. See *Biur Halachah* 618:1, end of s.v. "*choleh*." *Sedei Chemed, Yom Hakippurim* 3(4), in the name of Rabbi D.C. Chazzan, who was the chief rabbi of Jerusalem, regarding cholera epidemic of 1865, when he did not allow the community to eat but instructed them to reduce the *piyutim*. So, too, in responsa *Zecher Yehosef* 4:203.

and drinking, and therefore it is forbidden for healthy people not to fast on Yom Kippur. Moreover, one who is healthy, is in quarantine for preventive reasons, or has only minor symptoms must fast.[202] In any event, it is preferable to stay at home and not to exert oneself if this will help one to complete the fast, even if this means not attending synagogue. Some physicians are of the opinion that a verified carrier of the coronavirus should drink less than a *shiur* up to three days from the diagnosis. However, if a person has symptoms of coronavirus, and certainly if he is actually ill, he should eat and drink smaller amounts than a *shiur*. If the degree of illness is severe, he should eat and drink regularly.

A verified carrier of coronavirus with symptoms—even mild ones—who has underlying illnesses should eat and drink less than a *shiur*, or regularly, depending on the severity of his underlying illnesses and after consulting a physician concerning his individual condition.

A coronavirus patient who recovered after a severe illness—if he still has symptoms or he feels weak or he has underlying illnesses, he should not fast at all. However, even if he seems to have recovered completely, he should not fast for a few months after recovery because of the possibility of delayed complications.

4. Although washing is one of the forbidden acts on Yom Kippur, it is permitted to wash hands with liquid soap or alcohol-containing fluids during the pandemic, because this is done for health reasons and not for pleasure.[203] Nurses who work long shifts with coronavirus patients should drink during pauses because of the difficult conditions and the concern of dehydration with the protective gear.

---

202   *Kuntres Minchas Asher—B'Tekufas Corona 1* #3.
203   *Minchas Asher—Yerach Ha'eitanim B'Idan HaCorona*—3rd ed, #14.

N. Purim

1. One who missed the Torah reading of *Parashas Shekalim, Parah,* or *Ha'chodesh* cannot make it up later.[204]

2. It is forbidden for someone who is quarantined to leave their house to hear the Torah reading of *Parashas Zachor,* even though many authorities rule that it is a Torah obligation to hear it. However, one should still read *Parashas Zachor* alone from a *Chumash,* since this is remembering Amalek, even though it does not fulfill the mitzvah.[205]

3. If the quarantine or isolation ends on Purim, one should intend to fulfill the mitzvah of remembering Amalek with the Torah reading of *"Va'yavo Amalek,"* which is read on Purim. If the person must remain in quarantine through Purim, he can fulfill the obligation of *Parashas Zachor* with the reading of *Parashas Ki Seitzei.*

4. Similarly, a quarantined individual should read the megillah on Purim alone in their house.[206] It is certainly ideal to read from a kosher megillah and to recite the blessings before reading it. If one does not know how to read it, it is ideal for someone to read it for them from outside. One does not fulfill the mitzvah of hearing the megillah by hearing it over the telephone, radio, or any other electronic means.[207]

5. One who is quarantined may appoint a messenger to fulfill the mitzvah of *mishloach manos* and *matanos l'evyonim* for them.

---

204 Responsa *Ginas Veradim* 1 #36; *Hagahos Rabbi Akiva Eiger, O.C.* 685:1; *Shaarei Efraim* 8:95; *Mishnah Berurah* 685:2. See also *Piskei Teshuvos* 685:1; *Minchas Asher—B'Tekufas Corona* (2nd ed.) 35.

205 See *Rema* 685:7 and responsa *Binyan Shlomo* 54.

206 See the introduction of the *Rema* to his book *Mechir Yayin* on *Megillas Esther,* who was forced to leave his city of Krakow because of "polluted air" and he wrote: "We were not able to fulfill the days of Purim with celebration to remove the grief."

207 Responsa *Mishpatei Uziel,* 2nd ed., *O.C.* 34; responsa *Minchas Shlomo* 1:9; *Yechaveh Daas* 3:54; *Hachashmal B'Halachah* 1:13.

O. Tishah B'Av and the Rabbinic Fast Days

1. One who is ill, even not dangerously so, is not required to fast on Tishah B'Av, since the rabbis "did not issue decrees in situations of illness."[208]

2. This is true even for a patient who is not bedridden; they need not fast.[209] If one is feeling weak and has some pain in their body, they should not fast even if they are not in danger; indeed, according to halachah, we should even force them to eat.[210] Similarly, people who are elderly, lack strength,[211] and for whom fasting is very difficult should not be strict and fast.[212] One who was ill and has recovered but remains weak is permitted to eat if there is concern that if they fast the illness will return, but they should not eat delicacies.[213]

3. A person with an illness in the category of *choleh she'ein bo sakanah* (a patient who is not in danger) does not require evaluation to determine if he is fit for fasting.[214] This means we do not need to carefully determine if fasting is dangerous; if one is considered ill, even in the absence of danger at the moment, they need not fast.[215] Even if the individual does not state that he requires food, he is still permitted to eat.[216]

---

208   Responsa *Maharam Me'Rotenberg Ha'acharonim* 15; *Shulchan Aruch, O.C.* 554:6. See *Chiddushei HaGrach* (stencil) 45, that when it says the rabbis "did not decree in a place of illness," it means that there is no fast at all, not just that one is exempt from fasting, and therefore, there is no place for stringency even for a non-dangerously ill patient. It is told that someone who was not dangerously ill asked Rav Chaim of Brisk if he is permitted to be strict and fast. Rav Chaim responded that he should accept upon himself the fast at *Minchah* before Tishah B'Av; since there is no point in him fasting in his condition, it would simply be an individual fast one can take upon themselves at any time. This is unlike responsa *Zichron Yosef* 21, and responsa *Divrei Nechemiah* 40, who are strict.

209   *Aruch Hashulchan, O.C.* 554(7); *Kaf Hachaim*, there 30, 33.

210   *Mishnah Berurah* 554(11). See also responsa *L'Horos Nasan* 2:36 and 3:34.

211   *Ruach Chaim* 549:1.

212   *Mishnah Berurah* 554(16).

213   *Kaf Hachaim* 554(31).

214   *Ramban, Toras Ha'adam, Inyan Aveilus Yeshanah V'Hi Tishah B'Av; Shulchan Aruch, O.C.* 554:6.

215   *Mishnah Berurah*, there 12. See responsa *Teshuvos V'Hanhagos* 2:264.

216   *Taz, O.C.* 554:4. In explanation of this *Taz*, see *Yad Efraim* there; responsa *Maharam Shick, O.C.* 289; responsa *Shevet HaLevi* 4:56.

4. Some are of the opinion that on Tishah B'Av, a sick individual should be fed only less than a minimal measurement, like on Yom Kippur.[217] Others argue that there is no concept of minimal measurements at all on Tishah B'Av since the rabbis "did not decree in a place of illness."[218] Others say this is only for one who is already sick; one who is healthy but is concerned that they will get sick—for example, during a plague such as cholera—should be strict to eat only less than minimal measurements.[219]

5. In relation to the coronavirus pandemic, the above principles lead to the following conclusions:

   • One who is healthy, with no symptoms or any history of contact with a person who is infected, is required to fast.[220]

   • One who is in quarantine because of potential contact with an infected person but is asymptomatic and feels well is required to fast.

---

217 Responsa *Chasam Sofer*, O.C. 157; responsa *Maharam Shik*, O.C. 289; *Marcheshes* 1:14(1); *Sedei Chemed, Maareches Bein Hametzarim* 2:1 and 43 in the name of the *Tzemach Tzedek* and *Divrei Nechemiah*; responsa *Tzemach Tzedek, Milu'im* 8–9; *Biur Halachah* 554:6; responsa *Shai La'Mora*, O.C. 4. See the dispute between Rabbi Shmuel Salant and the *Aderes*, quoted in *Sefer Zikaron* of Rabbi Hershel Ryzman, *Iyunim B'Taaniyos*, p. 148, and see the notes of Rabbi Zilberstein there.

218 *Aruch Hashulchan*, O.C. 554:7; *Mizbei'ach Adamah* 554; *Machzik Berachah, kuntres acharon* 1; responsa *Avnei Nezer*, O.C. 2:540; responsa *Shaarei Deah* 2:152; *Mishnas Yaavetz*, O.C. 49; *Tzitz Eliezer* 10:25(16); *Shevet HaLevi* 4:56; Rabbi S.Z. Auerbach quoted in *V'Aleihu Lo Yibol*, p. 201, and in *Nishmas Avraham* (2nd ed.), O.C. 554:6, and see also *Halichos Shlomo* 1:2 n. 2.

219 As explained in *Biur Halachah* 554:6, s.v. *"debemekom choli,"* in the name of *Pischei Olam* (who wrote it in the name of *Divrei Nechemiah*, who wrote it in the name of the *Tzemach Tzedek*). See *Shevet HaLevi*, there; *Halichos Shlomo, Moadim*, 1:13(5) and *Devar Halachah* there; *Kav V'Naki* 1:193, n. 109.

220 Even according to those who allowed a healthy person to eat on Yom Kippur during the cholera epidemic, the difference was that cholera caused severe diarrhea and dehydration, so it could be argued that even healthy people should avoid becoming sick by fasting. However, regarding the coronavirus, although it causes pneumonia, there is no evidence that those who fasted had more severe problems. Either way, upon sensing symptoms, one should immediately eat and drink even though there is no evidence that fasting makes one's situation worse. Certainly, according to those who forbade healthy people to eat on a fast day even during the cholera epidemic, they would rule similarly during the coronavirus pandemic.

- One who tests positive for coronavirus but is asymptomatic: some argue that they can fast, and some say they should eat and drink less than a minimal measurement.
- An individual who is symptomatic of coronavirus should not fast. Similarly, anyone with risk factors is prohibited from fasting.
- One who had a severe case of coronavirus and has recovered: if complications remain, they feel weak, or they have risk factors, they should not fast until they have fully recovered. Even if they feel that they have recovered completely, they should not fast in the initial months after their illness, because there is evidence that complications can develop in the immediate period following the acute phase of the illness.

6. Physicians and nurses for whom it is difficult to work properly on a fast day, particularly if they are required to perform surgery or complex interventions, are permitted to eat.[221]

7. Even though washing is usually prohibited on Tishah B'Av,[222] it is required during the coronavirus pandemic to prevent infection. It is therefore permitted to wash one's hands with soap and other cleansing products according to the rules of the governmental health authorities.[223]

8. *Kinos* do not need to be recited with a minyan and may be said privately. Therefore, during a plague, when it is best to minimize time in public, one may pray *Shacharis* with a minyan, say a few *Kinos*,[224] and then finish them at home.

P. Immersion in the Mikvah

1. Men: It is strictly prohibited to immerse in the mikvah during a pandemic since it is a place where contagion can spread. Those

---

221   *Halichos Shlomo, Moadim* 1, 13:4, in *Orchos Halachah*, n. 12.
222   *Shulchan Aruch, O.C.* 554:7.
223   This is no less than the permission to wash dirty hands quoted there #9.
224   Such as the first and last *Kinos, Arzei Halevanon* and *Tzion Halo Tishali*.

accustomed to immersing before they pray can "immerse" in 9 *kabin* by standing under water flowing from a shower for a few minutes.[225]

2. Women: Immersing at the appropriate time is a mitzvah and can thus be done as long as the mikvah adheres to hygienic guidelines. The building and all of the surfaces must be constantly cleaned with appropriate disinfectant. The water must be chlorinated at a concentration established by experts to kill viruses (even though there is no proof that coronavirus is transmitted in water), and the water must be supervised to have the proper chlorine and pH level. The water must be changed daily. Women must be alone in this area, and all preparations should be done at home prior to arrival. A woman should remain in the mikvah only as long as absolutely necessary. Women must provide their own towels and washing supplies. The attendant should remain at least 2 meters (six feet) away from her.

   A woman may wash herself immediately following the immersion if she is concerned that she might become infected by immersing in a mikvah.[226]

   If there is a need to space out the times between the women immersing, some permit immersing during the day of the eighth day, and she can inform her husband, but they may not have relations until the night.[227]

---

225 As ruled by the *Rema, O.H.* 606:4, and *Mishnah Berurah* there #26, concerning 9 *kabin* as a substitute to immersion in mikvah on the eve of Yom Kippur. See also *Mikra'ei Kodesh* (Harari), *Yom Kippur* #6, n. 67.

226 *Kuntres Minchas Asher—B'Tekufas Corona* (2nd ed.) #11. Even though it is customary for women not to wash themselves after immersing—see *Mordechai, Shavuos* 750, *Rema, Y.D.* 201:75. However, this refers to merely a stringency, so where there is a concern of danger, it is permitted. See responsa *Igros Moshe, Y.D.* 2:96, who permits a finicky woman to wash on the day of her immersion.

227 *Kuntres Minchas Asher—B'Tekufas Corona 1* #7. Even though it says in *Niddah* 67b, and is codified in *Shulchan Aruch, Y.D.* 197:3, that it is forbidden for a woman to immerse during the day, even on the eighth day, but the *Shulchan Aruch* there (197:4) says that if the circumstances are beyond one's control, it is allowed, and certainly, the coronavirus pandemic falls into that category. The *Rema* there, at the end of #5, rules that she should hide this until the night, and may not have relations until the night, but the *Chochmas Adam* 118:6 says that

Some rabbis do not permit women who are in quarantine to immerse until their quarantine is completed, though others allow her to be the last to immerse, after which the mikvah is disinfected and the water is changed.

A woman who tested positive for coronavirus, whether she is symptomatic or asymptomatic, or even if she merely displays symptoms of coronavirus, should not immerse until she has completely recovered.

She can immerse in the sea in an isolated place, if possible.

Q. Immersing Utensils

1. When it is not permitted to leave the house, and the mikvahs for men and for immersing utensils are closed, new utensils can be given to a non-Jew as a gift, and then borrowed from them, and then when possible immersed in the mikvah without a blessing.[228]

2. Another option is to declare the utensil ownerless in front of three people, provided the owner does not intend to reacquire the utensil.[229]

R. Bris Milah

On 2 Av 5880, a publication was released by the author of this essay, serving as the chairman of the Israeli Inter-Ministerial Committee to Approve and Oversee Mohelim, with the following guidelines:

1. When a baby and his mother are healthy, asymptomatic, and have not been in contact with an infected individual, the *bris milah* should take place on the eighth day as is required.

2. The mohel is required to observe all of the regulations of the Ministry of Health and to meticulously fulfill all of the guidelines.

---

this is a stringency only for when the circumstances were within her control, but in a case of no control, this need not be followed.

228   *Shulchan Aruch, O.C.* 323:7 and *Y.D.* 120:16.

229   Responsa *Minchas Shlomo* 2, #66:16; *Orchos Rabbeinu* 4, p. 54, regarding the Steipler; responsa *Minchas Asher* 3 #57 and *Kuntres Minchas Asher—B'Tekufas Corona* (2nd ed.) #37–38. However, see responsa *Maharil Diskin, Kuntres Acharon* #5(136) that declaring it ownerless doesn't work for this.

The mohel must be especially careful about general cleanliness, particularly washing his hands with soap and hand sanitizer, as well as the sterilization of his utensils. He must rinse his mouth with Listerine, wear a mask over his face, and ideally wear a disposable apron, which he replaces for every bris.

3. The mohel must ensure that the minimal possible attendees take part in the bris, and it should never exceed the number permitted by the governmental health authorities. The mohel must also ensure that each person maintains a distance of at least 2 meters (six feet) between them.

4. The mohel must also ensure that the sandek and anyone who comes near the baby, such as the parents, the *kvater*, and those who recite the blessings, etc., wear a mask and wash their hands with soap and hand sanitizer.

5. The mohel must ensure social distancing of at least 2 meters (six feet) between himself and the people he interacts with during the bris and when giving instructions to the parents after the bris.

6. There is an obligation to perform *metzitzah* at every bris, but during the coronavirus pandemic it should only be done with a tube.[230] This instruction only applies during the pandemic. When *metzitzah* is performed with a tube, the mask can be lifted and then immediately put back into place.

7. A mohel who has definitely, or even possibly, been infected with coronavirus, or has been in contact with an infected person is forbidden to perform a bris until he receives certified permission from the Ministry of Health that he is no longer contagious. A mohel who has been quarantined due to contact with someone with coronavirus, but is completely asymptomatic, may return to performing circumcisions once he has completed the number of quarantine days instructed by the Ministry of Health.

8. If the baby tested negative on the eighth day since birth, he may be circumcised on time. But if the baby has symptoms suggesting

---

230 *Kuntres Minchas Asher—B'Tekufas Corona* (3rd ed.) #2, who also writes that *metzitzah* should only be done with a tube during the coronavirus period.

coronavirus infection, or tested positive, the requirement is to wait until he tests negative, and then count an additional seven days, as is the halachah for a sick baby.

9. If the mother of a baby requiring circumcision is diagnosed with coronavirus, is suspected of having been infected, or has been in contact with someone infected—whether she became ill or infected prior to, during, or immediately after birth and she nurses the baby, is in close contact with him, or stays with him in quarantine—the bris should be postponed until the mother and the baby are determined to be healthy with confirmation of the Ministry of Health. In such cases, there is no need to wait seven more days.

10. This ruling applies to anyone who takes care of the baby from birth to the bris, if they are infected by coronavirus or were in contact with an infected person and are in quarantine.

    The *Rambam* already addressed the issue of risk and wrote in *Milah* 1:18:

    We should not circumcise a child who is afflicted with any sickness at all since danger to life takes precedence over everything. Circumcision can be performed at a later date, while it is impossible to bring a single Jewish soul back to life.[231]

11. If the father of the baby is not able to be present at the circumcision due to infection or quarantine, he may recite the blessings of *L'Hachniso* and *She'hechiyanu* by telephone. However, the blessing of *Asher Kidash Yedid Mi'beten* is ideally said by someone present at the circumcision.[232]

S. Marriage

Marriage essentially requires the presence of the groom and bride, two kosher witnesses, and an officiating rabbi. The *birkos ha'erusin* ideally

---

231   All of these guidelines were authorized by both chief rabbis of Israel, Rabbi David Lau and Rabbi Yitzchak Yosef.

232   *Kuntres Minchas Asher—B'Tekufas Corona* (3rd ed.) #2.

require a minyan,[233] but the *birkos ha'nisuin* absolutely need a minyan, of which the groom is included.[234] What the *poskim* disagree about is whether the rule that "a bride is forbidden to her husband without a blessing" simply means that if there was no *birkas chasanim*, the bride is forbidden to the groom, or that an engaged woman is forbidden to her groom until they stand under the chuppah together, but the blessings themselves are not essential.[235] Some of the greatest Acharonim rule in accordance with the latter opinion.[236] Therefore, some write that when there is danger of contracting a contagious illness during a pandemic and there is a need to gather as few people as possible together, the chuppah and *yichud* should be performed with two witnesses, but no minyan.[237]

T. Burial

1. Since there is a concern about spreading the disease or becoming infected, the *poskim* permit numerous changes to the rules of burial for people who died from infections or plagues, for example, pouring lime onto the deceased in order to disinfect the body with chemicals, using machines to assist the burial, etc.[238]

2. During the coronavirus pandemic, the Committee for the Honor of the Deceased of the Chief Rabbinate of Israel decided that people who died from coronavirus should not have a *taharah* or be dressed in shrouds, but should be buried covered in two sacks of polyethylene in order to be hermetically sealed. Those involved in the burial must protect themselves well in accordance

---

233 *Shulchan Aruch, E.H.* 34:4.

234 Ibid., 62:4.

235 See *Beis Shmuel* there, 4.

236 Responsa *Noda B'Yehudah* 1st ed., *E.H.* #56.

237 Responsa *Emek Halachah* (Goldstein)1 #67; *Hilchos Corona* by Rabbi Hershel Schachter.

238 See responsa *Shvus Yaakov* 2 #97; responsa *Arugas Habosem* (Greenwald) 2, *Y.D.* #251; *Pischei Teshuvah, Y.D.* 363:5; Rabbi Shlomo Goren, *Techumin* 23, 5763, p. 93ff. See responsa *Chasam Sofer, Y.D.* #334 on whether one may transfer bodies that were buried in a temporary cemetery for those who died due to cholera. See responsa *Ruach Chaim* (Palagi), *O.C.* #325:4 regarding whether or not to allow a burial on Shabbos by a non-Jew during the cholera epidemic. In general, see Rabbi Weisinger, *Techumin* 36, 5776, p. 234ff.

with the medical principles of preventing being infected by an infectious disease.[239]

The Israeli Ministry of Health issued detailed regulations on the burial procedures during the pandemic from the moment of death in a medical facility until burial. Initially, the guidelines were as described above, requiring the dead to be covered in two sacks of polyethylene in order to be hermetically sealed, and buried without *taharah* and shrouds. However, subsequently, the Israeli Ministry of Health established four designated locations for coronavirus victims where external *taharah* and shrouds were permitted, provided the *chevrah kaddisha* members were fully protected. Some write that the sacks must be carefully torn at the time the body is lowered into the grave, since it is prohibited to prevent the decay of the flesh of the corpse.[240]

At a later stage, the Israeli Ministry of Health permitted burying coronavirus victims in any cemetery, provided all the above precautions are strictly adhered to, and the corpse is covered in two hermetically sealed sacks of polyethylene. It is permissible to pierce three small apertures when the body is put in the grave.

3. Funerals should be carried out by a very minimal number of immediate relatives, even if the deceased is a *gadol b'Yisrael*.

4. In the guidelines given to *chevrah kaddishas* worldwide during the coronavirus pandemic, it is written that if a person dies from a known reason unrelated to the coronavirus, a *taharah* may be performed, as well as dressing the dead in shrouds, but those engaged with the body must protect themselves well in every case, in accordance with the medical principles of preventing being infected by an infectious disease.[241]

---

239 The author of the *Chochmas Adam* wrote in his introduction to practices of the *chevrah kaddisha* that no source can be found in the Talmud for all of the practices of *taharah*. See also *Gesher Hachaim* #9:3(4) that during a contagious outbreak the internal *taharah* is not done.

240 *Hilchos Corona* of Rabbi Hershel Schachter. See also responsa *Igros Moshe* 3, Y.D. #143.

241 The head of the public health services of the Israeli Ministry of Health released specific guidance for dealing with a corpse suspected or verified of carrying coronavirus on 3/17/20.

5. In places where the number of deceased is unfortunately very high, and there is a concern that the bodies will be cremated by order of law, one may allow a non-Jew to bury the Jewish body on Shabbos. Even though nowadays we normally do not bury a body on the first day of Yom Tov,[242] some say that as ruled in the Talmud,[243] during this difficult pandemic one may do so, as long as it is possible to do so within the *techum* (the area permitted to walk on Shabbos and Yom Tov outside the borders of the city). On the second day of Yom Tov, the burial may even take place outside of the *techum*, as long as travel takes place by foot and not by car, except for the gravediggers and the family members who are strict about burying the deceased themselves, in which case they may even ride in a car. On the second day of Yom Tov, they may also return home in a car.[244]

6. If one purchased a burial plot in Israel but could not be transferred to Israel after they died because of the coronavirus pandemic, it is permissible to bury them temporarily abroad on condition that when possible, they will reinterred in Israel.[245]

U. Mourning

1. It is customary not to observe the laws of mourning during a plague because of instilling fear in everyone involved,[246] but private practices of mourning are observed. One may also not be involved in business.[247] The Acharonim debate if one must engage in mourning practices if the plague ends within the first thirty days after burial.[248] During the coronavirus pandemic, the

---

242 See responsa *Igros Moshe*, O.C. 1 #122(4) and O.C. 3 #76. See *Nefesh HaRav*, p. 189.

243 *Shulchan Aruch*, O.C. 526:6.

244 Rulings of Rabbi Hershel Schachter. See: https://www.kolcorona.com/rav-schachter-official-pesakim.

245 *Shulchan Aruch* 363:1 that it is permissible to transfer a buried person to Israel, and it is certainly permissible if he was buried in the Diaspora on condition of being moved to Israel.

246 Responsa *Maharil* #41 (see also responsa *Divrei Malkiel* 2 #90); *Rema*, Y.D. 374:11; responsa *Rav Poalim* 3, Y.D. #28; responsa *Divrei Malkiel* there.

247 Responsa *Divrei Malkiel* there.

248 See responsa *Chasam Sofer*, Y.D. #342, that one must do so, and responsa *Sho'el U'Meishiv*

primary reason for limiting mourning practices is the need for social distancing.

2. Similarly, we do not comfort the mourner in person, particularly during the coronavirus pandemic, since one must observe the rules of isolation and social distancing.

3. During such difficult circumstances, one can fulfill the obligation to comfort mourners by telephone, email, Zoom, and the like.

4. One who is in mourning or has yahrzeit for a parent, but is in quarantine, should ask someone else to recite Kaddish in a minyan for him.[249]

5. In places where there are many deaths at once, and they cannot all be buried for many days or even weeks, and when they die it is unknown when the funeral will take place, the relatives begin the mourning period immediately after the body is given over to the mortuary and the shrouds have been ordered, even though the deceased has not yet been buried.[250]

1st ed. 1 #371, that one does not have to. See responsa *Yabia Omer* 10, *Y.D.* #58(23) who concludes that one need not mourn in this case. See also *Kuntres Minchas Asher—B'Tekufas Corona* (3rd ed.) #11–12, that in his opinion we do not follow the custom mentioned in the *Rema* and one must practice the mourning rituals.

249 See responsa *Zecher Simchah* #8, who quotes Rabbi Akiva Eiger, who ruled during the cholera epidemic that there were many orphans who couldn't even recite Kaddish once a month (based on the custom that only one mourner recites Kaddish, unlike today when all mourners recite Kaddish together), and he established that for that year all the mourners should recite Kaddish together after *Aleinu*.

250 Rabbi Hershel Schachter on the Yeshiva University website. His proof is based on *Shulchan Aruch*, *Y.D.* 375:4, regarding a body in a besieged city; and *Y.D.* 375:2, regarding a body that is sent to another country; and *Dagul Me'Revavah*, *Y.D.* beginning of 375, about one who dies right before a festival, and is given over to non-Jews to be buried on the festival. See also responsa *Zekan Aharon* 2, end of #88.

4

Triage in a Pandemic
Halachos during Severe
Supply Shortages

A. Introduction

One of the most complex and difficult issues to arise during a pandemic is the issue of triage. This occurs when there are more patients in need of lifesaving measures than available resources. These include ICU beds, respirators, ECMO machines, medications, and Personal Protective Equipment (PPE).

In such situations, difficult and sometimes tragic choices have to be made—literally, "who shall live and who shall die." Indeed, several countries during the first wave of the coronavirus pandemic had to make such choices. *Baruch Hashem*, at the time of this publication, Israel did not reach this stage due to the low numbers of seriously ill patients, and were able to maintain sufficient ICU beds, respirators, and expert personnel.

B. Different Conditions Necessitating Triage Decisions

The topic of triage determination in situations of supply shortages has come up in various forms throughout history, for many reasons:

Some situations are categorized as mass casualty events, such as car accidents with many simultaneous victims; natural disasters, such as earthquakes, floods, tornadoes, or tsunamis; wars with people wounded from conventional or non-conventional warfare; industrial disasters, such as fires, explosions, leakage of toxic substances, etc.; and our current concern, epidemics such as pestilence, cholera, influenza, Ebola, AIDS, and of course, coronavirus.

Usually, this issue occurs with sudden tragedies that were unanticipated, with mass casualties of varying physical and emotional trauma within a very short time. In such situations, the health-care system has limited ability to fully treat all of them, either because of limited personnel or equipment, or the necessity for rapid intervention.

All of these difficult and tragic scenarios require specific triage guidance, with varying approaches to handling them. Strategies for determining priority can include "first come, first served"—so that whoever the doctor encounters first receives treatment first—or even drawing a lottery. There is justice in both of these approaches since they are random and seem to give equal chance to everyone. However, such approaches can be deemed as less ethical as they do not take into account various degrees of injury, overall saving of life, or saving the many for the few.

The coronavirus pandemic has given rise to the most serious, difficult, and tragic halachic dilemmas of determining appropriate triage with severely ill patients in need of being ventilated. These tragic questions are particularly significant in situations where equipment and medical personnel are insufficient for simultaneously treating for all the patients in need of lifesaving care. Some of the patients will not receive sufficient lifesaving support. There is thus a concrete question of immediate life and death.

C. Halachic Sources for Triage Decisions

The need to make triage determinations arises when two or more situations occur simultaneously, and it is impossible to meet the needs of all of those in need. In such situations, some individuals must be given preference at the expense of others. There are a wide range of scenarios in which conflicts occur due to the relative lack of resources for satisfying all the needs. There are systems in place to best determine the process of choosing between them.

In halachah, such scenarios can arise when there is a need to fulfill two mitzvos simultaneously, and one must determine which mitzvah receives precedence, or sometimes, which mitzvah not to do at all because of the inherent inability to fulfill both concurrently. There are also situations in which one is simply unable to purchase the items to fulfill both mitzvos and one must therefore choose one mitzvah over the other.

In general, we find in halachah many methods of determining preference in fulfilling mitzvos. Some can be resolved by general principles, and sometimes the resolution is based on rules that are specific to that mitzvah or situation.

Halachah provides several principles for determining preference, for example, whichever is more common comes first;[1] whichever is holier comes first;[2] we escalate in holiness and do not decrease;[3] we do not pass over mitzvos;[4] a positive commandment overrides a prohibition;[5] a Torah commandment overrides a Rabbinic one; an obligation overrides something that is a mitzvah or optional;[6] one who is involved in a mitzvah is exempt from another;[7] a mitzvah whose time will pass versus one that is not passing,[8] etc.

The determination of preference between two mitzvos depends on two fundamental situations:

Situation 1: When there is a need to perform two or more mitzvos at the same time, and one must give precedence to one mitzvah over the other due to the lack of time for doing both of them at once. The dilemma in these situations is simply which order to perform them in, and the determining factors are simply which one to do before the other.

The following are some examples of mitzvos that arise simultaneously, and it is possible to do them all—but only one at a time—and we must decide which to do first: putting on a tallis or wrapping

---

1   *Berachos* 51b; *Pesachim* 114a; *Sukkah* 54b, 56a; *Megillah* 29b; *Horayos* 12b; *Zevachim* 89a; *Yerushalmi, Shekalim* 8:4. See at length *Taz, O.C.* 681(1). See also *Sedei Chemed, Tav* 47–50, 62(1).
2   *Horayos* there; *Zevachim* there.
3   *Berachos* 28a; *Shekalim* 6:3; *Menachos* 99b. See *Shulchan Aruch, O.C.* 25:1.
4   *Yoma* 33a. See at length *Talmudic Encyclopedia* 1, "*Ein maavirin al hamitzvos,*" p. 665ff.
5   *Shabbos* 132b; *Beitzah* 8b; *Kesubos* 40a; *Rambam, Tzitzis* 3:6. See *Sedei Chemed, Ayin* 37–43.
6   See *Tosafos, Berachos* 26a, s.v. "*ta'ah,*" regarding the *Maariv* prayer.
7   *Sukkah* 25a; *Sotah* 44b; *Shulchan Aruch, O.C.* 38:8. See *Sedei Chemed, Ayin* 45, 67.
8   *Kiddushin* 29b.

tefillin;[9] putting on the head tefillin or the arm tefillin;[10] the order of which blessing to recite over pleasures;[11] the order of preference of bread;[12] the order of preference in blessings for Havdalah;[13] the order of blessings of Havdalah and Kiddush on festivals that fall on Saturday nights;[14] the blessing over the sukkah and the blessing of *She'hechiyanu*;[15] the Chanukah candles and Kiddush, or the Chanukah candles and Havdalah;[16] *Sefiras Ha'omer* and Havdalah, or reading megillah and Havdalah;[17] honoring parents and honoring one's rabbi;[18] learning Torah oneself or one's son learning Torah;[19] redeeming oneself or redeeming one's son;[20] redeeming one's son or going on pilgrimage for a festival;[21] comforting mourners or visiting the sick;[22] encountering a corpse, a bride, and a king, and choosing whom to respect first;[23] paying for a funeral or a wedding;[24] deciding who gets buried first if two people die at once;[25] returning a lost object, or one's father's or rabbi's lost object;[26] precedence in paying back debts;[27] two boats or two

---

9   *Shulchan Aruch, O.C.* 25:1. See *Talmudic Encyclopedia* 9, *Hanachas Tefillin*, pp. 480–481.

10   *Menachos* 36a; *Rambam, Tefillin* 4:5; *Shulchan Aruch, O.C.* 25:5.

11   *Berachos* 40b; *Rambam, Berachos* 8:13; *Shulchan Aruch, O.C.* 211:1; See *Talmudic Encyclopedia* 4, *Birchos Hanehenin*, p. 338ff.

12   *Berachos* 39b, *Rambam, Berachos* 7:4; *Shulchan Aruch* 168:1.

13   *Berachos* 52b, *Rambam, Shabbos* 29:24; *Shulchan Aruch* 296:1.

14   *Pesachim* 103a; *Rambam, Shabbos,* 29:22; *Shulchan Aruch, O.C.* 473:1.

15   *Sukkah* 56a; *Rambam* 6:12; *Shulchan Aruch* 643:1.

16   *Shulchan Aruch, O.C.* 679 and 681:2.

17   *Taz, O.C.* 681:1. See responsa *Avnei Nezer, O.C.* 489; responsa *Machazeh Avraham* 1:150.

18   *Kerisos* 28a; *Rambam, Talmud Torah* 5:1; *Shulchan Aruch, Y.D.* 242:1.

19   *Kiddushin* 29b; *Rambam, Talmud Torah* 1:4; *Shulchan Aruch* 245:2. See *Igros Moshe, E.H.* 4:26(4).

20   *Kiddushin* 29a; *Bechoros* 49b; *Rambam, Bechorim* 11:3; *Shulchan Aruch, Y.D.* 305:15.

21   *Kiddushin* 29b.

22   *Rambam, Avel* 14:7; *Rema, Y.D.* 335:10, see commentaries there.

23   *Kesubos* 17a; *Rambam, Avel* 14:8; *Shulchan Aruch, Y.D.* 360, *E.H.* 65:4.

24   *Rambam, Avel* 14:8. See *Ha'amek Sh'eilah, Sheilta* 3(6).

25   *Evel Rabbati* 11; *Rosh, Mo'ed Katan* 3:82.

26   *Bava Metzia* 33a; *Rambam, Talmud Torah* 5:1 and *Aveidah* 12:2, 8; *Shulchan Aruch, Y.D.* 242:4 and *C.M.* 264:1–2.

27   *Kesubos* 94a; *Rambam, Malveh V'Loveh* 2:1; *Shulchan Aruch, C.M.* 104:1.

camels in a narrow passageway;[28] the Psalm of the day of Rosh Chodesh or of Shabbos;[29] precedence of sacrifices;[30] and more.

Situation 2: When there is a need to perform several mitzvos, but because one is unable to do all of them, one must prioritize one over the others. Unlike the first situation, where both mitzvos will be performed, but there is a question of which will be first, in this situation, one mitzvah will not be done at all in favor of the other. Reasons could include insufficient financial resources to purchase all of them, running out of time in which the mitzvah can be performed, a halachic restriction in executing one of the commandments, etc.

The following are some examples of dual mitzvos, of which one may be unable to do both (for example, due to financial limitations), creating a question of which mitzvah takes priority: tallis and tefillin;[31] tefillin and mezuzah;[32] wine for Kiddush for Shabbos night or day;[33] sukkah or tefillin, sukkah or mezuzah, sukkah or tzitzis;[34] lulav and tefillin or lulav and mezuzah;[35] Chanukah candles or wine for Kiddush;[36] Torah study and various mitzvos whose time will pass;[37] ritual impurity for a Kohen and returning a lost object;[38] an elder for whom it is beneath his dignity to return lost objects;[39] paying for a funeral or for a wedding and Torah study,[40] etc.

Several halachic sources on the issue of priority are especially relevant for medical triage questions because they refer to priority of people:

---

28 *Sanhedrin* 32b; *Rambam, Rotze'ach* 13:12; *Shulchan Aruch, C.M.* 272:14.
29 *Sukkah* 54b; *Rambam, Temidin U'Mussafin* 6:10.
30 *Horayos* 13a; *Zevachim* 89a–91a; *Rambam, Temidin U'Mussafin* 9.
31 See *Be'er Heitev, O.C.* 25:1.
32 *Yerushalmi*, end of *Megillah*; *Shulchan Aruch, O.C.* 38:12; *Rema, Y.D.* 285:1. See also responsa *Binyamin Ze'ev* 193; responsa *Rabbi Akiva Eiger* 9; *Halichos Shlomo, Tefillah* 1, *Milu'im* 8.
33 *Pesachim* 105a; *Rambam, Shabbos* 29:4; *Shulchan Aruch, O.C.* 271:3.
34 Responsa *Besamim Rosh* 63; responsa *Rabbi Akiva Eiger (Mahadura Kama)* 9; *Sedei Chemed, Lamed* 57.
35 Responsa *Rabbi Akiva Eiger*, there; responsa *Beis HaLevi* 1:4; *Halichos Shlomo* there.
36 *Shabbos* 23b; *Rambam, Chanukah* 4:14; *Shulchan Aruch, O.C.* 263:3, 296:5, and 675.
37 See *Megillah* 3a–b.
38 *Bava Metzia* 30a; *Rambam, Gezeilah V'Aveidah* 11:18; *Shulchan Aruch, C.M.* 272:2.
39 *Bava Metzia* there; *Rambam* there 13; *Shulchan Aruch, C.M.* 273:1.
40 *Kesubos* 17a; *Rambam, Avel* 14:9; *Shulchan Aruch, Y.D.* 361:1.

priority for redeeming captives;[41] priority in charity;[42] choosing be-
tween poor and wealthy people when it comes to paying wages;[43] and
priority for litigants before a judge.[44]

There is a similar discussion of priorities regarding a dying patient
who gives instruction to award his possessions to a man named Tuvia,
without specifying which Tuvia he was referring to. The discussion
identifies three possibilities of priority: Torah scholar, relative, or a
neighbor.[45]

---

41   *Horayos* 13a; *Rambam, Talmud Torah* 5:1 and *Matnos Aniyim* 8:10–15; *Shulchan Aruch*,
     Y.D. 252. See *Ralbag*, end of *Shoftim* on *Pilegesh B'Givah*, who writes: "The tenth purpose of
     this is to make known that when it is necessary to bring a man or a woman to sin, a woman
     is permitted before a man, even if she is married, which is why he released his concubine
     before he released himself."

42   *Rashi, Devarim* 15:7; *Rambam, Matnos Aniyim* 7:13 and 8:17–18; *Tur* and *Rema, Y.D.* 251:3;
     Biur HaGra there 6; *Pischei Teshuvah* there 3–4. See also responsa *Maharit* 1:116; responsa
     Chacham Tzvi 70; responsa *Meshiv Davar* 2:47; *Ahavas Chessed* 6, *Nesiv Hachessed* 14; re-
     sponsa *Igros Moshe, Y.D.* 3:94; *Minchas Asher* on the Torah, *Re'eh* 21. See further on the laws
     of precedence in charity in responsa *Chasam Sofer, Y.D.* 234; responsa *Binyan Av* 3:71–72. See
     also in the book *Ahavas Tzedakah* (Avidan).

43   *Bava Kama* 111b. It is surprising that the *poskim* don't quote these triage rules at all.

44   *Sanhedrin* 8a; *Rambam, Sanhedrin* 20:10; *Shulchan Aruch, C.M.* 15:1. See *Shevuos* 30a, and
     Tosafos there, s.v. *"l'mishrei."* See *Meiri, Sanhedrin* 32b. See *Talmudic Encyclopedia* 7, *"Dinei
     Mamonos,"* p. 314–317, and vol. 26, *"Kevod Chachamim,"* pp. 588ff. and 631ff. See responsa
     Binyan Av 3:68, on the topic of giving precedence to a Torah scholar in Rabbinic courts; there
     71 on the topic of priorities and precedence on commandments between people (*mitzvos
     bein adam l'chaveiro*).

45   *Kesubos* 85b. See different situations in *Rashi* and *Tosafos* there, s.v. *"shuda"; Rambam,
     Zechiah U'Matanah,* 11:2; *Shulchan Aruch, C.M.* 253:29. See also *Shitah Mekubetzes* and
     commentaries on the *Rambam* and *Shulchan Aruch* on this debate. However, this discussion
     is slightly different than other discussions of precedence. See *Kovetz Shiurim, Kesubos* there
     310, that according to his opinion, in all interpersonal commandments, a Torah scholar
     takes precedence over a relative. It should be pointed out that they do not discuss other
     examples of precedence, such as if there would be a difference between two Tuvias if one
     was a Kohen, Levi, or Yisrael; poor or rich; etc. We find another example of precedence when
     there are two corpses in a city, regarding which gets buried first, see *Evel Rabbati* 11; *Toras
     Ha'adam* of the *Ramban, Inyan Hahotzaah; Rosh, Mo'ed Katan* 3:82; *Shulchan Aruch, Y.D.* 354.
     This is not quoted in the *Rambam*. See lengthy discussion of Rabbi Neria Guttel, regarding
     precedence in identifying casualties in the Army, *Techumin*, 5764, p. 383ff.

D. Halachic Guidelines on Determining Priority in Saving Life

Although there are many relevant halachic sources that deal with the question of lifesaving triage in situations of insufficient equipment and medical personnel, the contemporary complexities in these situations make it difficult to find simple halachic solutions to the complex issues. Rabbi Shlomo Zalman Auerbach wrote: "I can assure you that I am not setting firm guidelines regarding triage since the questions are very severe and I don't know of clear halachic proofs for them."[46]

Regarding the coronavirus pandemic, there is an anticipation of a shortage of medical personnel and lifesaving equipment, including ICU beds, ventilators, personal protective equipment (PPE) for all healthcare providers and expert personnel, including intensivists, nurses, and respiratory therapists.

The deliberation in determining precedence for saving life is divided into three stages:

1. During normal times and emergencies when there are sufficient lifesaving resources and personnel
2. During an emergency where there are insufficient lifesaving resources, prior to the beginning of any intervention
3. During an emergency where there are insufficient lifesaving resources, once interventions have been initiated

1. During normal times and emergencies when there are sufficient lifesaving resources and personnel

In these situations, there is an obligation on the government to do whatever it possibly can—while balancing properly and proportionately the other vital public needs—in order to provide everything necessary to preserve the exalted value of human life and the value of equality, thereby preventing a situation that would require tragic and arbitrary decisions of treating one person over others.

This includes establishing intensive care units, acquisition and production of respirators, acquisition and production of personal protective

---

46   Responsa *Minchas Shlomo* 2–3 #86(1), published in *Assia* 59–60, Iyar 5757, p. 48.

equipment for the medical staff, and training suitable medical staff in managing ventilated patients.[47]

The government should direct resources to the care of coronavirus patients, including manpower resources. However, this is on the condition that it does not harm the treatment requirements of non-coronavirus patients.

The government must ensure fair availability in the nationwide number of intensive care beds, respirators, and of skilled staff required to operate them according to population density indices. As long as the health-care systems have not been overwhelmed, and measures are still in place to care for critically ill patients, maximum care should continue to be provided to each patient irrespective of their coronavirus status. All of this must be performed in full equality, without priority and without discrimination.

It is the duty of every citizen in the country to comply strictly with all government guidelines for the prevention of infection.

2. During an emergency where there are insufficient lifesaving resources—prior to initiating interventions

    a. The foundational principle is that the value of life of each individual is a supreme value and equal for all, independent of age. There is therefore an ethical and halachic obligation to do everything possible to save every person's life.

> *Adam was created alone, to teach the principle that anyone who destroys one soul [of Israel],[48] the verse faults them as if they destroyed an entire world, and conversely, anyone who sustains*

---

47   It should be pointed out that the competent authorities in the State of Israel indeed took advantage of the emergency time in which there was no shortage to establish isolated corona units in all hospitals, acquire and even produce respirators in large quantities, train doctors and nurses who were not experts in intensive care to increase availability of skilled staff, acquire appropriate protection measures, and more.

48   There are textual versions in which "of Israel" is not included in this statement, and thus the obligation to save life includes every human being created in God's image, which includes non-Jews. This word is not included in the manuscripts of the *Talmud Bavli* (*Genizah* and Munich), and the *Talmud Yerushlami* manuscript (Leiden), as well as the manuscripts of the Mishnah (Kaufman, Farma, Cambridge), as well as *Pirkei D'Rabi Eliezer* (Higger), *Chorev* 47;

one soul [of Israel], the verse credits them as if they sustained an entire world.[49]

Indeed, halachah changes in situations in which several people require a lifesaving treatment, but it is possible to treat only some of them because of lack of intensive care beds, respirators, or skilled medical staff. In such cases, there is no other option but to set a ranking for saving lives, even at the painful price of other patient's death.

b. We find discussions in halachah regarding choosing between two patients whose lives are in danger, **when the lifesaving measures belong to one of the people in danger**:

> *If two people were walking on a desolate path and there was a jug of water in the possession of one of them, and if both drink from the jug, both will die, but if only one of them drinks, he will reach a settled area. Ben Petora taught: It is preferable that both of them drink and die and let neither one of them see the death of the other. This was accepted until Rabbi Akiva came and taught that the verse: "And your brother shall live with you," indicates that your life takes precedence over the life of the other.*[50]

The majority of the *poskim* rule according to Rabbi Akiva: your life takes precedence.[51]

Tanna D'Bei Eliyahu Rabbah (Ish Shalom), 11, *Rambam, Sanhedrin* 12:3. See *Avos D'Rabi Nosson* (Schechter), version 1. See at length, *Meshiv Milchamah* 1:1.

49 *Sanhedrin* 37a; *Bamidbar Rabbah* (Vilna) 23:1; *Tanchuma* (Warsaw), *Masei* 5; *Rambam, Rotze'ach* 1:16.

50 *Toras Kohanim, Behar, Parashah* 5, *Beraisa* 3 (with some textual differences), see explanation of the *Malbim* there; *Bava Metzia* 62a; *Yalkut Shimoni, Vayikra* 665. See *Ritva* on *Bava Metzia* there, *Ramban, Vayikra* 25:35.

51 *Kitzur Piskei HaRosh, Bava Metzia* there (even though the Rosh himself quotes both opinions); *Ha'amek Sh'eilah, Sheilta* 147:3; *Minchas Chinuch*, 296; *Shevet Mi'Yehudah* 1:8. However, the *Rambam* and *Shulchan Aruch* don't mention this matter at all, regarding this see responsa *Binyan Tzion* 175; responsa *Achiezer* 2:16(5); responsa *Igros Moshe, Y.D.* 1:145 (see there *C.M.* 2:73[2]); Rabbi Y. Kulitz, *Torah She'baal Peh*, 25, 5744, p. 133ff. See at length *Tiferes Yaakov* (Y. Fink), p. 253ff., who proves from many sources that the halachah follows Rabbi Akiva. See responsa *Mishpat Kohen* 144, who is in doubt as to who the halachah follows. See responsa *Binyan Tzion* there, that in his opinion, the *Rambam* doesn't side like either opinion.

Regarding Rabbi Akiva's opinion, some write that the owner of the water is required to save himself because one does not have authority over their body to give up on their life for the benefit of another, since halachah regards his own life as coming first.[52] However, other *poskim* write that the owner of the water may drink it himself, but if he wants to give up the water and save the other—he may do so, and would even be called holy and pious for doing so.[53]

Thus, in a situation where the person owns the scarce resource, his priority supersedes all others, including those listed in the Mishnah in *Horayos* 13a,[54] who would normally have priority over him.[55]

Some write that this rule is true even if the other individual is unable to procure water even through much effort.[56] Similarly, the halachic ruling is that the other individual is not permitted to steal lifesaving items from their owner.[57]

However, when the lifesaving resource is owned by two people who need it, everyone agrees it should be split between them, and one should not see the death of the other.[58]

Indeed, in principle, this issue is not relevant to the discussion before us as the example refers to a situation where the limited

---

See also on this issue, *Cheker Halachah, Inyanei Choleh* 8:2; responsa *Machaneh Chaim, C.M.* 3; *Chemdas Yisrael, Kuntres Ner Mitzvah* 52:3; *Chiddushei HaGrach HaLevi* on *Bava Metzia* 62a; *Chazon Ish, C.M. Bava Metzia,* likkutim 20, 62a and *Y.D.* 69:2; responsa *Seridei Eish* 1, p. 313 (10); responsa *Yad Eliyahu* (Lublin), 43; responsa *Tzitz Eliezer* 9:17(10:5) and 28:3; responsa *Chavos Binyamin* 2 end of 93; *Knesses Avraham* (Farbenstein) 49; *Minchas Asher* on *Bereishis* 38 and *Vayikra* 59. See also the essay of B. Gezundheit, *Harefuah* 638:153, 2014.

52   *Shevet Mi'Yehudah* 1:8; *Minchas Asher* on *Vayikra* 59(5).

53   *Rishon L'Tzion* (author of *Ohr Hachaim*), *Y.D.* 249:1; *Yaavetz, Migdal Oz, Even Bochen, Pinah* 1:5; responsa *Mishpat Kohen* 144(15); Rabbi Y.Y. Weinberg, *Kovetz Yad Shaul,* pp. 391 and 393 in the notes. He writes there that if one is strict on themselves and gives their life to save the other, they are called holy and pious, see responsa *Seridei Eish* 1:42.

54   See below.

55   Responsa *Mishpat Kohen* 144(16).

56   *Yichusei Tanna'im V'Amora'im, Ben Peturin,* p. 41.

57   *Chazon Ish, Y.D.* 69(2).

58   *Maharsha, Bava Metzia* 62a. See responsa *Igros Moshe, Y.D.* 1:145 s.v. "u'va Rabbi Akiva."

resources belong to one of the people who is himself in danger, while in a triage situation the scarce lifesaving resources belong to the entire community.

c. We find discussions in halachah regarding precedence between two dangerously ill patients, **when the lifesaving resources belong to the public:**

> *Mishnah: A man precedes a woman...a Kohen precedes a Levi, a Levi precedes a Yisrael, a Yisrael precedes a son born from an incestuous or adulterous relationship (mamzer), and a mamzer precedes a Gibeonite, and a Gibeonite precedes a convert, and a convert precedes an emancipated slave. When? In circumstances when they are all equal. But if there were a mamzer who is a Torah scholar and a High Priest who is an ignoramus, a mamzer who is a Torah scholar precedes a High Priest who is an ignoramus.*[59]

According to this Mishnah, the scale of the rescue preference is based on the socio-religious status, the number of commandments one is obligated in (such as men compared to women), their *yuchsin* status (such as Kohen before Levi), their level of spirituality (such as *mamzer talmid chacham* before an ignorant Kohen Gadol), based on the principle that all who are holier than others come before others.[60]

Some write that the intention of these orders of preference is specifically in a situation of captives, and when a man and a woman want to commit suicide in drowning, then we give precedence to saving the man, since he is doing so out of more anguish than

---

59   *Horayos* 13a, codified by *Rambam, Matnos Aniyim* 8:17–18, *Shulchan Aruch, Y.D.* 251:8–9. See the previous Mishnah there in *Horayos*, that a man comes before a woman regarding rescuing or returning a lost object to. See *Rambam* there, 15, who rules only that man takes precedence over woman in cases of captive redemption, but he does not mention at all priority of man over woman in lifesaving situations.

60   *Horayos* there; *Zevachim* 89a; The *Shitah Mekubetzes* on *Horayos* there writes that this is based on the rule of "*V'kidashto*," that "all who are holier than," etc., but see another explanation in the book of the *Netziv, Meromei Sadeh* on *Horayos* there, and in *Kovetz Shiurim, Bava Basra* 277, and see *Chazon Yechezkel* on the *Tosefta, Bava Metzia* 2:13.

a woman.[61] Some write that this only refers to precedence for financial support, charity and food, and not for actually saving life.[62] However, most *poskim* relate to this order of preference simply as stated: that the Mishnah is also referring to lifesaving questions—such as when two people are in danger and it is only possible to save one of them—and they should be saved according to the order of precedence detailed in the Mishnah.[63]

The Gemara on the Mishnah in *Horayos* quotes another list of precedence for rescuing captives.[64] In addition to the list of precedence quoted above, the *poskim* add additional preferences, such as all of those listed in the Mishnah coming before the deaf, insane, and minors, even if they are Jews of good lineage; deaf individuals and children precede the insane. Some express doubt whether females married to Kohanim, Levi'im, or Yisraelim have any precedence in lifesaving matters.[65] Some say that all who take precedence in inheritance also come first in being saved, and the closer one is related, the greater the precedence. Therefore, a son comes before a brother or grandson and so on.[66]

---

61   *Levush, Y.D.* 252:8. See *Birchei Yosef* there who is surprised by this explanation. See *Yevamos* 100a, that we give a woman precedence over a man for *maaser ani*, and when they come to court, out of concern of degrading the woman, since she becomes more embarrassed (*Rambam, Sanhedrin* 21:6).

62   *Meiri, Horayos* 13a; *Iyun Yaakov* on *Ein Yaakov, Horayos* there; *Chidah, Shaar Yosef* on *Horayos* there; *Pnei Moshe* and *Mareh Hapanim, Yerushalmi, Horayos* 3:4; *Tzofnas Pane'ach* on *Rambam, Matnos Aniyim* 8:15; responsa *Tzitz Eliezer* 18:1(5).

63   *Tosafos, Nazir* 47b, s.v. *"v'hatanya"*; *Beis Yosef, Y.D.* 251; *Shach* there 11; *Rema* there 252:8; *Taz* there 6; *Tosafos Yom Tov* and *Meleches Shlomo* on Mishnah *Horayos* 3:7; *Be'er Sheva* on *Horayos* there. See *Tosafos HaRosh, Nazir* 47b, s.v. *"v'hatanya,"* who quotes the two explanations, both lifesaving and providing food. See note of Rabbi S.Z. Auerbach in *Nishmas Avraham, Y.D.* 252, n. 5.

64   And see *Yerushalmi, Horayos* 3:4, *Beis Yosef, Y.D.* 251, *Rema* there 9, that the wife of a *chaver* comes before an *am ha'aretz* for clothing, financial support, etc. and the *Mareh Panim, Yerushalmi* there, writes that when it comes to lifesaving, such as when both are drowning, the life of the *am ha'aretz* comes first. It should be pointed out that the *Rambam* there does not list all of these additional distinctions from the *Yerushalmi* or *Bavli*.

65   See *Migdal Oz, Even Bochen, Pinah* 1:89.

66   *Migdal Oz* there. This is based on the laws of charity, see *Shulchan Aruch, Y.D.* 251:3. See summary of the order of inheritance in *Talmudic Encyclopedia*, 25, *"yerushah,"* p. 133ff. If one can save either their father or son, some say the father comes first (*Emes L'Yaakov*, Rabbi Y.

Some say that this law does not apply to a physician who is employed by others, and where the scarce medical resource does not belong to him, because when it comes to lifesaving, one should not give precedence to family members. Moreover, whoever is in charge of rescue equipment is obligated to share it according to the precedence in the Mishnah, not to family members.[67] Therefore, in general, when it comes to priorities in saving a life, family members have no place in the ranking of precedence. If there is a conflict between precedence of the rank and importance based on the Mishnah, and that of one's relatives, they should give precedence based on the Mishnah.[68] Some say that a youth precedes an elderly person, and that a healthy elderly individual precedes a sick person in triage.[69] Some say that age has no influence in determining precedence, and therefore if a youth and elderly person arrive at the same moment, precedence should be determined based on the Mishnah or the health circumstances, not based on their age.[70]

Kamenetsky, *Bereishis*, *Miketz*, 43:8, based on the verse, "Send the boy in my care and let us be on our way—that we may live and not die, you, we, and our children"—that one's life comes first, afterward one's father, and afterward one's children); and some write that if the doctor wants to save his son in order to have someone to care for him in his old age and arrange his burial, then the son comes first (Rabbi Y.S. Elyashiv quoted in *Kav V'Naki* 2:275, and *Nes L'Hisnoses* 67).

67 Rabbi S. Dichovsky, *Dinei Yisrael* 7, 5736, p. 45ff.; Rabbi A. Rot, *Emek Halachah* 2, 5749, p. 119ff. See responsa *Chacham Tzvi* 70, who distinguishes in precedence in charity between one who gives of their own possessions, who must prioritize family, and one who gives from a communal charity fund, who must give based on importance only.

68 *Shevet Mi'Yehudah* 1:17.

69 *Migdal Oz* there. It seems this is learned from *Sefer Chassidim* 671, that it is a worse sin to kill a young man who is able to have children than an elderly infertile man. See essay of Rabbi S. Dichovsky, *Dinei Yisrael* 7, 5736, p. 45ff. And see responsa *Minchas Asher* 2:126, who left unanswered whether one should prioritize a young person before an old person, and he writes that he could not find a source to answer this question; however, this has been discussed as noted here and in the next note.

70 Responsa *Igros Moshe*, C.M. 2:75(7); responsa *Minchas Shlomo* 2:82(2) (*Tenyana* 86:1) and letter of Rabbi S.Z. Auerbach, published in *Assia*, 59–60, Iyar 5757, p. 48, that giving importance to the age should not be considered at all. It is surprising that they do not quote the *Yaavetz* in *Migdal Oz* in the previous note.

As for the practical halachah, the greatest *poskim* of our generation ruled that we do not follow this Mishnah in determining the rank for triage.[71] A number of rationales are given for this: Regarding prioritizing a man over a woman, some say this is proper even today,[72] but this is not the practice and we have not seen anyone who does so today.[73] Some have written that the reason for this is that we don't always know who has greater merits.[74] However, this reason is difficult because they could have said the same reasoning during the time of the Tanna'im and Amora'im, but they nevertheless established the Mishnah that men take precedence over women. Perhaps today we rely on the opinions of those Rishonim who did not include the precedence of men to women,[75] even though other *poskim* did quote it as halachah.[76] Perhaps it can also be suggested that in our days we can apply the principle that it is better to err by accident than intentionally,[77] for the *poskim* have explained that if one knows that a halachah won't be accepted by the populace, even if it is a Torah prohibition, as long as it is not explicit in the Torah, such as *Tosefes Yom Kippur*, then it is better not to rebuke people on it.[78] This preference for a man over a woman is at the very most

---

71   See responsa *Igros Moshe, C.M.* 2:74(1), that even if they arrive at the exact same moment, and there is no medical preference for either, it is difficult to follow this Mishnah in *Horayos* without examining things deeply (see also *Masores Moshe* 1:C.M. 62); responsa *Minchas Shlomo* 2:82(2) (*Tenyana* 86:1), that in our times it is very difficult to practice according to the rules of this Mishnah. However, see responsa *Shevet HaLevi* 10:167(1) that even today we follow the precedence in this Mishnah. See responsa *Minchas Asher* 2:126 that the initial precedence is determined according to the medical condition, but if both are medically equal, one should follow the priorities according to the Mishnah in *Horayos*.

72   Responsa *Shevet HaLevi* there.

73   *Nishmas Avraham*, 2nd ed., *Y.D.* 251(1).

74   See *Taanis* 23a on the story of Abba Chilkiah; *Kesubos* 67b, story of Mar Ukva.

75   *Rambam*, in *Hilchos Matnos Aniyim*; *Shulchan Aruch, Y.D.* 151. This was already noted by the *Tzofnas Paneach* on the *Rambam, Matnos Aniyim* 8:15; *Chafetz Chaim* in *Nesiv Hachessed* on *Ahavas Chessed*, n. 32; responsa *Tzitz Eliezer* 18:1.

76   *Beis Yosef, Y.D.* 151; *Rema, Y.D.* 152:8, according to *Be'er Hagolah, Biur HaGra*, and *Birkei Yosef* there.

77   *Beitzah* 30a; *Bava Basra* 60b.

78   See *Tosafos Bava Basra* there, s.v. *"mutav"*; *Rosh, Beitzah* 4:2 in the name of the *Itur; Rema,*

a Torah prohibition that is not stated explicitly in the Torah, and perhaps it may even be a Rabbinic prohibition, and in our days it is clear that such a distinction in rescuing a man before a woman will not be accepted by the vast majority of the public.

Regarding a Kohen preceding a Levi or a Yisrael, the general custom is not to be strict about this,[79] which might be because we are not expert at determining the priestly lineage.[80]

Regarding a Torah scholar preceding an *am ha'aretz*, the general custom is not to be strict about this,[81] which might be because we are not expert at determining the value of the Torah and mitzvos of one Jew over another,[82] and nowadays there is no status of a Torah scholar for many issues.[83]

In the case of a mass injury, with the exception of gender and age, most of the types of precedence listed in the Mishnah, Gemara, or *poskim* cannot be established in triage.

d. A number of *sugyos* establish the fundamental principle that we may never choose one life over another life, whether it is related to the law prohibiting handing over a Jewish person to be killed,[84] or for sexual abuse,[85] in order to save others, or if it is related to not prioritizing an elderly person over a baby.[86]

O.C. 608:2. See *Biur Halachah* there, s.v. *"aval,"* a list of Rishonim who agree with the *Rema*. See also *Sefer Chassidim* 262; responsa *Meil Tzedakah* 19.

79   Responsa *Tzitz Eliezer* 18:69(1).

80   As explained in *Magen Avraham* 101:4; *Yaavetz, Migdal Oz, Even Bochen, Pinah* 1:89. See at length in *Talmudic Encyclopedia* 27, s.v. *"kohen,"* p. 243ff., regarding the status of Kohanim in our time.

81   *Nishmas Avraham*, 2nd ed., Y.D. 251(1).

82   See *Bava Basra* 10b, *Tosafos* there, s.v. *"elyonim."*

83   See *Rema*, Y.D. 243:2, 7; *Shach*, Y.D. 251(16); *Pischei Teshuvos* there 2; *Magen Avraham* 498(2) and 547(8); *Mishnah Berurah* there 12, *Shaar Hatziyun* there 4. See also responsa *Tzitz Eliezer* 5, *Ramat Rachel* 41; *Pnei Baruch* 1, n. 22; *Piskei Teshuvos* on 547; responsa *Be'er Moshe* 7:54; Prof. David Hanshkeh, *Techumin*, 24, 5764, p. 292ff.

84   *Tosefta Terumos*, 7:23; *Yerushalmi, Terumos* 8:4, *Bereishis Rabbah* 94:9.

85   Mishnah, *Terumos* 8:12; *Rambam, Yesodei HaTorah* 5:5; *Shulchan Aruch*, Y.D. 157:1.

86   Mishnah, *Ohalos*, 7:6; *Sanhedrin* 72b.

e. Several *sugyos* help establish the value between the good of individuals versus the good of the community in instances of limited resources.[87]

f. In halachah, there are differences in determining priorities of rescue depending on whether the patients arrive simultaneously or if they arrive in succession. In general, when they arrive in succession, we employ the rule of "first come, first served."[88] All the preceding rules of precedence were stated only for situations in which the individuals arrive simultaneously, in which case they cannot all be treated, and someone must get precedence based on various rules.

However, in a situation such as the coronavirus pandemic, even if there are available beds and ventilators at the moment, one can be certain that critically ill individuals will appear shortly. Therefore, all of the rules of precedence that are used for cases of patients arriving simultaneously apply in this case.[89] In the

---

87   Mishnah: Captives are not redeemed for more than their monetary value, for the betterment of the world (*Gittin* 45a; *Rambam, Matnos Aniyim* 8:12; *Shulchan Aruch, Y.D.* 252:4). See *Tosafos* there, s.v. *"d'lo," Ramban, Rashba,* and *Meiri* there, if this disagreement is the same as the one between the first opinion and Rabbi Shimon Ben Gamliel in *Kesubos* 52a, regarding redeeming one's wife. Incidentally, see the responsa *Radvaz* 3 #40, which implies that "their monetary value" is not one's value in the marketplace of slaves, but the amount that it is accepted to pay in the world to redeem captives: "A spring belonging to the residents of a city, if the water was needed for their own lives, and it was also needed for the lives of others, their own lives take precedence over the lives of others. Likewise, if the water was needed for their own animals and for the animals of others, their own animals take precedence over the animals of others. And if their own laundry and the laundry of others, their own laundry takes precedence over the laundry of others. However, if for the lives of others and their own laundry, the lives of others take precedence over their own laundry. Rabbi Yosi disagrees and says: Even their own laundry takes precedence over the lives of others" (*Nedarim* 80b). See *Tosefta Bava Metzia* [Lieberman] 11:33–35; *Yerushalmi Shevi'is* 8:5, and *Nedarim* 11:1. See responsa *Lev Shomei'a L'Shlomo* [Deichovsky] 2 #39. See also Rabbi S. Deichovsky, *Torah She'baal Peh* 31, 5750, p. 40ff. and *Techumin* 32, 5772 p. 153ff.). See the extended treatment of this topic in my book *Harefuah K'Halachah*, vol. 5, p. 107ff.

88   Responsa *Shevet HaLevi* 10:167. See *Nishmas Avraham*, 2nd ed., *Y.D.* 251(1).

89   See responsa *Tzitz Eliezer* 17 #72(20) and #10. Rabbi S.Z. Auerbach agrees with this ruling, as quoted in the essay by Rabbi M. Klein, *B'Shvilei Harefuah* 8, 5747, p. 16ff. See responsa *Minchas Shlomo* 2 #82(2); responsa *Teshuvos V'Hanhagos* 1 #858. Similarly, in the Rulings of Rabbi Hershel Schachter. See: https://www.kolcorona.com/rav-schachter-official-pesakim. However, responsa *Shevet HaLevi* 10 #167(1) rules that when patients arrive one after the

event that critical care resources are not available, we treat the scenario as if they came simultaneously.

g. In light of the fact that the vast majority of *poskim* do not follow the order of preference of the Mishnah in *Horayos* for determining precedence, the only criteria for triage will be based on medical factors and assessing the statistical probability of successful treatment.[90]

There are several such examples in halachah:

- A healthy person and one in danger—the healthy person comes first,[91] where "healthy" is defined as one who needs medical intervention, and has good chances of benefitting from those interventions, as compared to one who is "in danger," defined as being one who is ill with serious preexisting conditions, with low likelihood of recovery.

---

other, the one who arrives first should be treated first, but this is not the opinion of most *poskim*. In reality, even in normal situations, not every patient in need of a respirator is accepted to the intensive care unit, based on these considerations, and so certainly during a worldwide pandemic.

This is similar to the principle that the *Noda B'Yehudah*, *Y.D.* #210, established when he allowed autopsy only when there is another patient who might benefit from the autopsy in front of us (See responsa *Chasam Sofer*, *Y.D.* #336; responsa *Maharam Shik*, *Y.D.* #347–348; *Nachal Eshkol* on *Sefer Eshkol* 2, p. 117ff.; responsa *Melamed L'Hoil*, *Y.D.* #108, responsa *Duda'ei Hasadeh* #76; end of the book *Shevet Mi'Yehudah* [edition year 5715]; Rabbi Y. Arieli, *Torah She'baal Peh* 6, 5724, p. 40ff. and *Noam* 6, 5723, p. 82ff.; *Shevet HaLevi* 8 #260[1]). However, the *Chazon Ish*, *Y.D.* #208:7 and *Ohalos* #22:32 has established that because of the rapid communication in our days that connects the entire world, this counts as "before us" (See also Rabbi Y.D. Soloveitchik, quoted in Zinger, *Turei Yeshurun* 5, Tishrei 5727, p. 33; Rabbi Y. Libes, *Noam* 14, 5731, p. 28; Rabbi Y. Arieli, *Noam* 6, 5723, p. 82ff. and *Torah She'baal Peh*, 6, 5724, p. 40ff.; Rabbi C.D. Regensburg, *Halachah U'Refuah* 2, 5741, p. 9ff.; *Toras Harefuah*, p. 209ff.).

90 Responsa *Igros Moshe*, *C.M.* 2 #73(2); responsa *Minchas Shlomo* 2:82(2) (*Tenyana* 86:1). Also written in letter of Rabbi S.Z. Auerbach, published in *Assia*, 59–60, Iyar 5757, p. 48, that it is especially necessary to consider, when determining the precedence, the amount of the danger and the chances of saving; responsa *Tzitz Eliezer* 9 #28(3) and 17:72(14ff.); responsa *Shevet HaLevi* 10 #167; responsa *Kovetz Teshuvos* 3 #159, that one in danger comes even before a Torah scholar; responsa *Teshuvos V'Hanhagos* 1 #858; responsa *Minchas Asher* 1 #115 and 2 #126. See also *Cheker Halachah* 8 "*inyanei choleh*"; *Tzitz Eliezer* 9:28(3).

91 *Pri Megadim*, *O.C.* 328, *Mishbetzos Zahav* 1; *Shulchan Atzei Shitim* (By the author of the *Mirkeves Hamishneh*) 1:6 (and see responsa *Tzitz Eliezer* 9:17:10[5] and 17:72[17]); *Be'er Heitev*, *O.C.* 334:22; *Chiddushei Rabbi Akiva Eiger*, *Y.D.* 339:1.

- *Treifah* and one who is not a *treifah*—the one who is not a *treifah* comes first;[92]
- Terminal and non-terminal—non-terminal comes first.[93] Even if there is a doubt about being non-terminal, they come before someone who is terminal.[94]

h. Halachah appoints the physician as the arbiter to determine the degree of illness and risk of danger. These criteria must be uniform everywhere, activated equally toward all patients, and transparent to the public.

i. Age, in and of itself, is not an accepted factor in determining halachic precedence in triage,[95] but only as part of the risk factors.

j. Similarly, physical or mental disability in and of itself is not a consideration for the prevention of lifesaving treatment, but only as part of the risk factors.

3. During an emergency where there are insufficient lifesaving resources, once interventions have been initiated

a. Examples include a patient being admitted to the ICU and receiving critical care interventions, and subsequently, deteriorating

---

92   *Sefer Chassidim* #724; responsa *Tzitz Eliezer* 17:10 and 72; Rabbi M. Weinberger, *Emek Halachah—Assia* 1, 5746, p. 109ff.

93   *Tiferes Yisrael, Yoma* 8:3; *Yaavetz, Migdal Oz, Even Ha'bochen, Pinah* 1 #92; responsa *Igros Moshe, C.M.* 2 #73(2); responsa *Tzitz Eliezer* 17:72(15ff.); *Shiurei Torah L'Rofim* 2 #123; responsa *Minchas Asher* 2 #126. See the story of Ula in *Nedarim* 22a, that he told a murderer that he did a good thing, and that he should tear the throat of the one murdered to ensure he was dead—which implies that he did so out of fear that he would be killed, showing that normal lifespan comes before the terminal life of another, see *Rosh* there; *Tiferes Yisrael*, end of *Yoma*; responsa *Minchas Shlomo* 2:86.

94   Rabbi Z.N. Goldberg, quoted in A. Sadan, *Assia*, #81–82, 5768, p. 42 and *Techumin* 36, p. 209ff. Regarding the *Chazon Ish* on this, there seems to be a contradiction in his explanation of the disagreement between Rabbi Akiva and Ben Patura (*Bava Metzia* 62a), regarding what he wrote in his *Likkutim* on *Bava Metzia* #20, and what he wrote on Rabbi Chaim of Brisk's novellae on *Hilchos Yesodei HaTorah*. See also *Minchas Asher* on *Vayikra* #59(3).

95   Responsa *Igros Moshe, C.M.* 2:75(7); responsa *Minchas Shlomo* 2:82(2) and Rabbi S.Z. Auerbach in a letter published in *Assia* 59–60, Iyar 5757, p. 48, that age cannot be part of the considerations. However, see *Yaavetz, Migdal Oz, Even Habochen, Pinah* 1, that young people take precedence over the elderly. See, too, the opinion of Rabbi Hershel Schachter that was published in the Yeshivah University website, to choose someone younger over one who is very elderly. See also the essay of Rabbi S. Deichovsky, *Dinei Yisrael* 7, 5736, p. 45ff.

clinically so that the medical team feels his survival rate is very low. At this point, another patient with a more favorable medical prognosis arrives, and is in need of the critical care resources being used. Or the medical team is actively treating a patient with a terminal disease, and then a patient arrives with the potential of living a full life span. Or differences between the patients according to the laws of precedence, whereby the first patient is a simpleton, very elderly, deaf, insane, or a minor, and the arriving patient is a great rabbi and completely righteous. In all these scenarios, one may not discontinue or remove the interventions from the patient who already is being treated. In all cases above, once the individual is connected to the respirator, the respirator should not be moved to another patient, even if they have better chances of survival.[96]

b. This rule applies even in a situation where the physician treated a person not in accordance with the halachic rules of precedence. Therefore, despite the physician having chosen the wrong person to place on the limited critical care resources, nevertheless, if he began treating that patient, he must continue to do so.[97]

c. According to some opinions, the reason for the above ruling is that the first patient placed on life support acquires the rights to that space, and therefore the hospital and the physicians must continue to treat him.[98] According to others, the reason is that we do not choose one life over another life. Therefore, if treatment was initiated on a terminal patient, it cannot be discontinued for the benefit of another patient, even if he is not terminal.[99] Based on the first reason cited, whereby the patient

---

96 Responsa *Igros Moshe, C.M.* 2:73(2); responsa *Minchas Shlomo* 2:82(2)(*Tenyana* 86:1) and Rabbi S.Z. Auerbach quoted in *Nishmas Avraham*, 2nd ed., *Y.D.* 252:2(1); Rabbi M. Hershler, *Halachah U'Refuah* 4, 5745, p. 84ff.; Rabbi Z.N. Goldberg, *Halachah U'Refuah* 2, 5741, p. 191ff.; responsa *Kovetz Teshuvos* 3:160; responsa *Devar Chevron* 2:521. See also essay of A. Sadan, *Assia* 81–82, 5768, p. 40ff.

97 Rabbi Z.N. Goldberg, *Halachah U'Refuah*, there; Rabbi M. Hershler, *Halachah U'Refuah*, there.

98 *Igros Moshe*, there.

99 Rabbi S.Z. Auerbach, there.

acquired the rights of the resources, some have suggested that in the case of a volunteer EMT company, which is financially independent, the halachah changes so that if they began treating a terminal patient and then a non-terminal patient arrives, they may stop treating the terminal patient.[100] This ruling, however, seems to be erroneous—not just according to the opinion that we don't choose one life over another, which obviously wouldn't make a difference if it was in a hospital or a volunteer organization. Even according to the opinion that the reason is based on financial acquisition, the *Igros Moshe* writes that the terminal patient acquired the resource as well as the time required to be there; the latter is irrespective of whether they are being treated by a critical care physician in a hospital, or by a volunteer EMT.

d. If a critically ill patient in the process of dying is already on a ventilator, and it becomes apparent that the chance of survival is very low,[101] no new medical interventions should be initiated to support or prolong the patient's life. Blood pressure medications should not be refilled, and the various medical and laboratory examinations should cease. The patient should no longer be kept on a monitor to check blood pressure, heart rate, or oxygen saturation. The parameters of the respirator should no longer be adjusted; No resuscitative measures should be taken.[102]

e. It is also permissible to wean ventilation by reducing the rate and the oxygenation of the ventilator to the lowest level at which no immediate harm will be done to the patient's respiratory status.[103] If the patient is stabilized on the reduced ventilation parameters but subsequently deteriorates, one need not return to the previous ventilation settings.

---

100   *Sefer Toras Hahatzalah* 19.

101   This is also true if the patient is totally comatose and it is unclear if he is in pain; it is still permissible to not prolong his life; responsa *Igros Moshe*, Y.D. 2:174(3) and C.M. 2:74(1); Rabbi S.Z. Auerbach, quoted in *Nishmas Avraham* (2nd ed.), Y.D. 339:4(2a4).

102   On all of this, see my book *Harefuah K'Halachah*, vol. 6, pp. 369–370.

103   A. Steinberg, *Assia*, #63–64, 5759, pp. 18–19, in the name of Rabbi S.Z. Auerbach and Rabbi S. Wosner.

f. It is permitted to transfer a ventilated coronavirus patient, whose situation is deteriorating and who is determined to have very low chances of survival, from the intensive care unit to a regular floor, as long as the patient continues to receive standardized quality care, and is not removed from the ventilator.[104] This ruling is true even though the treatment on the regular ward is inferior to the intensive care unit. The reason is because in situations like this there are also rules of precedence, as discussed above, since a patient with a chance for full life span has priority over a terminal patient.[105] A patient may be moved from an intensive care unit to a regular floor even if they are determined to be a *goses* from a halachic perspective.[106]

g. In a state of scarcity, it is permissible to connect two patients to one ventilator, even if that reduces the effectiveness for each one.[107]

h. Even in emergency situations when there is a lack of supplies, when a patient is determined to be unfit for intensive care or for a ventilator, or to be removed from the intensive care unit, the patient must still receive proper palliative care, and it is forbidden to physically or emotionally neglect him.

i. If a patient is initially connected to a respirator with a timer that will shut off automatically, the respirator functions at a predetermined time,[108] and it becomes clear when the timer is about to go into action that the patient's chances of surviving

---

104 Responsa *Minchas Asher* 1:115. See however responsa *Igros Moshe*, C.M. 2:73(2) that even a terminal patient should not be moved even if there is a need for his bed for a patient who has better chances of survival, since the first patient acquired the rights to it and he is not required to give his life to save another. Perhaps in a severe situation of critical shortage of lifesaving equipment for the masses, even Rabbi Feinstein would agree.

105 *Shiurei Torah L'Rofim* 2:85 and 3:164 (and Rabbi Zilberstein, *Shoshanas Ha'amakim*, *V'Rapo Yerapeh* #34). I also heard this from Rabbi Elyashiv.

106 Rabbi S.Z. Auerbach, Rabbi S. Wosner, Rabbi S.B. Leizerson, *Assia* #55, 5754, pp. 43–45; *Sefer Assia* #11(5769), 9–11.

107 Rulings of Rabbi Hershel Schachter. See: https://www.kolcorona.com/rav-schachter-official-pesakim.

108 On the practical proposals to build such a device and the principles and details of its operation—see Rabbi M. Halperin, *Assia* 81–82, 5768, p. 93ff.

are zero, it is permissible to allow it to stop the functioning of the respirator.[109] However, at this time, there is no timer for a respirator that is medically approved for use.[110]

j. When many patients, all with equal chances of survival, are in need of a scarce lifesaving treatment and arrive at the hospital simultaneously, some say the doctors can then treat randomly whomever they want.[111] Some say that in such cases of equal chances, the ideal method is to choose by doing a lottery.[112] Another method of choosing is by giving precedence to whoever arrives first.

---

109 Responsa *Tzitz Eliezer* 13:89; responsa *Teshuvos V'Hanhagos* 1:858; *Shiurei Torah L'Rofim* 3:184 (also quoted in *Teshuvos V'Hanhagos* there); and Rabbi A. Nebentzal, quoted in *Assia* 71–72, 5763, p. 39 and there 81–82, 5768, pp. 103–104; Rabbi M. Halperin, *Beis Hillel*, year 12, 5771, p. 95ff. This is also the opinion of Rabbi Asher Weiss in an unpublished responsum to me. However, some prohibit the use of such a timer—see *Nishmas Avraham*, 3rd ed. 339(1)6 in the name of Rabbi Y.S. Elyashiv (and some quote having heard from Rabbi Elyashiv that technically he does not prohibit use of such a timer, but he did so to prevent going in this direction out of concern that it would come to be used in ways that are not permitted by halachah). See also what is written in the name of Rabbi S.Z. Auerbach that this may be considered causing murder, and in the name of Rabbi Y.Y. Neuwirth that he retracted his permission.

110 Some say that when the function of the respirator ceases in order to treat the patient, such as to change the endotracheal tube (Rabbi Z.N. Goldberg, *Moriah* 88–89, p. 55ff. and *Emek Halachah-Assia*, 64ff.), or if the respirator is connected to an oxygen tank that became empty (responsa *Igros Moshe*, Y.D. 3:132), there is no obligation to reconnect the respirator to the patient if it has become clear that he is no longer breathing (*Igros Moshe* there; Rabbi Z.N. Goldberg there).

111 *Chazon Ish*, Y.D. #69:2 and *Bava Metzia*, *likkutim* 62a, #20 (and see *Chazon Ish*, *Sanhedrin* 69; *Shevet Mi'Yehudah*, *Shaar* 1:8; Rabbi M. Hershler, *Halachah U'Refuah* 4, 5745, pp. 82ff.

112 Responsa *Igros Moshe*, C.M. 2:75(2); *B'Mareh Habazak*, 1:89, n. 2, in the name of Rabbi S. Yisraeli. See also *Ramban*, *Bereishis* 19:8; *Sefer Chassidim* (Margaliot) 679 and 701; *Tiferes L'Moshe* on Y.D. 157:1, and *Hagahos Baruch Taam* there (quoted in *Pischei Teshuvah*, Y.D. 157:54); *Minchas Asher*, *Bamidbar* 72.

Miscellaneous

1. If there is a plague in the world and a woman says that her husband died in the plague, some say that she is believed,[1] and some say that she is not.[2]

2. There is an ancient custom to make a chuppah for orphans or poor people in a cemetery as a charm to stop a plague.[3]

3. A *katlanis* is a woman who was married or engaged twice, and both men died. Such a woman is not permitted to marry a third man.[4] However, if he died from a plague or any pandemic or national tragedy,[5] she does not fall into the category of *katlanis*, and therefore many are lenient about this.[6] Even if she had three husbands who died in plagues, we can be lenient and she may marry.[7] Some say that this lenient opinion applies only if the two husbands died from plagues; however, if three of her husbands

---

1   *Yevamos* 114b, there is a disagreement if she is believed or not; *Rambam, Gerushin* 13:7. See the different versions of *Rambam*'s opinion in *Otzar Haposkim* 17:416; *Shulchan Aruch, E.H.* 17:55.

2   *Tur* and *Rema, E.H.* 17:55; responsa *Ran*, #3; *Yam Shel Shlomo, Yevamos* #15:3. See *Otzar Haposkim* there regarding the Acharonim on this. See also when the woman says that she buried him, as well as other details of the laws regarding one witness who says her husband died in a plague.

3   See responsa *Maharsham* 1:40; *Mishmeres Shalom, Dinim, Hilchos Smachos* 8:39; *Shulchan Ha'ezer* 2:7. See *Shaarei Yerushalayim* 7 and *Keser Shem Tov* 2, p. 684, about the plague in Jerusalem in 5626 in which many people died, including great rabbis, and they made a chuppah for orphans in the cemetery. See also the beginning of *Ohel Yehoshua* at length. See *HaShoah B'Mekoros Rabbani'im*, p. 358ff., on this custom in the various ghettos during the Holocaust. Some call these weddings "black weddings" or "orphan weddings." See also H.J. Zimmels, *Magicians, Theologians and Doctors* (E. Goldston and Son, 1952) p. 233, n.141.

4   *Kesubos* 64b; *Rambam, Issurei Biah* 21:31; *Shulchan Aruch, E.H.* 9:1.

5   See *Otzar Haposkim* 9:17.

6   *Rema* there. See also responsa *Chavos Yair* 197; responsa *Imrei Yosher* 1:190.

7   Responsa *Noda B'Yehudah*, 2nd ed., *E.H.* 9.

died in plagues, we treat this as a *chazakah*, and she should not marry again.[8]

4. The rabbinical courts do not preside during a pandemic. If the court convenes, there is no need for concern,[9] namely the litigants are not required to report to the proceedings.

---

8   Responsa *Radvaz* 2:682.

9   *Birkei Yosef*, C.M. 5:9, in the name of the *Maharikash*.

Conclusion

We all pray to Hashem that our suffering will come to an end, and that this distressing pandemic will come to an end: "Our Father, our King, withhold the plague from Your heritage."

The coronavirus pandemic has taught humanity, including scientists and doctors, an important lesson in modesty and humility. We thought that our advanced science and medicine gave humanity the ability to control the entire world. However, we have been shown that there are so many things in our world that we don't understand, and we must contend with them in new and creative ways. This miniature new virus has unfortunately succeeded in causing death and morbidity at a tremendous magnitude, and humanity stands with wonderment in the face of this new pandemic.[1]

This pandemic, like those before it in human history, has taught us to fulfill the mitzvos of "guarding our souls," "do not stand idly by," "danger is worse than a prohibition"—all of which come to teach us precedence in how to fulfill the commandments of Hashem.

Nothing compares to prayer and begging Hashem to remove the evil decree, though we must also do everything we can by natural means. We are obligated in every place to meticulously follow the guidelines of the medical and governmental authorities, as part of the requirements of "*pikuach nefesh*" and "*rodef*."

---

1   Such things have occurred throughout history, as explained in *Gittin* 56b, that a small mosquito caused severe morbidity and death to the great conqueror Titus. See *Bamidbar Rabbah* (Vilna) *Parashas Korach* 18:22: "It is the way of God to execute his missions through small things to all who rise against Him, He sends a small creature to punish them and make them know that their strength is meaningless. In the World to Come, God will punish the nations of the world through small things, as it says (*Yeshayahu* 7:18): 'On that day, the Lord will whistle to the fly at the end of the water channels of Egypt and to the bee in the land of Assyria.'"

The coronavirus pandemic has taught the believing Jew the greatness of Hashem, and that through a tiny virus we see His presence and strength. King David said: "How great are Your works, Lord! How very profound are Your plans!"[2] and "How manifold are Your works, Lord! You made them all with wisdom; the earth is full of Your creations."[3] And to paraphrase that, we can say, "How small are Your actions, Lord!"[4]

The extraordinary events of the coronavirus pandemic obligate mankind, and particularly those of us in the religiously observant community, to engage in serious introspection. This virus has caused higher percentages of illness and death in the *chareidi* communities in Israel and around the world than in other communities. Furthermore, this may be the first time in the history of the Jewish People that a plague has closed every synagogue, *beis midrash, talmud Torah*, and yeshiva in the entire world. We have never witnessed anything like this before. Even among the most difficult times for the Jewish People, when there were decrees or epidemics in one place, Jews in other places continued to pray in synagogues and study Torah in yeshivos and *talmudei Torah*, and the sound of Torah was not silenced.

Therefore, there is a holy obligation upon anyone connected to the Torah world to introspect, individually and collectively. Shlomo HaMelech stated: "For there is no man so wholly righteous on earth that he [always] does good and never sins."[5] The word used is "man"—every man, from the greatest to the lowest, and everyone according to his level.

Among the conspicuously ill evils, the one which clearly stands out is *machlokes* within the observant Jewish community, and hatred directed at each other and toward others. May it all turn out sweet, and may the horrible pandemic bring us to individual and communal introspection and repentance.

ותשובה ותפילה וצדקה—מעבירין את רוע הגזרה

---

2   *Tehillim* 92:6.
3   Ibid., 104:24.
4   See *Oros HaTorah* 3:8; *Ein Ayah, Shabbos* 5:12.
5   *Koheles* 7:20.

PART 2

COVID-19 Experiences

STORIES OF TRAGEDIES, TRIUMPHS, AND CONNECTEDNESS FROM A CRITICAL CARE PHYSICIAN

By Dr. Ari Ciment

September 2020, Miami Beach, Florida

Introduction

Just a few months prior to the COVID-19 outbreak, I was reading about the highly contagious Ebola virus in West Africa. I remember commenting, "Wow, at least as a critical care doctor and pulmonologist, I don't have to deal with such communicable deadly diseases! I cannot imagine having to don and doff every time I see a patient! These Ebola doctors are crazy!" Just a few months later, as COVID-19 hit American soil, we were starting to gear up for the hit and face a new reality.

After studying the trends throughout China and Europe, it was clear that it was only a matter of time before the virus spread in our communities in America. Medical professionals were torn on the subject, but some—including myself—were of the opinion that we needed to close down and prepare for an attack of sorts as early as January. This view was met with fierce opposition, and accusations of over-exaggeration. The topic of approaching the virus locally was discussed in a number of forums, including at a University of Miami grand rounds, the Medical Executive Committee (presiding as current president of medical staff), phone conversations with just about every local shul rabbi, commissioners, mayors, and other political persons. These medical professionals and community leaders were urged to "close things down"—the most logical conclusion after simply studying the wave through other regions before us. However, and understandably so, this view was met with lots of intransigence and disbelief; this conflict but a harbinger of the future divisiveness that would be on display even once the virus did in fact take hold.

The week before the pandemic officially hit our city, several community members went to the AIPAC convention, where a few attendees had tested positive. Within the eighteen minutes prior to Shabbos, I received a message that there had been positive cases at AIPAC. I discussed with our rabbi the need to officially shut down the shul right after the Friday night davening. The local rabbi heroically shut down the shul out of precaution. Who knows if further spread was averted because of that fateful move?

And then it seemed as if God was purposely making it more challenging for us as Purim was approaching right as the pandemic hit our city. *"Mishloach manos ish l're'eihu"* had potential to be *"mishloach* virus *ish l're'eihu,"* and the sundry Purim *seudos* became an opportunity for the virus to spread, which it likely did. It all seemed like a recipe for disaster. Before the first phase hit Miami Beach, I called Dr. Zhiyong Peng from Wuhan Medical Center (and subsequently arranged a Zoom call with over fifty colleagues) where it all started.

Toward the end of the call, after he had described a terrifying refractory hypoxemia among corona patients, I asked, "Please, Dr. Zhiyong, tell me what medications you found to be most effective?" I recall my despair when he seemed not to understand that very question. And so, I asked him again and again, eventually realizing that it was not a language barrier; his silence was an admission that they had no clue how best to treat the virus. All he was able to tell us from his experiences was what *hadn't* worked—which was helpful, to some degree.

As the very first cases hit the hospital and community, the fear of the unknown, coupled with delayed ineffective testing everywhere, created more tension and unease. Since the mode of transmission was also not entirely figured out, the isolation schemes, the layout in the hospitals, and even the types of masks employed were a continually changing work in progress. Fielding at least fifty to a hundred calls a day from worried community members, community leaders (mayors and commissioners), hospital docs, local rabbis, and teachers about COVID-19, I braced myself for the havoc that would ensue.

First COVID Patients

A couple of days later, I saw my first patients with COVID-19 pneumonia. I was always wary about how to really don and doff (painstakingly putting on protective PPE to protect from droplet transmission) and truthfully was frightened despite putting on a face of bravery. The infectious disease doctors bravely set the tone educating us all how to properly don and doff. Walking into my first room of a very sick patient, G.V., the fear of catching the contagion was as palpable as my pulse. He was coughing and severely hypoxemic, with oxygen levels in the 70–80 percent range. I spoke to our anesthesiologists and reviewed the Society of Critical Care Medicine guidelines, which echoed Dr. Zhiyong Peng's advice: "Intubate (place breathing tube into the lungs) early and control the severe hypoxemia." And so, as soon as he needed more than eight liters of oxygen, we appropriately called anesthesiology. Usually after intubation, things improve rapidly as you can sedate effectively and control the airway. But what everyone was finding here and elsewhere was that these patients were not oxygenating efficiently after intubation and that sedation strategies that typically work were failing. G.V. did not oxygenate sufficiently despite our usually very effective ARDS ventilator strategies and receiving all available treatment options we had at the time (there was no plasma or Remdesivir yet). He succumbed to the disease at just 55 years of age. This was a quick introduction to this baffling and unpredictable disease, but we learned quickly to approach these patients differently than what they were preaching at the time.

With amazing *hashgachah pratis*, just a few months before COVID-19 hit our hospital, I had lobbied the hospital administration to get these beautiful state-of-the-art Vapotherm high-flow nasal cannulas that can deliver high doses of oxygen at high flows with less dispersion of respiratory particles. It was an ongoing discussion for over a year and a half, but I happened to bump into the Vapotherm sales rep and the hospital supplies manager on the same day, and so I reminded him that we might need these great devices that can deliver high volumes of oxygen with good humidity. The hospital came through and bought forty total Vapotherm units—which became lifesavers just a few months later.

The J.K. Story

After seeing several patients having clear difficulty after being intubated relatively early as per the anesthesiology guidelines, I had a new ICU consult of a 38-year-old obese man, J.K., who had an oxygen of 84 percent, despite over 8 liters of oxygen and widespread bilateral infiltrates. A "happy hypoxemic," I walked into his room all gowned up and he said, "Can you please fix my channel changer?" as he was trying to watch TV. He complained to the nursing manager because we wanted him to be watched closer in the ICU and he was comfortable in his little private regular non-ICU room. I said, "If you want to live, you will be quiet and listen to everything I say. You and I will be best friends for the next two weeks whether you like it or not! So from here on out, just be quiet and listen to me. By the way, my name is Ari Ciment and nice to meet you." He then looked at me with a face I will never forget and said, "Thank you."

We had a South Florida COVID-19 ICU doctor WhatsApp chat in which we shared ideas and questions. I showed J.K.'s unidentifiable films and blood gases to the group and asked what they recommended: "You should intubate him and not wait!" was the universal answer. But with our experience so far, we were wary of following this advice and decided to hold off. This 38-year-old man texted me his saturations every three to four hours for the next fourteen days! We became very close during those two weeks, and we got him through one of the worst COVID-19 pneumonias to date.

Simultaneously unfolding was this unusual connectivity and "circle" of sorts, linking patients to one another. J.K. was the subject of an article that was published in *The New York Times* in their section called "In Harm's Way":

> As Passover approached, my hospital started to fill up with COVID-19 cases.
>
> A 67-year-old man named D.M. was deteriorating. I moved him into the I.C.U. and called his daughter. She had a simple but potentially lifesaving device at home: a pulse oximeter, which measures the oxygen levels in your blood. With this disease, if you don't notice when people start losing oxygen quickly, it can be bad. But when these patients are in a COVID-19 room in the hospital, they're isolated. We can't afford to wait for the nurse to come around to check their levels—we need real-time assessments. That's why a personal pulse ox is potentially lifesaving. I can FaceTime patients from home and ask them to check.

Unfortunately, D.M. had to be intubated before we could get him the oximeter. So I took it to a 37-year-old patient, J.K., whose oxygen level was dipping. He texted me his readings every three hours. D.M.'s pulse oximeter helped J.K. survive. If he had been intubated, he probably would have died.

Meanwhile, D.M.'s condition deteriorated, and he needed plasma from someone who had survived COVID-19, but the chances of finding a match were less than 10 percent. I called another of my patients, J.S., whom I had just discharged. "How can I help?" J.S. said. He donated his plasma. He was a perfect match.

In short, D.M.'s pulse oximeter helped J.K., and J.S.'s plasma helped D.M.

The end of the Passover Seder has a stanza called "Chad Gadya," which is a playful song that essentially highlights a circle of life and "connectivity" of seemingly disparate objects and beings. The patients don't know one another yet, but they're all interwoven. Everybody is connected. "Chad Gadya."

The D.M. Story

A large book could be dedicated to each one of these difficult patient scenarios during COVID-19 phase one, but a few other cases highlight the atmosphere. The first was, tragically, D.M. He was an upstanding and beloved member of the community. He had some of the most elevated inflammatory markers seen in COVID-19 pneumonia and staved off death for a long time. His illness likely saved many lives because along with the family's help, through the effort to try to save him, we procured the wherewithal to establish our own convalescent plasma program, which was likely the first in the state.

The plasma story is quite unique because during the surge in New York, I was called by some family members of patients in Miami to ask if I could obtain plasma from New York. We were debating the ethics of flying plasma away from a hotspot down to our hospital. It was a moot point at the time because our "plasma program" was not up and running, and even the local blood bank didn't have the process down. Since there was no movement on this, we set up an urgent meeting with our hospital IRB[1] to jumpstart the program simultaneous with OneBlood's (the blood bank) progress. The ad hoc meeting was scheduled at night—the Wednesday night of April 8, 2020, which was the night of the first Seder! I excused myself in the middle of the Seder and we officially ratified our plasma protocol (initially we were able to bypass the Mayo Clinic protocol, allowing us direct access faster from OneBlood blood bank, after FDA approval). I returned to our Seder and nearly cried as the very next verse we were up to in the Haggadah was: *"Va'e'evor alayich v'ereich misboseses b'damayich va'omar lach b'damayich chayi, va'omar lach, b'damayich chayi*—I passed over you and saw you wallowing in blood, and I declared, 'Through your blood shall you live, through your blood shall you live.'" How apropos that we hoped to be able to help each other by donating the blood of the survivors to the sick: *"b'damayich chayi"*! Certain connections established via D.M., as well as another patient, M.K., helped procure site approval for our hospital as a site for the Emergency Use Authorization for Remdesivir which was thought at the time to be the "miracle" drug for COVID-19. (From M.K.'s family, I was given Senator Rubio's number, whom we called to ask for Remdesivir consideration. It may have been coincidence, but we got approved for their expanded access program just a couple of days later!) Although by the time D.M. got both plasma and Remdesivir, it was too late to alter the trajectory of his disease, the endeavors to save his life yielded fruits that perhaps saved a hundred lives in the future few months.

The J.S. Story

Another patient I will never forget is J.S. By the time I admitted J.S. to the ICU, we knew well about the "cytokine storm,"[2] and by watching certain inflammatory markers, precisely when it was about to hit. At

---

1   Institutional Review Board. Since plasma and all medications treating coronavirus were experimental, the IRB functioned to assist the rights and protection of human subjects.

2   A physiological reaction in which the innate immune system causes an uncontrolled and excessive release of pro-inflammatory signaling molecules called cytokines. Normally,

that time, the most effective medicine to halt this storm—which would otherwise almost certainly lead to death in a man with J.S.'s many risk factors—was a drug called IV Tocilizumab. But our hospital ran out of the drug and we needed it immediately. We pleaded with our pharmacy, but the supplier said that all the hospitals had exhausted their stock. So I spoke with J.S.'s sister Elise, an unbelievable go-getter who wouldn't stop at anything to help her mother and her brother who were both simultaneously hospitalized with severe COVID-19 pneumonia. She said, "What do you need, and I will make it happen!?" I replied, "Well, if you find me IV Toci and bring it over, we can use it!" Within one hour she had located the last dose in a local hospital system and convinced them to give it to her for her ailing brother. By 4:00 p.m. J.S. received the dose, and by the next day he started to recover instead of rapidly declining. Some would call this "*bashert*," and others would call it "*hishtadlus*," but I saw the *yad Hashem* there work through familial love and dedication, which actually motivated the health-care workers to put in even more effort.

The care of J.S. via constant communication and allowing him to adjust his own high flow oxygen unit was the subject of a published case report in a reputable journal, *Respirology*, entitled: "A fifty-five-year-old COVID-19-positive man managed with self-regulation of high-flow oxygen by high-velocity nasal insufflation therapy." More importantly, both J.S. and his mother, R.S., survived despite needing very high doses of oxygen for their pneumonias.

The A.B. Story

Another classic COVID-19 pneumonia patient who survived despite being intubated for over four weeks and despite having a trach and PEG was A.B. In typical Israeli fashion, when we arranged for him to have a speaking valve after we finally got him on a safe amount of oxygen via the tracheotomy, his first words were, "Doctor, please take this trach out already so I can smoke some cigars and go in the Jacuzzi already!"

---

cytokines are part of the body's immune response to infection, but their sudden release in large quantities can cause multisystem organ failure and death.

I have never met anyone like A.B., who smiled every day even when on the ventilator requiring maximum oxygen. Even toward the end of his hospital stay (he is now mostly recovered), he was so fragile respiratory-wise that he had a mucus plug that dropped his oxygen levels to below 80 percent and he nearly arrested in front of our eyes. Along with a great respiratory therapist, we sucked out some mucus and, as the saturation started to return, he was able to mumble, "Don't worry, I know what I'm doing. My saturation will go up; I'm ready to go to rehab now!"

The M.K. Story

While, thank God, there were many more success stories than tragedies, the latter do, unfortunately, leave scars. One thing I am confident about is that we gave our best fight even to the hopeless. The infectious disease team did the overall heaviest lifting by arranging medications and, after the first phase (where each of us had to fill out FDA forms for plasma, etc.), they helped arrange all the therapeutics on each patient. But at least in the first phase, the pulmonary/critical care docs were tasked with dealing with everything from lines and vent changes and essentially all medical care along with the heroic nurses. And that leads us to the M.K. story, which is one of the most memorable stories/patients imaginable.

M.K. was one of the first patients in all of Florida to present with COVID-19 pneumonia. The 47-year-old man had fever, chills, and a cough on 3/11/2020, just a couple of days after he was in the presence of his uncle, perhaps the most famous rabbi in South Florida, who had begun treatment just a few days prior at UM (University of Miami Hospital) for COVID-19 pneumonia. Rabbi S.L. was actually one of the very first Jews to get COVID-19 pneumonia and the blast WhatsApp message on Saturday night warning all those who were in his large synagogue was unforgettable. The eloquent message he wrote warning the masses and encouraging social distancing likely saved many local Jews. I overheard some saying, "It's apropos that a giant among us got the disease, to make sure we all take it more seriously and fast."

M.K. arrived at the ER on 3/19 because after not eating or drinking for four days, he passed out in the shower and broke a couple of ribs. His presentation was remarkable for the classic CT Chest findings of major bilateral COVID-19 pneumonia, as well as a right sided pneumothorax.

M.K. was one of the very first few COVID-19 patients I took care of. At that time, only the ID (infectious disease) docs and pulmonary/ critical care docs were allowed to see these COVID-19 patients, partly because we didn't know the full risks and also to preserve PPE (Personal Protective Equipment). I was immediately struck by M.K.'s refined and appreciative nature, and his caring eyes. Our connection actually went back further as, along with my father and Dr. Robert Galbut, I was one of the doctors who had taken care of his ailing mother for years. She had been a vibrant educator of the community but suffered a severe stroke and was left semi-comatose and ventilator dependent. I was always in awe at how she survived despite the odds on multiple admissions, which I ascribed to her fantastic, caring aides and her husband's unusual dedication. Another connection we shared was that M.K.'s mother-in-law was my first-grade Hebrew teacher. Mrs. S., who taught for over forty years, was undoubtedly the first person to teach me the word *emunah*. Just a week before M.K. arrived, I treated Mrs. S. and her husband with the controversial cocktail of Plaquenil and Zithromax. As if that was not enough of a connection, M.K. and I share the same middle name, Yehudah, the tribe whose symbol was the lion. We would both need to be lionlike to get through this COVID-19 nightmare.

Early on in the COVID-19 chaos, everyone was looking for potential cures, and prior to the advent of convalescent plasma for COVID-19, there was a company that offered us free hyperimmune globulin for RSV (Respiratory Syncytial Virus), which happened to have lots of immune globulin versus general coronavirus (not specifically COVID-19 coronavirus, but the concept was that there would be some cross reactivity). M.K. was already on Plaquenil and Zithromax but his oxygen was slowly deteriorating. It seemed *bashert* that I was called just that very night by the clinical director of the company, who happened to be my father's roommate in college. We helped secure over one hundred thousand dollars' worth of free medicine for M.K. in just one day, overcoming the hurdles of getting our own IRB approval (post an expedited emergency meeting) as well as an Emergency Use Authorization from the FDA.[3] We secured this experimental medicine hoping he would have a "quick fix and cure," and we started the infusion that night after it was driven over from the lab in Boca Raton. I excitedly called Mrs. K., M.K.'s wife, with the news and reassured her that although his labs indicated he was on the verge of the feared "cytokine storm," this infusion might provide a quick fix.

However, the hyperimmune globulin that was supposed to be the "quick fix," did not work and by the next morning M.K. had to be transferred to the ICU. He became progressively shorter of breath, and the school of thought early in the COVID-19 season was to intubate early prior to administering higher flows of eight liters of oxygen via nasal cannula; he was already requiring forty liters of oxygen via a high flow nasal cannula! Again, I spoke to Mrs. K. who remained baffled as to why we couldn't just give antibiotics or antivirals to cure his pneumonia. I recognized that not only were we going to have to battle an unknown virus but would have to simultaneously deal with widespread misunderstanding and misinformation about this unusual lethal virus, a new disease state.

On the Friday night of 3/20 after just two days in the hospital, from 9:00 p.m. to about 2:00 a.m., M.K. became progressively short of breath and required intubation. As I came back into the hospital, the anesthesiology team geared up in their special protective gear and performed one of their first COVID-19 intubations. I waited until the anesthesiologist finished intubating the airway but, after they already decontaminated outside the room, it became apparent that their paralytic agent had worn off as M.K. was flailing around and his breathing was not synchronous with the breathing tube. I rushed into the room forgetting the adage my ER buddy had taught me that "there is no emergency in a pandemic" and didn't have the gloves and other PPE on right. I remember thinking to myself, "I am definitely catching this virus!" as I

---

3   US Food and drug administration, responsible for protecting public health by ensuring the safety, efficacy, and security of human and veterinary drugs, biological products, and medical devices.

recognized that his IV access was not functioning as it was dislodged. In practically every one of my previous patients we ever had to intubate in the past, we never had a problem with IV access immediately after intubation; the one time it happens, it's with a highly infectious COVID-19 pneumonia. The sense of helplessness seized me in that moment and although at the time it seemed to be a matter of "bad luck," only later did I realize it was part of the battle against a new disease replete with unusual scenarios. Frantically grabbing a central line kit and while the heroic nurse held him down, I advanced the needle, thankfully got the femoral IV line access swiftly and gave him 30 mg of Propofol, urgently settling him down and allowing his oxygen levels to be restored at last. A sign of relief...

We essentially rested him the whole day, thereafter adding some steroids and a brief course of paralytics to allow the ventilator to control his breathing dyssynchrony. One more day of breathing on his own (doing CPAP trials all day—a ventilator mode that allows for spontaneous breathing to determine whether one is ready to be weaned off the tube), and I excitedly told his wife that I was planning to extubate (take the breathing tube out) him the next morning, which was 3/23. I came into the room in the early morning to further wean down the sedation as we routinely do to prepare for extubation, but M.K. was not going to be routine. I noticed that he appeared to be in severe distress, with particularly high ventilator pressures. The first thing to think about was a mucus plug; respiratory therapists helped me in suctioning out the mucus with no luck. He was in major distress and was breathing in such a way that he was "fighting the ventilator," i.e., his own breathing was not smoothly coordinated with the ventilator-delivered machine breaths. The only way to break this irregular breathing pattern, which could further insult his lungs and heart, was to re-load him with paralytics and sedatives. We arranged a stat bronchoscopy, despite the nationwide advisory not to do bronchoscopies on COVID-19 pneumonia patients given the risk of aerosolization and potential risk to the operator.

Already at that point, I was exhausted and felt compelled to help M.K. as the situation seemed desperate. I scoped him and noticed that the endotracheal tube was situated in his mouth, stuck right under one of his molar teeth—a most unfortunate area. This was causing the tube to kink, creating resistance and occasional episodes in which air entry and exit was blocked, all of which were contributing to his shortness of breath. It seemed that for whatever reason related to his oropharynx, the tube would slip right underneath these huge molars, no matter how I adjusted it and even called anesthesiology to help readjust it. We tried gauze and bite blocks, but nothing worked and so anesthesiology re-intubated him more in the center of his mouth! After reintubation, I had anesthesiology get a special ET (endotracheal) tube securer that kept the tube in the middle of his mouth and then re-scoped him, noticing the most erythematous (red) mucosa I had ever seen. Red and raw, it most resembled that of herpes viral infections.

With worsening hypoxemia, we opted for ECMO (Extracorporeal Membrane Oxygenation), a form of cardiopulmonary bypass. It is possible to oxygenate the person by bypassing the lungs, but this procedure has its own sets of inherent major risks. Although proning (placing the patient on his belly side down with the ventilator "sleeping on stomach"!) was clearly benefiting the Italian cohorts, we still didn't have the RotoProne (specialty beds to make proning easier to accomplish) beds available and the nurses were still not adept at doing the prone protocol. One slipup of the tube could prove fatal, so we opted for the "safer" ECMO strategy (essentially, a cardiopulmonary bypass should enable the lungs time to heal) hoping for the quick fix to temporize him to safer oxygen levels. At that very moment, it was not clear if ECMO was overall helpful for COVID-19 pneumonia (the early Chinese experience had been dismal!), and many other equipped hospitals were not even considering the salvage therapy yet. On top of that, the oxygenators nationwide were limited. But M.K. was running out of options to restore precious oxygenation and so I knew we would have to be very strong on our request to the cardiovascular surgeons. The pitch? "He's a young, salvageable, 40-year-old previously healthy man who failed IV immunoglobulin and Plaquenil, Zithromax, and steroids with refractory hypoxemia!"

At that precise time, however, there was another 40-year-old man in similar straits directly across the hall from M.K. Admittedly, I had a hunch that they would be requesting ECMO as well at some point and there were then only limited resources. I perhaps preempted them by cornering multiple cardiothoracic surgeons and pleading for ECMO as a salvage therapy for M.K. I remember thinking of the adage, "*Tov she'b'rofim l'Gehinnom*—The better doctors go to hell," during this episode because by preempting the surgeons to see my patient, was I perhaps unwittingly taking away the other unfortunate man's chances? The other patient did not fare well despite being proned and being given maximal medical therapy at that time. Although there may have been other considerations precluding that other patient from ECMO, and invasive ECMO was certainly no silver bullet for this disease, there still was this sense of dilemma in terms of the triage and allocation of resources in the air: whom to treat and with what?

M.K. was placed on ECMO on day thirteen of his disease and had immediate restoration of oxygen levels. On 3/24 at 8:00 p.m., the cardiac surgeon and I discussed starting feedings, but after a Dobhoff feeding tube was inserted, he developed severe bilateral nosebleeds and even required two units of blood. Because of this bleed, we had to hold the Lovenox shots we typically give to prevent blood clots in this hyper-coagulable situation, but we continued the Sequential Compression Devices (leg boots to prevent clots). Holding the Lovenox shots would have consequences...

The family asked me about starting high dose vitamin C for ARDS (Acute Respiratory Distress Syndrome), and I knew we had a national shortage. I asked them to see if they could get us a supply (the family had tons of connections, which helped) and they did. In the meantime, I found that our pharmacy had a very small residual stash, and we gave it to M.K. while the family was working on their own to replenish the stock. They ended up bringing it to his bedside and pursuant to hospital policy, once medicine is at the bedside, it can't be reshelved. I remember the angst I had pleading with the pharmacy chief: "We are in a pandemic and hospitals are clawing for medicine, and you are going to throw out thousands of dollars of good medicine!" She agreed to let us take it back but not to use it in the hospital. He got our in-house remaining vitamin C after all, and it may have helped him nonetheless. On 3/26, he continued to improve and received Tocilizumab, which at the time was considered a possible miracle drug, and a drug that had helped his uncle a few weeks before. The Tocilizumab would eventually be the focal point of our initial treatment of nearly all COVID-19 pneumonia patients, but at the time it was not yet used and he was likely the first to receive an IV dose at our institution.

After only four days of ECMO on 3/29 (the surgeon had initially projected he would need weeks of ECMO prior to improvement), we decided to extubate, and once again I was elated to inform Mrs. K. and M.K.'s brother B.K., who had been instrumental every step of the way. Don't forget that because of the COVID-19 hospital access restrictions, I had to FaceTime the family as they were not allowed to visit. After every visit to M.K., I would FaceTime Mrs. K. and B.K., as well as their cousin A.L. who was a pediatric ECMO surgeon. For two weeks straight, I would update the surgeon from New York daily to help relay the medical terminology to the family and he always saw me in my full COVID-19 gear and PPE. Two weeks later, when I FaceTimed him one day, he was in the same COVID-19 gear as he was called up to man a COVID-19 unit: "Now it's my turn!"

And so M.K. was extubated about noon and looked great and improved, albeit severely weak. He smiled and seemed relieved that the tube was out. We celebrated the early success with the family and, after leaving around 2:00 p.m., I planned on coming in at 8:00 p.m. to FaceTime the family. He still was attached to the ECMO but on "recirculation," meaning that it was not needed to oxygenate the blood and the plan was to remove the ECMO catheter (which is comprised essentially of two separate IVs in the largest veins in his body) the next morning, as thankfully, ECMO wasn't needed anymore.

As per my daily routine in the first COVID-19 phase, I would round on several COVID-19 patients in the morning and then jump in a chlorinated pool and then round again at night and then jump back in the pool. And so, 8:00 p.m. came along and as I was entering the door to the COVID-19 unit ICU, the nurse called me in a panic.

"M.K.'s heart rate went to 150 beats per minute with atrial fibrillation (when the heartbeat beats irregularly, originating from the atria) along with a rapid ventricular response, and it looks like he is having a seizure!"

I rushed to the bedside, sleep deprived and angry and yelled at the top of my lungs "SHOOOOOT!" He had a full seizure in front of me that lasted a good one to two minutes despite immediate Ativan and I feared the worst. I wondered: "Did he go into atrial fibrillation and then throw a clot to the brain? Is he having hemorrhagic stroke? Did he have a hypoxic ischemic event/stroke to the brain related to low oxygen levels?"

Given his unresponsive state, he was re-intubated. Calling Mrs. K., B.K. and A.L. then with that update was extremely tough as celebration gave way to torment again. Since ECMO can cause hemorrhages, the thoracic surgeon came in and actually took the whole machine and ventilator with him to a CT scan of the brain (the first time we scanned such a COVID-19 patient) which showed a small subarachnoid bleed that blossomed tremendously by the repeat CT scan in the morning. The heroic surgeon removed the ECMO catheters right away at 2:00 a.m. Since M.K. had to be off anticoagulation (blood thinners) given his nosebleeds, he was at higher risk for hypercoagulable events and he likely had a stroke that secondarily bled; risks of stroke were heightened from ECMO and from COVID-19.

A hematologist consulted that morning recommended FFP, Cryoprecipitate, and Amicar, which likely helped stabilize the bleeding diathesis. The next morning, 3/31, Rabbi B.K. (M.K.'s brother) called me on Zoom and dedicated a *Sefer Torah* for M.K. and those dedicated to caring for him as well. I couldn't bear to watch the ceremony as I was too despondent; I realized that this stroke had left M.K. with ensuing left-sided hemiplegia (he could not move his whole left side and was comatose).

The neurologist George Gonzalez, who was the first neurologist to see COVID-19 patients, expressed cautious optimism despite the significant current disability and patiently relieved the family's understandable angst. Over the next few days, M.K. was still mostly comatose with dense hemiplegia on the left and I wondered if he was going to end up like his mother—with chronic ventilator dependence. We started feeds, and I did basic physical therapy on him as physical therapists were at that time not allowed in for COVID-19 patients.

After a few stable days at last, I was wondering if we were in some sort of clear. That was when his lungs plugged yet again, and his left lower lobe of the lung collapsed. A bronchoscopy request was denied and so we positioned him on his left side up with our amazing nurses. It worked and the plug improved, and oxygenation improved. On 4/4/2020, I felt finally that perhaps we were turning a corner again and maybe there was a small light at the end of the tunnel. I remember thinking that at least we could get him home in some state, even if it would be as a hemiplegic dependent person with a tracheotomy and PEG. Our goal and hope was to simply keep him alive...

On 4/5 at about 4:00 a.m. Shabbos morning, I received a call that that M.K. was having laborious breathing. It sounded at first as if he had possibly blown the cuff of the ET tube, common among COVID-19 pneumonia patients due to their vigorous coughing. But he also was biting the tube, which may have simply kinked, preventing the vent from delivering the requisite tidal volume. This made the most sense to me as I hustled on in because the respiratory therapist couldn't advance in the suction catheter. Anesthesiology arrived timely and re-intubated him but of course, that necessitated a paralytic, which I knew would throw off our neurologic improvement. After successful intubation, I relaxed a bit, having a sense of some reprieve from that stressful situation. At 6:30 a.m., though, the nurse called me back to the bedside because M.K.'s blood pressure was dangerously low at 70/30 and oxygen saturation had dropped precipitously to just 82 percent. I did think at the time that it was "game over," but just then I spotted the X-ray tech literally right outside his room and quickly grabbed him to shoot a stat X-ray, which showed what I suspected: a tension pneumo-thorax (when the lung is collapsed due to outside air in the chest cavity that compresses the heart and is lethal if not treated emergently with a chest tube).

We got a pneumothorax kit and although I usually prefer thoracic surgeons doing chest tubes, it was still quite early in the morning and surgeons were still generally hesitant coming to COVID-19 rooms at that point in time. He was literally a minute or two from a cardiac arrest and I just grabbed that kit and didn't even have time to give Lidocaine as I went right below the nipple with the long needle. As soon as the tube was placed, his vitals restored immediately.

The X-ray after tube placement was developed, and the X-ray tech exclaimed, "Doc, it's in the perfect spot scraping the right diaphragm!" I pointed out to him that the difference between perfect and completely off was less than one cm, but M.K. was saved and we took a breath of relief, hoping that we were not just prolonging a miserable situation.

A follow-up chest X-ray showed ARDS and bilateral lower lobe consolidation, yet over the next two days, M.K. once again miraculously stabilized and looked ready for breathing trials on his own. As per his unusual rocky course though, just when we were having a reprieve, more drama ensued as he suddenly developed thick secretions. I would ordinarily bronchoscope a patient with this, but he was COVID-19, and we'd run out of disposable bronchoscopes. I got a call from one of M.K.'s friends who offered to drive to a hospital in Tampa where I could secure one, but I called the local company GlideScope and the rep happened to have one remaining scope "hanging around" in his office—which he brought to me for no cost the next morning! This was yet another example of *bashert* and comradery during this time. The next morning, M.K. was scoped twice and some of his plugs were successfully removed.

Given his back-and-forth respiratory failure, a decision was made to do a tracheotomy and PEG tube but we had to wait until the COVID-19 test returned negative (at that time, we didn't quite know that the COVID-19 test remains positive for so long, and we were awaiting every three days, hoping he would finally turn negative so we could remove him from isolation and do the trach and PEG already). On 4/10, Mrs. K. was finally allowed to see her husband. She had been calling not only every day but probably every hour or two during each day and night. The nurses and doctors were amazed by her resilience almost as much as M.K.'s. For weeks, M.K. didn't tolerate feeds and had been getting nutrition (called TPN) through the IV, but finally, on 4/12, we were able to advance tube feeds. His respiratory status was very poor as he had very significant weakness from the multiple sedatives on board and neuromuscular blockers; even with lots of ventilator support, he looked short of breath.

Although things started to look stable again for about twenty-four to thirty-six hours, I warned Mrs. K. that we couldn't predict anything with M.K. We waited for the OK to do the trach and PEG once the COVID-19 test was negative: "We just need one stable day."

On 4/13 at 12:45 a.m., a nurse named Esther texted me that M.K. had coughed out his endotracheal tube. Instead of calling anesthesiology to simply re-intubate him, we figured that perhaps this was his opportunity to see if he could "fly." I placed him on a high-flow nasal cannula and although he looked short of breath, I came in urgently and point-blank asked him, "Do you want to give this a shot?" to which he mouthed "Yes!" I went home and woke up every hour for updates, and he made it. At 8:00 a.m., I came to check on him again and remove the chest tube. In all my years, I have never seen a chest tube get coughed out after being sutured in, but M.K. must have coughed pretty hard as both the ET tube and the chest tube came out; when I went to remove the tube, it was already dangling out of the chest. I remember remarking that it seemed like God had decided to take all the tubes out of M.K. when we were cautiously delaying! We eventually got physical therapy to come and now, without needing the endotracheal tube and chest tube, we finally thought we could see the light at the end of the tunnel.

Just as we were getting comfortable again, his heart rate shot up to 160 and persisted as sinus tachycardia. A fluid challenge helped (typically, giving IV fluids can help a fast heart rate if it was due to dehydration), but he did have a DVT (deep venous thromboembolism, which can also cause a fast heart rate). Since it was pretty distal though, the vascular surgery consult thought we could simply watch and observe without having to do any clot retrieval or blocking procedures (he couldn't be anticoagulated because of the brain bleed). Another day and another sigh of relief after drama yet again. Two whole days went by drama-free and M.K. finally started to talk a bit more and sensibly. His leg started to move, and we were excited to see a miracle start to flourish. But in typical M.K. fashion, he became very tachycardic (fast heart rate) yet again on 4/19 and had signs of septic shock with 2/2 blood cultures growing bacteria. Antibiotics were started and lines were removed and sure enough, he bounced back yet again.

On 4/22, he looked more alert and was progressing with physical therapy but yet again on 4/24, his HR shot back up to 160 and so the sepsis workup was revisited yet again as he was very labile again with a "time-bomb" feeling. A CT angiogram showed a possible loculated empyema (which is a pocket of fluid in the lungs that develops after a pneumonia that is infected like a "pusball" and needs to be drained) but thankfully no pulmonary embolus. I remember discussing with the despondent Mrs. K. the possibility of needing thoracic surgery to intubate him again and drain out the appearing loculated empyema (in fact, the fluid grew out resistant pseudomonas—an unusual bacteria that is difficult to treat—typical for an empyema). But first a drain was arranged and when the interventional radiologist went in with a needle under CT guidance the next morning, the fluid miraculously coalesced into one area and the successful expulsion of the fluid enabled M.K. to avoid surgery. Antibiotics were restarted against the resistant antibiotic, and it finally felt like we were really going to beat this.

The strength on his left side was getting better and better and he was able to move at last. To keep some drama going, M.K. had persistent very low potassium and his hemoglobin was dropping to as low as 8.5, but his mind was getting sharper and the left side of his body was working at last! It was time to send him out, where he was set up to get aggressive physical therapy at home on 5/1/2020.

A celebratory "makeshift" sendoff was decided upon, and although impromptu, nearly the entire staff came downstairs—along with respiratory therapy, nursing, doctors, and administrators—as they all got wind of the M.K. story of trials and tribulations. Midway down the celebratory hall sendoff, Mrs. K. met him in what looked like a perfect wedding ceremony after the *tish* and *badeken* conclude and the couple meets. I commented, "This is more beautiful than any wedding I've ever been to." The celebratory sendoff can be seen here: https://youtu.be/lqc0elcAztk.

The backdrop of the whole M.K. episode was the time between Purim to Pesach, and there were clearly *nissim nistarim* and *nissim geluyim* throughout this story. The ups and downs, plus the whole emotional back and forth from doubt/confusion (Purim) to salvation (Pesach) felt really unusually *bashert*.

To review: The ups and downs of M.K.'s ordeal were so unusual, unpredictable, and gut-wrenching. Mrs. K., J.B., B.K., and M.K.'s whole family helped him ultimately persevere and have a miraculous recovery.

Here is the summary and it is right out of one of those Shakespearean plays: M.K. arrives just before his "cytokine storm," but a potential lifesaving hyperimmune globulin is set up "by chance." He is intubated due to respiratory distress but loses IV access during intubation. IV access is emergently established, and he is rested and ready to extubate yet again. He emergently bites down on his tube and his respiratory distress is accompanied by refractory hypoxemia (very low levels of oxygen). ECMO is then supplied, yielding possible salvation at last. M.K. then develops a severe nosebleed, which doesn't allow for a feeding tube or blood clot prophylaxis shots. He starts breathing on his own during ECMO and is ready to extubate for the third time. M.K. is then actually extubated, with a planned FaceTime meeting with the family at 8:00 p.m. But at 8:00 p.m. exactly, he has a two-minute seizure representing a new hemorrhagic stroke. This results in left-sided paralysis of his body and necessitates reintubation and ECMO removal. A *Sefer Torah* is dedicated on his behalf and his oxygen on the ventilator stabilizes at last as he receives the last IV vitamin C dose in the hospital. But an acute left lower lobe lung collapse ensues, requiring positional changes and chest PT, which helps clear it up. He is stabilized and trach and PEG are finally planned. Acute labored breathing ensues, his breathing tube is dislodged, needing reintubation—setting us back again. Once again, respiration becomes comfortable with the new position. Then he develops acute hypotension and hypoxemia, consistent with massive pneumothorax. A chest tube, however, relieves the tension and his vitals are restored. Yet another plug occurs as secretions built up. A vendor happens to donate the last of the local disposable bronchoscopes, which enables me to "clean" out the lungs. M.K. self-extubates and the chest tube is simultaneously "coughed out." M.K. is placed on high flow nasal cannula and manages to breathe on his own! But his heart rate goes up to 150. He responds to fluid hydration. Again, his heart rate goes up to 150 and he is found to have septic shock. The PICC line (that was giving him nutrition) is removed and his heart rate gets better. Heart rate shoots up yet again to 150; this time it is low-grade empyema in the lungs, and it looks like he will need surgery to remove the loculated fluid. But the fluid somehow coalesces overnight, and interventional radiology is able to place a pigtail catheter that drains it all out. M.K. escapes and goes home with a triumphant hospital exit to jubilant family and friends!

The salvation of M.K. was paradigmatic of the trials and tribulations of the Jewish People. We have our ups and downs, but with *bitachon*, we can endure and persevere at times beyond the boundaries of nature.

PART 3

Q&A

PRACTICAL HALACHIC ISSUES
DURING THE COVID-19 PANDEMIC

By Ari Ciment, MD,
and Rabbi Professor Avraham Steinberg, MD

Question #1: Dr. Ari Ciment

Having closed our shuls in March 2020, on the *psak* of our community leaders in accordance with health regulations, many communities are now[1] debating when, where, and how to start them up again. Certain rabbis held that opening earlier would benefit the many lonely community folk, but some doctors preferred to err on the side of caution.

To what extent does a doctor have the right to "force" the hands of the rabbis in a given situation?

How does one balance isolationism versus the risk of infection/death?

How do you balance the risk of sparking sinas chinam (hatred of one another) with the need to stand up for what you believe is right for the community?

Can you also give some historical context, for example, Rabbi Akiva Eiger during the cholera pandemic?

Answer: Rabbi Dr. Avraham Steinberg

Throughout the different stages of the COVID-19 pandemic there were different regulations in different countries regarding *minyanim*: from absolute prohibition to davening in shuls with a minyan, to davening only in open spaces, to davening in shuls with a limited number of participants. At each stage of the pandemic there were—and still are—different regulations by the authorities, based on the pandemic situation at the time. These changes in regulations have caused differences of opinion as to whether leniencies should be accepted.

In my opinion, the decisions in general should not be made locally; rather, they should follow the expert position adopted by the responsible authorities. As a rule, a local rabbi or a local physician can express their opinions and concerns and they may decide to act on the safe side and restrict more than is required by the expert authorities in a given time and place, but they are not allowed to decide to be more lenient

---

1   This discussion dates back to June 28, 2020.

and open more than is permitted by the expert authorities. Hence, if a rabbi feels it will benefit the lonely members of his community if the shul will be opened, he should act only in accordance with the allowed openings, since the health of the public take precedence over the difficulties of loneliness. Indeed, he can and should try to take care of the loneliness of his congregants in other ways. Similarly, if a physician feels that the community should apply greater caution than is allowed by the authorities, he should try to convince the rabbi and the local administration, but never force it and certainly not cause *machlokes* (dispute) over it. Obviously, on a personal level, he can impose upon himself greater restrictions.

In any community, there are differences of opinions on many issues; every doctor is entitled to present their position and try to persuade others, but only in respectful ways.

It is pertinent to quote the *Chasam Sofer's* responsum to the *Maharitz Chayus*:

> *When you disagree over matters of dispute, your intention should not be to move the other person's opinion to that of your own, but to establish your own opinion and way of thinking, such that if your disputant's claim makes sense, you will reexamine your position, and if not, then you can remain firm in your thinking. What difference does it make to me if my disputant agrees with me or not? My goal is not to make others think like me. It is fine if my disputant remains firm in his position, and after this dispute people can follow the majority. But those who specifically want others to agree with them, and their goal is to change their minds to their own way of thinking, are diverging from the path of truth, and it will lead to a corrupted judgement.*[2]

Machlokes l'shem Shamayim (dispute for the sake of Heaven) is not only permissible but actually needed and required, but only if the

---

2   Responsa *Chasam Sofer, Orach Chaim* #208.

intentions are in the way described by the *Chasam Sofer*. Any *machlokes* that is based on personal issues (honor, power, money, and the like) is Biblically forbidden. This is the *machlokes* of Korach. It leads to *sinas chinam*, which was the cause of the destruction of the Second Beis Hamikdash.

We do not know why God decided to inflict the world with such a terrible pandemic, with so many people dying and so many people gravely ill. But what is certainly very unusual is that not only are we experiencing the tragedy of so many people dying, but for what may be the first time in Jewish history, all shuls, all yeshivos, and all *talmudei Torah* were closed all over the world during the height of the first wave of the pandemic.

I think that the *sinas chinam* and *machlokes* that has spread throughout every group of the Jewish population everywhere in the world is probably one of the major reasons we have been inflicted with this pandemic. Hopefully, we will all learn from this, and try to improve in this area.

Rabbi Akiva Eiger lived during one of the cholera pandemics. He fully accepted the regulations of the authorities to avoid the spread of the infection, and I quote:

> I have constantly warned that one's eating and drinking should be just as their doctor orders them, and they should avoid everything else like the distance of a bow shot, as if they are forbidden foods, and not violate the doctor's orders even a bit. One must observe each and every one of their doctor's orders, such as not leaving their home in the morning without eating something and the need to drink warm drinks. One who violates the doctors' orders sins greatly to God, since we say that "chamira sakanta me'issura," particularly in a place of danger to oneself and to others, which could cause a spread of the disease in the city, God forbid, and their sin will be too much to bear.

Regarding davening, he wrote the following:

> *It is true that gathering in a small space is inappropriate, but it is possible to pray in groups, each one very small, about fifteen people. They should begin with the first light of day and then have another group, and each one should have a designated time to come pray there. The same for Minchah...and they should be careful not to be crowded, and perhaps they should ask the police to supervise so that if the number of congregants will exceed fifteen people they should stop them, and please let the authorities know that I ordered you to behave in this way...In every synagogue, in both the men's and the women's sections, it is only permitted to fill half of the seats on Rosh Hashanah and Yom Kippur, such that next to every person there will be an empty seat. Therefore, only half of the seats will be available on the High Holidays. Since everyone has equal right to a seat, half will get their seats on the two days of Rosh Hashanah and the other half will get their seat on Yom Kippur, day and night.*

Rabbi Akiva Eiger goes on to write that they should hold a lottery between the various groups, and every group will receive a card in a special shape. There will be a military guard placed at the entrance of the synagogue to allow in only those who have the appropriate ticket for each day. A police officer will be assigned to oversee the organization of the synagogue. Those who could not go to synagogue will pray in private house *minyanim*, but they will have to keep the same spacing precautions there.

Question #2: Dr. Ari Ciment

Our hospital, Mount Sinai Medical Center, Miami Beach, Florida, was granted expanded access for Remdesivir, an investigational broad-spectrum antiviral medication, but we were only granted ten patients' worth of the drug. We had to divvy up the meds. One of the patients was a 70-year-old pleasantly demented nursing home patient who was very obese and had significant bleeding from his lung and was already intubated. Predicting that we were likely to have further patients admitted who would be younger and more "salvageable" than him—but, more importantly, with greater likelihood of positive results, we did not push for the medicine to be given to him in order to save the dose for a next person.

What is the halachic approach?

Answer: Rabbi Dr. Avraham Steinberg

This is one example of triage decision-making. You could similarly ask what to do if you have one respirator and ten people are in need of it, and you expect another twenty people to also need it soon. Who should get it?

The current halachic ruling is to give the lifesaving scarce resource to the one who has the greater chance of survival with this treatment. Usually, we go by the rule of "first come, first served," so if the person you described is there in front of you, he should get the Remdesivir. However, during a pandemic, where we know for sure that there are many in need of this lifesaving scarce resource, we regard the potential patients as if they are also in front of us. Therefore, if your medical assessment is that this patient is too sick to benefit from this medication, you can spare it for another patient who has greater chances of benefiting from this it.

There is a similar halachic ruling regarding autopsies. There is a famous case discussed by the *Noda B'Yehudah*, who was asked if one is allowed to perform an autopsy on a patient who died from an unknown illness, and the understanding was that perhaps by doing the autopsy, we might learn how to save people in the future. The *Noda B'Yehudah* ruled that this is prohibited because if so, one can cook on Shabbos, because perhaps someone who needs the freshly cooked soup will come in the next few minutes and that is how you'll save his life. In other words, *pikuach nefesh* is only if the sick person is *b'faneinu*—right here in front of us. If it is only a potential patient in the future, we are not allowed to desecrate Shabbos for such a situation because otherwise no halachah will stand.

However, the *Chazon Ish* expanded this concept of *b'faneinu* in modern times, where communication is so quick, and if a patient in New York has an autopsy and we find out why he died, it is very likely that there is someone, somewhere else—maybe in Jerusalem or Zurich or London—who may benefit from it right now, although he is not physically in front us. The same applies to our question. In a pandemic, we know for sure that more people will come and need the lifesaving resource, and they may have a better prognosis. Therefore, we are allowed to prognosticate the one who happened to be in front of us and withhold this medication for the sake of saving others with a better prognosis.

However, if we estimate that the sick people have the same prognosis, then "first come, first served" is the rule.

It is interesting that historically, when penicillin was discovered, there was a very similar question to what we have currently with Remdesivir, where there is a newly discovered medication that can save lives, but it is limited and a triage decision has to be made.

In the old building of Shaare Zedek Hospital in Jerusalem, the Internal Medicine ward was one very big room where all the patients—perhaps forty or fifty patients—were hospitalized and separated only by curtains. Many of them had pneumonia, and in those days, they would die because there was no effective treatment. When penicillin came to Jerusalem, the amount was very limited. Both Rav Yitzchak Isaac Herzog, the chief rabbi of Eretz Yisrael in Jerusalem, and Rav Moshe Feinstein in New York were asked how to divide the limited amount of penicillin. Both, separately, ruled that the physician should enter this big ward, and the first patient who has pneumonia and is in need of penicillin should get it. If there is more of the medication, he should go to the next patient and so on until there is no more penicillin left.

Question #3: Dr. Ari Ciment

Two patients arrived at exactly the same time in the ICU. One was my patient, and one was another doctor's. Both were in need of urgent ECMO, and at that time there was only room for one. I contacted the surgeons first for my patient. The other patient, however, was in ICU first.

*In such a situation, do I have an obligation to my patient first
and foremost or do I need to remind the surgeons that the other
patient was there first, even though he is not my patient?*

Answer: Rabbi Dr. Avraham Steinberg

I assume that both patients have the same condition, with the same prognosis. One will get the ECMO and will have a chance to survive, while the other one, who will not get the ECMO will not survive. So, we are talking about a situation of a medical parity—the same need for a lifesaving resource and equal prognosis. The question is who do we give the ECMO to?

In a situation of medical parity, the rule is "first come, first served." In our case, there was a patient who was admitted to the ICU earlier than the other patient. It would therefore seem that he has priority. However, the fact that he was admitted first to the ICU is insufficient to grant him priority because the question is, which of them was the first to became sick to the degree that he required the ECMO? The fact that one was in the ICU, stable, without a need for ECMO, does not give him priority for the ECMO. But if he became sick to the degree that he needed ECMO *before* the next one, then according to rule of "first come, first served," he should get it.

However, if both reached the degree of sickness that required ECMO at the same time, this is a *machlokes* among the *poskim* of the previous generation on how to prioritize them.

We can go back to the Mishnah in *Horayos*, which presents a hierarchy of saving, based either on social worth or on *yuchsin*—based on whether the patient is Kohen or a Levi, a man or woman, a *talmid chacham* or not, etc. However, most current *poskim* (please see Part 1) have ruled that nowadays we do not go by this Mishnah for various reasons.

One opinion is that in such cases one should draw a lottery. Another opinion, by the *Chazon Ish*, is that it is up to the physician to decide at his discretion. It should be a randomized decision.

So, in your case, assuming that both have the same prognosis and both reached the need of ECMO at the same time, I would say that according to the *Chazon Ish*, your inclination to take care of your patient might be as legitimate as any other consideration.

Question #4: Dr. Ari Ciment

A doctor says he has a fever, and I tell him to take a test to find out if he has COVID, and he tests positive. He is a private individual and when told to notify others, he hesitates.

What is the responsibility here: to respect his confidentiality or to squeal in order to protect others he may have been in contact with earlier?

How far do I need to go to make sure he is telling others?

Answer: Rabbi Dr. Avraham Steinberg

This has to do with confidentiality versus damaging others, as a general discussion. Just as an example, in my medical field, where I am a pediatric neurologist, I treat a person with epilepsy, and then I hear he is getting engaged. I know him and his family, and that they will not tell the other side he has epilepsy. What is my responsibility toward my patient, versus the harm that he may cause to others by not telling?

As we all know, according to halachah, we are obligated to keep someone else's secret, otherwise we are transgressing many Biblical prohibitions depending on the nature of the tale-telling. However, if by keeping the person's secret it will cause harm to someone else, we are to disclose the information to that person in order to protect the innocent third party.

There is a famous example in the *sefer Chafetz Chaim*:[3] A woman hired a cleaning lady and caught her stealing, so she fired her. After a week, she heard that her neighbor had hired the same woman to clean her house. The Chafetz Chaim says that it is the woman's responsibility to inform her neighbor of what happened with this cleaning lady in order to prevent her from potential damage.

---

3   Written by the author of the *Mishnah Berurah*, Rabbi Yisrael Meir Kagan, the Chafetz Chaim.

In the case described in your question, being COVID-19 positive may cause others to become infected and cause the infection to spread. Furthermore, it may even cause someone who is immune compromised or has serious underlying illnesses to become infected, with a greater chance of death. Clearly, therefore, the responsibility lies upon the one who knows to make sure that this person is reported and is taking the right precautions.

Obviously, it is always better to convince the person to do it himself, than to go and report it, but if he is not willing to do it, many *poskim* ruled that he has the halachic status of a *rodef*, because he might damage or even kill others.

Therefore, if you know about a doctor who became COVID-19 positive and is not acting in a proper manner, you can go to the authorities and report him so that he will take precautions to avoid damaging others.

In such circumstances, reporting another Jew is not regarded halachically as a *moser* because it is necessary to save innocent others. During this pandemic, many rabbis ruled that if there is no other way to protect the public, it is permissible to report a person who acts dangerously to the authorities. For example:

> One who sees people disparaging the directives of the health authorities is obligated to protest and inform the authorities, because this is categorized as a rodef. The principles of "guard your souls" and "do not stand idly by" are our current obligations, and there are no leniencies on this matter; and "One must follow the advice of the doctors, and one who disparages their directives, thus endangering others, is categorized as a rodef." If one causes another person's death by denigrating the medical guidance, they can be considered as having committed a near-intentional crime. It is permissible to report one who ignores the health authorities' guideline to the government.

In summary, if there is a real concern that the behavior of this physician might cause damage to an innocent other, then no confidentiality is acceptable. That is not always the position of ethicists and sometimes even of the law of the land, but halachically that would be the right position.

Question #5: Dr. Ari Ciment

There was an unfortunate 55-year-old man who had COVID-19 pneumonia and shock, which left him with a very poor prognosis. The wife, speaking Spanish only, called every hour or so to discuss her husband's situation with the nurses, and got updates daily by a Spanish-speaking ID doctor. The nurses dreaded updating the wife because, unfortunately, the news was never positive with this tragic situation. After roughly two weeks on a ventilator and no neurologic responses, it became clear that he was not going to survive; yet the wife was understandably inconsolable and in denial. The nurses often spent thirty minutes to an hour trying to allay her concerns, although unfortunately there was no turning back his tragic state.

One night, the nurses called frantically that the ET tube had accidentally become disconnected during cleaning and that was enough for him to have a cardiac arrest for ten seconds. They performed chest compressions and his blood pressure and heart rate were restored immediately. The nurses were clearly shaken and worried about how to report this incident to the distraught wife.

Is it permitted to hide the truth from the wife as it will not lead to any different consequences, and just add to her sadness and foster discomfort?

Answer: Rabbi Dr. Avraham Steinberg

There might be some differences between the approaches of secular ethics and halachah. The woman is back at home, far away from the patient. If she learns that such an incident occurred, and you know that it was really of no consequence—and even if it did matter a little—what can she do if she is informed of it far away at 2:00 a.m.? She will just worry. It doesn't make sense to tell her because she cannot intervene or help anyway. Her knowledge is not relevant for the good of the patient.

In general, she should know it as part of the fair disclosure of information within an appropriate relationship between a health-care provider and the patient and family. But there is certainly no urgency in disclosing this event. A balance has to be struck between the principle of fair disclosure and the harm versus benefit that such disclosure might cause. If the disclosure of a painful piece of information is necessary to better treat the patient, it should certainly be done. But if the disclosure of a painful piece of information is irrelevant at the time in terms of giving the best care to the patient, while disclosing it will cause pain and suffering to the family member without any benefit, the balance swings toward withholding the information at that time.

It would be appropriate to tell the wife what happened at some point when the atmosphere is calmer, and the situation is suitable.

Question #6: Dr. Ari Ciment

1. A 47-year-old COVID-19 patient's oxygen deteriorated and there was a questionable mucus plug amenable to bronchoscopy. However, given the aerosolization risk, the hospital policy was not to allow bronchoscopies that have high risk of infection to the bronchoscopist.

Is there a chiyuv, heter, or an issur to risk your life for another?

2. There was an obese 65-year-old lady with COVID-19 who had a cardiac arrest. The chances of her survival were extremely low, but the family insisted on keeping her as full code (i.e., they insisted on not holding back any life-saving heroic measures such as CPR and intubation), even though if she had another arrest, it would just potentially expose more people to the virus and not afford her any real chance of survival.

What is the halachic approach here?

Can one just end heroic measures to try to restore this lady's life since the chances of her resuscitation were so low and there was possible risk to those working to help her?

Do you have to inform the family of your decision to withhold potentially life-prolonging treatment, even if they insist you try to prolong her life?

Answer: Rabbi Dr. Avraham Steinberg

In my view, the answer to the two questions is different.

In general, if there is no danger to the saver, there is a Biblical obliga-tion to save the life of a fellow man: *"Lo saamod al dam rei'echa"*—you are obligated to do whatever possible to save a fellow man.

However, in our cases, the saver has to take certain risks in order to save the lives of these two patients. This is a *machlokes* between the *Bavli* and the *Yerushalmi* if there is a *chiyuv*, an *issur*, or a *heter* to put oneself into a *safek sakanah* (possible danger) in order to save someone else from a *vadai sakanah* (certain danger). Almost all *poskim* rule that one is not obligated to put themselves into a *safek sakanah* even in order to save someone from a *vadai sakanah*.

Having said that, this ruling depends on the degree of the *safek sakanah*: is it 50 percent, 20 percent or 0.1 percent? Is it a *safek sakanah* that people are accustomed to taking?

The Gemara in *Sanhedrin* discusses examples of *"lo saamod al dam rei'echa,"* and in which situations it applies. The Gemara brings three examples: the first is if you see your friend drowning in the river, the second is if someone runs after him in order to rob him, and the third is if a beast is running after your friend. In all three situations, the Gemara says that there is a *chiyuv* (obligation) to save your fellow man. Clearly, there is some element of *sakanah* in all three. Yet, the Gemara says that there is a *chiyuv* of *"lo saamod al dam rei'echa."*

So, most *poskim* hold that if there is a very minimal *sakanah*, there is still a *chiyuv*. If the *sakanah* is higher but not significant, there is no *chiyuv* of *"lo saamod al dam rei'echa"* but saving a fellow man under these conditions is a pious act. If the *sakanah* is significant, it constitutes an *issur*. However, the *poskim* did not give us numbers or percentages to de-fine the different degrees of *sakanah*, i.e., how much of a *sakanah* is the limit between the *chiyuv* and the *issur*. Therefore, various *poskim* today have debated this issue on different levels, depending on the *sakanah*.

This issue has frequently been discussed regarding live kidney donors. Someone who is healthy and can live very well with one kidney while another person has no kidneys and is sick with terminal renal failure;

is it a *safek sakanah* to the donor and he is not allowed to donate his kidney to save someone else, or is it such a minimal *sakanah* that there is a *chiyuv*? Or is it somewhere in between—it is more than minimal but not enough to be an *issur*, and hence it is a *heter*, or even a pious act?

The discussion so far relates to someone who is a layperson. He can do something to save, but he is not the expert in doing so. There is a somewhat different degree of *safek sakanah* when related to professionals whose duty is to save lives, and only they can do so, for example, a soldier, fireman, or policeman, or a physician or nurse.

All these people, by the nature of their profession, are occasionally required to take certain degrees of risks and they are willing to take such risks. Therefore, halachically for them, the *safek sakanah* has to be a higher degree of *sakanah* than for an ordinary person.

The words of the Rabbinic authorities should be heeded:

> *There is no clear fundamental rule when it comes to how much danger a person should engage in to save another person. Rather, it is also based on the case and should be weighed carefully, but one should not protect themselves excessively or be overly cautious.*

Now to the cases:

1. The first one, according to the halachic criteria we are talking about a patient who is a *vadai sakanah*, there is certain danger to life. If you do not treat him, he will die because of the mucus plug. However, in order to save the patient by bronchoscopy the physician has to put himself in a *safek sakanah*, where he may become infected and sick.

The question, therefore, is what degree of danger to the physician is involved during a bronchoscopy, assuming it can be minimized by using all possible protections and specific technologies that minimize the risk? If indeed under such precautions the risk is very low, there is an obligation upon the physician to save this patient's life.

2. The second case is different. In this case, even without taking into account the risk upon the physician, it seems to me that there was no halachic reason to intervene by performing CPR. The fact that

the family says to do "everything" is not sufficient to do things for the patient that are not halachically warranted.

According to the opinion of the *Tzitz Eliezer*, who holds that every minute of life is of infinite value, then if by performing CPR you will extend the patient's life even by a moment, there is a *chiyuv* to do so. Hence in this case—putting aside for a moment the danger to the physician—the answer would be that the physician is obligated do it. But most *poskim* hold that there is no *chiyuv* to intervene by aggressive measures for someone whose chances to survive are close to zero. Therefore, even if the family asked for it, it is not halachically binding.

Certainly, if by doing so the physician is risking himself, then there is no obligation to put the physician in a *safek sakanah* for a situation that has almost no chance to save someone else.

Dr. Ciment: Just a postscript. The 47-year-old who was the subject of the bronchoscopy just texted me: "You made the right decision to go head with the bronchoscopy. Thank you." He is on Zoom right now, which is pretty much incredible.

Question #7: Dr. Ari Ciment

Nothing is bona fide proven to work against COVID-19. There are reports of harm from some experimental treatments, and some anecdotal reports of benefit. When Zev Zelenko streamed his algorithm of Zithromax and Plaquenil along with Zinc, there were already hundreds of scripts filled for Plaquenil for prophylaxis. I did, admittedly, prescribe this to many patients. I still do believe in some effects of Plaquenil, personally, as a prophylactic measure, but it is not proven to help at all with the hospitalized patients.

Despite a dearth of evidence that it may in fact work in prophylaxis, and now with evidence of harm in hospitalized patients, such as QT prolongation, which can go on to malignant arrhythmia, is it OK to prescribe Plaquenil with or without Zithromax for outpatients?

Answer: Rabbi Dr. Avraham Steinberg

In my opinion, all these treatments should be regarded as experimental treatments. Not that the drugs are experimental—they are known and have been used for different indications—but for this particular indication of COVID-19, each of these drugs mentioned and many others that are also used, are all experimental.

Nonetheless, there is a difference between a newly discovered medication that has not been used at all and a medication known and used but not for the experimental indication. The first one requires the full protocol of approving an experimental drug, i.e., animal experimentation, three phases of human experimentation, approval by a local IRB, and final approval by the FDA or a similar official national body. On the other hand, a known drug for another indication has to be treated as a compassionate treatment with a full informed consent by the patient or a guardian.

Therefore, if a physician thinks that certain known medications might be beneficial for COVID-19 patients, either as treatment of an acute situation or as a prophylactic treatment, he should use it with caution and with an anecdotal approval as a compassionate treatment.

Question #8: Dr. Ari Ciment

What is your opinion regarding certain prophylactic regimens?
i.e., reciting Pitum Ha'ketores twice a day? Zinc? Quercetin?
Vitamin C or D? Pepcid? Melatonin?

Answer: Rabbi Dr. Avraham Steinberg

Pitum Ha'ketores, either alone or together with many other chapters of *Tehillim* and other prayers, is strongly recommended. The *ketores* was used by Aharon HaKohen to stop a *mageifah*. *Mageifah* is the Hebrew term for a pandemic or an epidemic. A virus is therefore called a *nagif* in Hebrew, because a *nagif* is the agent that causes the *mageifah*.

We know that the *ketores* stopped a *mageifah*. The *Zohar* says that reciting *Pitum Ha'ketores* is beneficial in cases of any pandemic, not only the ones mentioned in *Tanach*. We recite daily the *pesukim*, Mishnayos, and *Beraisos* of the *ketores*—twice in *Shacharis*, and those who recite *Korbanos* at *Minchah* say it again. It is certainly a good prescription, and as opposed to experimental medications, it has no side effects at all. However, this should not be recited alone; rather, we should pray and say *Mi Shebeirach* for whoever is in need of it and we should recite chapters of *Tehillim*.

Some advise adding prayers such as *Avinu Malkeinu*, particularly, "withhold plague from Your heritage"; saying the "*E-l rachum shmecha, aneinu Hashem aneinu, mi she'anah...*"; reciting *korbanos*, even one who normally doesn't say them; saying the *Yom Kippur Katan* prayers on Erev Rosh Chodesh; *V'Hu rachum* on Mondays and Thursdays after the *Shemoneh Esreh* prayer out loud in tears; and more. Some have composed special prayers for the situation.

As to other nonharming medications or vitamins or other similar treatments, I personally do not know whether they are helpful or not. However, if someone wants to use them, and feels they may be helpful, why not?

Question #9: Dr. Ari Ciment

A Patient has blood type AB, and it is difficult to get a convalescent plasma donation, which evidence suggests may be beneficial.

Can I encourage Jewish donors to travel on Shabbos to donate without knowing they will definitely be a match?

Answer: Rabbi Dr. Avraham Steinberg

If evidence indeed suggests that convalescent plasma might be beneficial, it is certainly allowed for a Jewish donor to travel on Shabbos to donate as this is for the purpose of *pikuach nefesh*. This is true even if the likelihood of them being a match is low, because even for *safek pikuach nefesh* it is permissible to desecrate Shabbos. However, it is preferable for the Jewish donor to travel with a non-Jewish driver, because we rule that Shabbos is only postponed (*dechuyah*) for *pikuach nefesh*. Therefore, one should do whatever is possible to minimize Shabbos desecration as long as doing so will not adversely affect the patient in danger.

Question #10: Dr. Ari Ciment

Concerning reopening schools, the infection rate at the time of writing is 368/100,000.[4] This is classified as a "red zone" and it is therefore considered dangerous to open schools.

On the one hand, not reopening schools puts the children at risk for mental/psychiatric problems. On the other hand, reopening schools puts adults and the community at risk as this may in fact fan the flames of epidemic when it is dying down.

What trumps what: kids' mental health or the potential for adults to get sick?

Answer: Rabbi Dr. Avraham Steinberg

If the facts are such that the situation is either/or, then it seems to me that there is a higher risk in infecting people—including those who are immune-compromised or with serious underlying diseases—than causing mental difficulties to the children. However, it seems to me that there should be alternative solutions that take both effects into consideration. One option, for example, would be reopening schools with small numbers of children wearing masks and sitting with social distance, and differentiating between different age groups. Alternatively, the schools should remain closed, but appropriate activities and communal support must be provided for the children.

Question #11: Dr. Ari Ciment

Two patients are in the hospital with the same degree of illness. One is a good friend who is a doctor in the hospital.

Is there a concept of kedimah (precedence) if your patient is a friend or a large donor, or do you have to treat patients as "first come, first served" in a pandemic as well?

---

4   June 28, 2020.

Answer: Rabbi Dr. Avraham Steinberg

The Mishnah in *Horayos*—according to many *poskim*—gives a list of priorities based on social worth and *yuchsin*. Some *poskim* have added a list of priorities based on the degree of family relations. But there is no source to prioritize based on friendship or level of donation. Moreover, most *poskim* have ruled that nowadays we do not follow the list of that Mishnah; rather, priority is determined based only on the medical condition so that the one with a greater chance of survival should be prioritized. In case of parity as to the medical condition and prognosis the rule is to follow "first come, first served." Consideration of friendship or donation is irrelevant.

About the Authors

Rabbi Professor Avraham Steinberg is a pediatric neurologist, a rabbi, and an ethicist. He is currently the director of the Medical Ethics Unit and the chairman of the IRB at Shaare Zedek Medical Center. He is also the head of the Editorial Board of the *Talmudic Encyclopedia*.

Steinberg is the author of the *Encyclopedia of Jewish Medical Ethics* (in Hebrew and English) and *Ha'refuah K'halachah* (in Hebrew). He is the laureate of the prestigious Israel Prize and the Worthy Citizen of Jerusalem award (Yakir Yerushalayim). Involved with many public committees and legislations in Israel concerning medical ethics, Steinberg has discussed many modern issues in medicine with the *Gedolim*, including Rav Shlomo Zalman Auerbach, *zt"l*, Rav Yosef Shalom Eliashiv, *zt"l*, Rav Eliezer Yehuda Waldenberg, *zt"l*, Rav Ovadia Yosef, *zt"l*, and many others. He has published many of their halachic rulings on these issues.

Ari Judah Ciment, son of Larry and Helen Ciment, is board certified in internal medicine and pulmonary and critical care medicine. He has been practicing in Miami Beach, Florida, since 2008. In addition to many medical field achievements, he has been an invited grand rounds lecturer for several hospitals and universities. As a medical ICU attending in a residency teaching program, he regularly teaches classes on a variety of topics, including pulmonary embolism, sepsis, ARDS, and now COVID novel therapies.

Dr. Ciment is currently president of the medical staff with the Mount Sinai Medical Center and is on the board of the Hebrew Academy of Miami Beach, serving on their medical committee. In addition, he served as adjunct professor on Jewish medical ethics at Touro College and has arranged several medical ethics symposiums, most notably, with the renowned ethicist Rabbi Avraham Steinberg as well as BU ethicist Michael Grodin.

Dr. Ciment is the author of *Pirkei Dr. Ari* (Mosaica Press, 2019), which blends the weekly *parashah* with an ethic from *Pirkei Avos*. His hobbies include basketball, tennis, guitar, and studying Talmud. He lives with his wife, Elissa, and their three children, Tehila, Jack, and Sam, in Miami Beach, Florida.

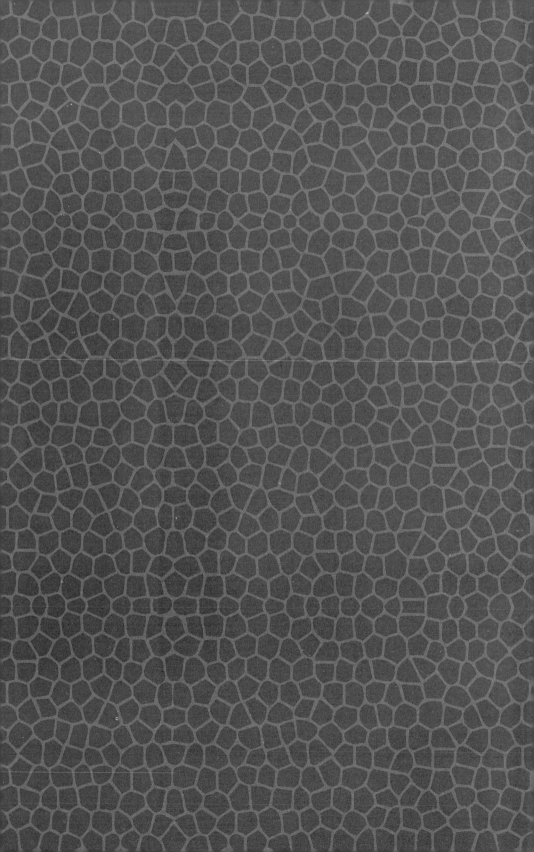

מגפת הקורונה

MOSAICA PRESS

DISTRIBUTED BY
FELDHEIM
NEW YORK

מגפת הקורונה

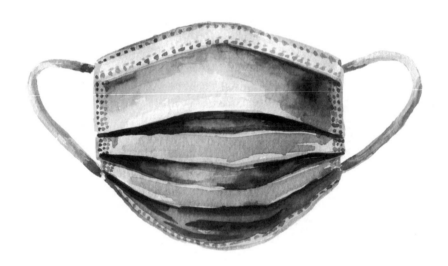

היבטים היסטוריים,
רפואיים והלכתיים

מהדורה שלישית עם עדכונים והשלמות

הרב פרופ' אברהם שטינברג

תוכן הענינים

הקדמה

1
רקע היסטורי

2
רקע רפואי

3
פרטי הלכות והנהגות

4

קדימויות בטיפול בחולי קורונה במצב של מחסור חמור

הקדמה

א. רקע

מגפת[1] הקורונה[2] (COVID-19) בעידן המתקדם והמודרני, אחר מאה שנים מאז מגפה עולמית גדולה בסדר גודל כזה—מגפת השפעת הספרדית[3]—הכתה בתדהמה את העולם כולו, ובתוכו את המדענים והמומחים השונים.

בעשרות השנים האחרונות היו הרבה מדענים שהודיעו בגאון ובגאווה שהאנושות בעידן המודרני על הישגיו המדעיים והטכנולוגיים האדירים לא תראה עוד מגפות עולמיות, אך הולך ומתברר שהאנושות—עם כל קדמתה והישגיה—איננה מסוגלת למנוע מגפות כלל עולמיות, איננה יודעת לטפל בהן בזמן אמת, ואחוזי התמותה והתחלואה הם עצומים ורחבים עד מאד, כפי שהיה במצבים דומים בעולם העתיק ובימי הביניים[4].

ושוב הוכח שיש מנהיג לבירה, שבורא עולם מנהיג את עולמו.

המהדורות

המהדורה הראשונה של מאמר זה נכתבה בראשית חודש אייר ה׳תש״פ (אפריל 2020) כאשר היינו בעיצומה של המגפה העולמית, והמהדורה

---

1 מגפה היא משורש נגף שפירושו מביס, מפיל, מכריע. מכאן גם השם העברי ׳נגיף׳ למונח וירוס, היינו גופיף הגורם למגפה. באנגלית מבדילים בין אפידמיה (epidemic)—מחלה (לרוב זיהומית) שמתפשטת במהירות, ופוגעת באנשים רבים בו זמנית; ופנדמיה (pandemic)—מחלה (לרוב זיהומית) שפוגעת באזורים גיאוגרפיים נרחבים (בכל המדינה, או בחלקים גדולים של כל העולם), ובמספר אנשים רב במיוחד. שם נרדף למגפה באנגלית הוא plague (מקור השם מהמילה הלטינית *plaga*, שפירושו מכה), אם כי לעתים מונח זה משמש באופן ייחודי למגפת דֶבֶר—ראה להלן.

2 מגפת הקורונה הוכרזה על ידי ארגון הבריאות העולמי של האו״ם כפנדמיה.

3 ראה להלן.

4 מעניין לציין כי בעקבות הפנדמיה של השפעת הספרדית משנת 1918 נכתב מאמר מסכם בביטאון המדעי היוקרתי Science (מיום 30.5.1919, N.S. Vol XLIX, No. 1274, pp. 501ff)—שאם רק נשנה את התאריך יהיו הדברים תואמים כמעט לחלוטין עם מה שקורה כיום במגפת הקורונה.

השניה נכתבה באמצע חודש סיון ה׳תש״פ (יוני 2020) כאשר נראה שהגל הראשון שכך במקצת, אך המגפה טרם נעלמה, ועדיין סופה מי ישורנו. בינתיים—בעת כתיבת מהדורה זו—עדים אנו לגל שני של התחלואה בישראל ובעולם.

במהלך התקופה שבין המהדורות נוספו עניינים הלכתיים שונים שנידונו על ידי רבני דורנו, וכן הוספתי מקורות הלכתיים לחלק מאותם נושאים שנידונו במהדורות הקודמות, ותיקונים שונים בהתאם להתפתחויות.

הנתונים האפידמיולוגיים

הנתונים האפידמיולוגיים המשמשים רקע למהדורה השלישית של מאמר זה נכונים רק למועד כתיבת המאמר, אך הסיכומים הסופיים של האסון העולמי עוד רחוקים, ועל פי הניסיון המצטבר והמודלים לתחזית האירועים אנו צפויים, לא עלינו, למספרים גדולים וחמורים בהרבה.

להלן הנתונים הכלליים נכון ליום 25 לאוקטובר 2020:

- **בעולם**—קרוב ל–43,000,000 אנשים חולים; כ–1,150,000 מתים; והמגפה מתרחשת ב–215 מדינות וטריטוריות.
- **בישראל**—כ–310,000 נדבקים וחולים, וכ–2370 מתים.

מגפת הקורונה יצרה שורה ארוכה של דילמות הלכתיות, חלקן מוכרות ממגפות עולמיות קודמות, וחלקן חדשות יחסית שטרם נידונו בפירוט בעבר.

במאמר זה אסקור את הרקע ההיסטורי של מגפות בכלל, ומגפת הקורונה בפרט; הרקע המדעי–רפואי של מגפת הקורונה; וההיבטים ההלכתיים שמגפה זו הביאה בעקבותיה.

ב. על המחלוקות

בראשית בריאת העולם היו כל בני האדם "שָׂפָה אֶחָת וּדְבָרִים אֲחָדִים"[5], וכתב רש"י: "באו בעצה אחת". מצב כזה, אף שלכאורה הוא הרצוי, מתברר שאין הוא נכון לבני אדם, שכן היעדר ויכוח וחילוקי דעות, והסכמה גורפת לכל דבר וענין, מביאים לדברים רעים.

וכתב הנצי"ב בספרו העמק דבר שם:

---

5 בראשית יא א.

ובאשר אין דעות בני אדם שוות, חששו שלא יצאו בני אדם מדעה זו ויהיו במחשבה אחרת...נמצא היו דברים אחדים שביניהם לרועץ, שהחליטו להרוג את מי שלא יחשוב כדעתם.

עונשו של דור הפלגה היה "כִּי שָׁם בָּלַל ה' שְׂפַת כָּל הָאָרֶץ, וּמִשָּׁם הֱפִיצָם ה' עַל פְּנֵי כָּל הָאָרֶץ"[6].

זהו המצב העובדתי כיום, שבני האדם מפוזרים על פני תבל, ואין להם שפה משותפת, ועצה משותפת, ודעה משותפת. וכך קבעו חז"ל: "אין דעתם דומה זה לזה, ואין פרצופיהן דומים זה לזה"[7]. כיום יודעים אנו יותר ויותר על ההבדלים המשמעותיים בין "פרצופיהם" של בני אדם, היינו השוני והייחודיות של כל אחד ואחת מבני האדם מבחינה גנטית; ובמקביל מכירים אנו בשוני בדעות, בהשקפות, בהבנות ובנטיות של בני האדם.

ואמנם תפקידנו הוא למצוא את האיזון הנכון בין שתי הקצוות—לא שפה אחת ודברים אחדים, אך גם לא בליל שפות ללא כל הסכמה, אלא וויכוח ודיון, ואחר כך הסכמה לדרך ולדעה, וכמבואר בגמרא: אפילו האב ובנו, הרב ותלמידו, שעוסקין בתורה בשער אחד נעשים אויבים זה את זה[8], ואינם זזים משם עד שנעשים אוהבים זה את זה[9].

וכך לימדונו חז"ל: "כל מחלוקת שהיא לשם שמים סופה להתקיים"[10]. הרבה הסברים נאמרו על כך[11], ואחד ההסברים הוא "על ידי חילוקי הדעות והפלפולים שיהיה ביניהם והכרעת הסברות לכאן ולכאן, יזדקק ויתברר האמת לעיני כולם ברור כשמש"[12]. ועוד, שעצם המחלוקת סופה להתקיים, אף שתהיה הכרעה כאחת הדעות בדרכי ההכרעה המקובלות, אבל גם הדעות שנדחו מהלכה ישתמרו, שכן לעתים יכול שיתברר שדווקא הדעה הזו היא הנכונה בתנאים ובנסיבות שיתחדשו[13].

---

6 שם יא ט.

7 ברכות נח א; במדבר רבה כא ב.

8 רש"י: מתוך שמקשים זה לזה, ואין זה מקבל דברי זה.

9 קידושין ל ב.

10 אבות ה יז.

11 ראה בביאורי מסכת אבות מהדורת מתיבתא בליקוט הביאורים על משנה זו. וראה מאירי בספרו מגן אבות הענין העשרים.

12 תפא"י שם.

13 כפי שפירש בעל התפא"י על המשנה בעדויות (א ה) שאומרת—"ולמה מזכירין דברי היחיד בין המרובין הואיל ואין הלכה אלא כדברי המרובין, שאם יראה בית דין את דברי היחיד

"תלמידי חכמים מרבים שלום בעולם"[14]—דווקא תלמידי חכמים שמאופיינים במחלוקות ובוויכוחים רבים מספור הם המרבים שלום בעולם, במובן של שלמות, היינו מתוך המחלוקת [לשם שמים] של תלמידי חכמים מגיעים לשלום ולשלמות של המסקנות הנכונות.

באופן כללי על מחלוקות והכרעות הלכתיות מצינו במשנה עדיות [א ד] הדרכה בדבר ההתנהגות הנאותה בקבלת האמת: "ולמה מזכירין את דברי שמאי והלל לבטלה [היינו כיון שאין הלכה כמותם באותו ענין, וכיון שהם עצמם הודו שאין הלכה כמותם], ללמד לדורות הבאים שלא יהא אדם עומד על דבריו, שהרי אבות העולם לא עמדו על דבריהם", וביאר הרמב"ם שם: "שלא יתעקש על קיום סברתו ויסמוך עליה ויעשה על פיה, ושלא יקשה בעיניו לעשות הפך דעתו, שהרי אבות העולם והם שמאי והלל נדחו דבריהם, ולא עמדו חכמים על דבריהם כמו שקדם"[15], ובתפארת ישראל כתב: "שהוא [עמידה עקשת על דבורו] חסרון גדול בנפש האדם ומניעה גדולה מלבוא אל האמת". ועוד כתב הרמב"ם בהקדמה לפירוש המשנה: "אבל קביעתו [של רבנו הקדוש במשנה] סברת אדם מסויים וחזרתו מאותה הסברא, כגון אמרו בית שמאי אומרים כך, ובית הלל אומרים כך, וחזרו בית הלל להורות כדברי בית שמאי, כדי ללמדך אהבת האמת ורדיפת הצדק, לפי שאלו האישים הגדולים החסידים המשכילים, המופלגים בחכמה שלימי הדעת, כאשר ראו דברי החולק עליהם נכונים יותר מדבריהם והגיוניים יותר נכנעו וחזרו לדעתו, כל שכן וקל וחומר שאר בני אדם כשיראה

ויסמוך עליו", ביאר התפא"י (שם יכין אות כח)—"נ"ל דר"ל לסמוך על היחיד לפעמים בשעת הדחק. כדאמרינן כדאי הוא ר"ש לסמוך עליו בשעת הדחק [גיטין די"ט]". ויש מי שפירש את המילה "מחלוקת" במשנתנו בהוראת כת וקבוצה (בדומה ל"מחלקה" בצבא): "מחלוקת הלל ושמאי" היא קבוצתם של הלל ושמאי; ואילו "מחלוקת קרח ועדתו" היא קבוצתם של קרח וחבריו. לפי פירוש זה, המשנה אומרת שקבוצה שהתארגנה לפעול לשם שמים סופה להתקיים, אך קבוצה שנוסדה "שלא לשם שמים" סופה שתאבד מן העולם, בדומה למה שאירע לקרח ועדתו, שנבלעו באדמה, כמו שפירש רב נתן אב הישיבה (נדפס בתרגומו של ר"י קאפח במשניות מהדורת אל–המקורות): "כל קבוצה הנפרדת ונחלקת מבני אדם בגלל מצוה, הרי היא מתקיימת. וכל שאינה לדבר מצוה, אינה מתקיימת. איזו היא קבוצה שהיא לדבר מצוה, זו קבוצת הלל ושמאי; ושאינה לדבר מצוה, זו קבוצת קרח ועדתו". וראה גם ע"צ מלמד, "ללשונה של מסכת אבות", לשוננו כ (תשט"ז), עמ' 107.

14 ברכות סד א.

15 וראה בספר המספיק לרבנו אברהם בנו של הרמב"ם (מהדורת דנה עמ' 71), שכתב על פירוש שחידש בניגוד למשמעות דברי אביו: "לוא שמע אותו אבא מארי זצ"ל היה מודה בו, כפי שציווה 'והוי מודה על האמת', והרי תמיד ראינוהו ז"ל בבירור מסכים אל הקטין שבתלמידיו לגבי האמת, למרות עושר לימודו".

שיריבו צודק שיכנע ואל יתעקש, וזהו דבר ה׳ צדק צדק תרדוף, ועל זה אמרו חכמים הוי מודה על האמת, ר״ל אף על פי שאתה יכול לחלץ את עצמך בטענות וכוחיות, אם תדע שדבר יריבך הוא האמת, אלא שטענתך נראית יותר מחמת חולשתו או בגלל יכלתך להטעות, חזור לדבריו וחדל להתוכח״. ועוד כתב הרמב״ן: ״ואתה המסתכל בספרי אל תאמר בלבבך כי כל תשובותי על הרב רבי זרחיה ז״ל כולן בעיני תשובות נצחות ומכריחות אותך להודות בהם על פני עקשנותך וכו׳, אין הדבר כן, כי יודע כל לומד תלמודנו שאין במחלוקת מפרשיו ראיות גמורות וכו׳, שאין בחכמה הזאת מופת ברור כגון חשבוני התשבורות וניסיוני התכונה, אבל נשים כל מאודנו ודיינו מכל מחלוקת בהרחיק אחת מן הדעות בסברות מכריעות ונדחוק עליה השמועות, ונשים יתרון הכשר לבעל דינה מפשטי ההלכות והוגן הסוגיות עם הסכמת השכל הנכון וזאת תכלית יכולתנו וכוונת כל חכם וירא אלקים בחכמת הגמרא״[16]. וכתב החת״ס למהר״ץ חיות בזה הלשון: ״שלא יהי׳ כוונת המתווכחים בדין בין ריב לריב ובין דם לדם לנטות דעת חברו לדעתו, כי מה לי ולו, אך יהי׳ הויכוח להעמיד סברתי ודעתי על פי שכלי, באופן מה שחברי טען נגדי אראה במחשבתי אם כנים דבריו אחזור בי, ואם לא נראים לי דבריו אני עומד על דעתי, ומה לי בכך אם יודה לי או לא, כי אין כוונתי לנטות דעתו לדעתי, וכן יהי׳ דעת חברי שכנגדי להעמיד סברתו לעצמו, ואחר הויכוח הזה אחרי רבים להטות. אבל אותם הרוצים דוקא שחברו יודה לו וכוונתו להטות דעת חברו לדעתו, אותם שוגים מדרך האמת ונוטים אל הניצוח ויצא משפט מעוקל״[17].

השתדלתי בקונטרס זה להביא דעות החולקים ומה שנראה לי בסוגיות הרבות הנידונות בו, ואין אני עומד על דעתי ואומר קבלו דברי, אלא ישפוט מי שהוא בר הכי את הדברים לגופם ויכריע לפי רוחב דעתו והיקף ידיעותיו, ומי שאינו בר הכי מוטל עליו לברר כיצד לנהוג הלכה למעשה מפי מורה הוראה מובהק.

אכן כל זה הוא דווקא במחלוקות הלכתיות הנובעות מהרצון הכן והאמיתי להגיע לאמיתה של תורה ככל שהשכל מגיע, והמחלוקות מיועדות להציג הבנה הלכתית וליבון העניין עד תום. לעומת זאת מי שמחזיק במחלוקת

16 הקדמה לספר מלחמת ה׳ על הרי״ף.

17 שו״ת חת״ס חאו״ח סי׳ רח. וראה שו״ת אג״מ חאו״ח ח״ד סי׳ כה.

בעניינים אחרים עובר בלאו[18], שנאמר וְלֹא יִהְיֶה כְקֹרַח וְכַעֲדָתוֹ[19], וכל גדולי ישראל התריעו על חומר האיסור של מחלוקת, ועל הנזקים העצומים שדבר זה מביא לעם ישראל[20], שבגללה גדלה שנאת חינם שהביאה לחורבן הבית[21], והמחלוקות מובילות לביזוי תלמידי חכמים, ודבר זה גרם לחורבן ירושלים ואין רפואה למכה זו[22], ודווקא בהתאספם יחד באגודה אחת, ושלום ביניהם—ה׳ הוא מלכם של ישראל, ולא כשיש מחלוקת ביניהם[23].

וכתב החפץ חיים[24]: ״בוא וראה כמה קשה המחלוקת, שכל העוזר במחלוקת הקב״ה מאבד זכרו...ולבסוף יתבע הקב״ה את דמו מידו״[25].

ואף שכל חכמי ישראל לדורותיהם גינו את המחלוקות שאינן לשם שמים, והתריעו מפני הנזק העצום שמחלוקות כאלה מביאות על עם ישראל, בכל זאת לא מנעו עצמם ממחלוקות קשות המלוות בחילול השם נורא, ולצערנו אין דורנו שונה בכך. וכבר כתב רש״י בריש פרשת קורח—היא פרשת המחלוקת הקלסית שלא לשם שמים—״פרשה זו יפה נדרשת״, ועל דרך הצחות ניתן לומר שפרשת המחלוקת נדרשת יפה על ידי כל חכמי ישראל לדורותיהם, אך זה נשאר רק בגדר דרשה יפה וד״ל[26].

---

18 סנהדרין קי א. וראה רמב״ם בסהמ״צ שורש שמיני: ולא תעשה מה שהוא אסמכתא על דרך הדרש ולהפחיד, וכן כתב המאירי סנהדרין שם שהוא דרך הערה. ולעומתם הרמב״ן בהשגות על שורש שמיני שם ובשכחת הלאוין מצוה יז סבור שבמחלוקת על הכהונה האיסור הוא מן התורה, ובשאר מחלוקות האיסור מדרבנן; ואילו רבנו יונה בשערי תשובה שער ג אות נח, והח״ח בפתיחה לאוין סקי״ב סבורים שכל מחלוקת היא איסור דאורייתא. וראה בבאר מים חיים בחפץ חיים שם שכתב בשם הסמ״ג לא תעשה קנז שכל מחלוקת היא איסור דאורייתא.

19 במדבר יז ה.

20 וראה בחומר איסור מחלוקת בשאילתות, פר׳ קורח שאילתא קלא; רש״י עה״ת במדבר טז כז; של״ה שער האותיות אות ב; ס׳ שבט מוסר פל״ז; בשמירת הלשון לבעל הח״ח שער הזכירה פי״ז; ברכת אברהם (ארלנגר) סנהדרין קי א; ס׳ מאור לתורה (סגל) פר׳ קורח; רז״נ גולדברג מוריה גיליון פד (שנה טו א–ב) עמ׳ סב ואילך; שביבי אש (שטרן) עה״ת ח״ב פר׳ קורח; משפטי השלום (סילבר) פ״ד; חזון למועד (שפירא) ח״ג מאמר טז, ועוד.

21 ראה יומא ט ב. וראה תוס׳ ב״מ ל ב ד״ה לא.

22 שבת קיט ב.

23 רש״י דברים לג ה.

24 בשמירת הלשון שם. וראה עוד מכתבו של הח״ח להראי״ה קוק מיום ד לפר׳ שלח תרפ״ג בעניין הנזק שבמחלוקת, הובא באגרות ראיה ח״ד בנספחות.

25 והיינו שהמושג ״מחלוקת״ משמש בשני מובנים: חילוקי דעות בהלכה, שהם דבר חיובי ונוהג מקובל מקדמת דנא; מריבה וסכסוך הגורם לפירוד, שהוא דבר שלילי ומזיק.

26 וראה בנצח ישראל למהר״ל פכ״ה מה שהאריך בתופעת המחלוקת השלילית בישראל.

ויש מי שכתב, "ויש להבין הטעם למה קרא בלעם את אבותינו בשם ישרים ביחוד ולא צדיקים או חסידים וכדומה. וגם למה מכונה זה הספר ביחוד בכנוי ישרים. ובלעם התפלל על עצמו שיהא אחריתו כמו בעלי זה הכנוי. והענין דנתבאר בשירת האזינו עה"פ הצור תמים פעלו וגו' צדיק וישר הוא. דשבח ישר הוא נאמר להצדיק דין הקדוש ברוך הוא בחרבן בית שני שהיה דור עקש ופתלתל. ופירשנו שהיו צדיקים וחסידים ועמלי תורה. אך לא היו ישרים בהליכות עולמם. ע"כ מפני שנאת חנם שבלבם זה את זה חשדו את מי שראו שנוהג שלא כדעתם ביראת ה' שהוא צדוקי ואפיקורס. ובא עי"ז לידי שפיכות דמים בדרך הפלגה ולכל הרעות שבעולם עד שחרב הבית. וע"ז היה צדוק הדין. שהקב"ה ישר הוא ואינו סובל צדיקים כאלו אלא באופן שהולכים בדרך הישר גם בהליכות עולם, ולא בעקמימות אף על גב שהוא לשם שמים, דזה גורם חרבן הבריאה והריסות ישוב הארץ. וזה היה שבח האבות שמלבד שהיו צדיקים וחסידים ואוהבי ה' באופן היותר אפשר, עוד היו ישרים, היינו שהתנהגו עם אוה"ע אפי' עובדי אלילים מכוערים. מכל מקום היו עמם באהבה וחשו לטובתם באשר היא קיום הבריאה"[27].

אשר על כן ברור ומבורר הוא שיש חובה קדושה על כל שלומי אמוני ישראל להתאחד במלחמה נגד הקורונה, ולשים הצידה את כל המחלוקות על רקע כלשהו.

---

27 העמק דבר בראשית פתיחה.

1

רקע היסטורי

א. מגפות בעבר

בתנ"ך מצינו תיאורים של מספר מגפות, אך הן היו מוגבלות לעם ישראל, או לאומה בודדת אחרת:

- דֶבֶר מצרים[1], המכה החמישית מעשר המכות, שפגע רק בבעלי החיים של המצרים, ולא בבני אדם[2];
- כשנכנסו המרגלים לארץ, היה הדֶבֶר נוגף את הגדולים מאנשי כנען, ומתעסקים בני העיר בקבורתם[3];
- במגיפה הקשורה לקורח מתו 14,700 אנשים, בנוסף ל–250 האנשים שהיו קשורים ישירות עם קורח[4];
- במגיפה בבעל פעור מתו 24,000 איש[5];
- במגיפה בימי דוד, בעקבות החטא של מניין האנשים, מתו 70,000 אנשים[6];
- רבים מהפלשתים שלקחו את ארון ה' הוכו ומתו במחלת העפלים = הטחורים[7]. יש הסבורים שהמדובר בדיזנטריה, שהיא מחלה זיהומית של מערכת העיכול הגורמת לשלשולים[8], ויש הסבורים שהעופל

---

1 שמות ט ג–ז.

2 גם מכת בכורות מכונה נגף—שמות יב יג.

3 תנחומא, שלח, ז.

4 במדבר יז יד.

5 במדבר כה ט.

6 שמו"ב כד טו. וראה עוד בספרו של יוסף בן מתתיהו, קדמוניות היהודים ז:324.

7 שמו"א ה ט,יב.

8 על פי יוסף בן מתתיהו, קדמוניות היהודים 300:2. דיזנטריה נגרמת על ידי חיידקים ובעיקר שיגלה, ועל ידי טפילים ובעיקר אמבות.

הוא הבובון של מחלת הדֶבֶר[9]; 50,070 מאנשי בית שמש מתו "כי ראו בארון ה'"[10];

- 185,000 מחיילי צבא אשור של סנחריב הוכו בלילה[11]. על מגיפה זו דנו חז"ל[12], וכן יוסף בן מתתיהו[13], וחוקרים אחדים[14], אשר העלו השערות שונות על מהות המגיפה.

המונח 'דֶבֶר' במקרא ובחז"ל כולל בוודאי גם את המחלה הרפואית בשם זה[15], אכן בדרך כלל אין כוונת במקרא וחז"ל דווקא למחלה מסוימת, אלא הוא שם כללי לכל מחלה מדבקת[16], שגורמת למוות של מספר אנשים מאותה מחלה בסמיכות של זמן ומקום. דֶבֶר הוא, איפוא, שם נרדף למגיפה ולנגף[17].

גם **בתקופת המשנה** מתוארת המגפה שפגעה ב–24,000 מתלמידי רבי עקיבא[18].

בעולם העתיק תוארו מספר מגפות שהקיפו את העולם העתיק, לדוגמא: בעת המלחמה הפלופונזית בשנת 430 לפה"ס, הייתה מגפת דֶבֶר, שהביאה למות רבע מהלוחמים האתונאים, ורבע מהאוכלוסייה האזרחית.

---

9 ראה באנציקלופדיה העברית, כרך יא, ע' דֶבֶר, עמ' 871; ש.ה. בלונדהיים, קורות א:265, 1955.

10 שמו"א ו יט.

11 מל"ב יט לה; ישעיה לז לו. וראה עוד בדבהי"ב לב כא.

12 ראה סנהדרין צד ב–צה א; מגילה לא ב; שמות רבה יח ה; ילקוט שמעוני, ישעיה פ"י רמז תטו.

13 קדמוניות היהודים, כרך ב, ספר י, פ"א סע' 21. על פי תיאורו יתכן שהמגיפה נבעה משתיית מים מזוהמים.

14 ראה ש.י. פייגין, בספר מסתרי העבר: מחקרים במקרא ובהיסטוריה עתיקה, תש"ג, עמ' 88 ואילך; ז. יעבץ, תולדות ישראל, תרפ"ז, ח"ב עמ' 140 ואילך; מ. ואהלמן, תקופת ישעיהו וחזיונותיו, תרפ"ט, עמ' 267 ואילך; ד. ילין, חקרי מקרא: באורים חדשים במקראות (ישעיהו), תרצ"ט, עמ' צא ואילך; נ. רוגין–מאור ונ. רוגין, הרפואה קלו:650, 1999; י. מרגולין, הרפואה קלח:171, 2000. חוקרים אלו מדברים על מחלת חום פתאומית, על רעידת אדמה, על שריפה, או על הדף אוויר אדיר.

15 מחלה מדבקת הנגרמת על ידי החיידק Yersinia Pestis, שמתקיים בטבע במכרסמים שונים, כגון חולדות, ועובר לבני אדם באמצעות עקיצת פרעושים. השם הלועזי הוא Bubonic plague.

16 ראה תרגום אונקלוס דברים כח כא: דבר—מותא. וראה במשנת תענית ג,ד, "איזהו דבר?" וכו'.

17 יתכן שמקור השם 'דֶבֶר' הוא בעובדה שכולם מדברים בו, בגלל החללים הרבים שהוא מפיל. רש"ר הירש, שמות ט ג כתב שמקור השם הוא "דבר ה'", המתקיים במותו הפתאומי של הנפגע. ראה בהרחבה על הדֶבֶר במקרא ובחז"ל בספרי "אנציקלופדיה הלכתית רפואית" מהדורה חדשה תשס"ו כרך ד עמ' 412–403.

18 יבמות סב ב.

בימי הביניים היו מגפות קשות. לדוגמא:

- מגפת הדֶבֶר בימי יוסטיניאנוס בשנת 145, שהביאה למותם של כ–25 מיליון בני אדם, שהיוותה כ–13% מהאוכלוסייה הכללית בעולם באותה עת;
- המוות השחור במאה ה–14 למניינם, אף היא כנראה מגפת דֶבֶר, שהחלה באסיה ועברה לאירופה, ובמשך 6 שנים גרמה למותם של 25 מיליון בני אדם בסין, ועוד 20–25 מיליון מבני אירופה, שהיו רבע מכלל האוכלוסייה[19,20].

בעת החדשה היו מספר מגפות חמורות. לדוגמא:

- שבע מגפות כולירע[21] במשך כ–150 שנה, עם הפסקות קצרות ביניהן, משנת 1816 ועד שנת 1966. מגפות אלו התרחשו באזורים גיאוגרפיים שונים ברחבי העולם[22,23];
- השפעת הספרדית[24], שהחלה בשנת 1918 והקיפה כמעט את כל העולם. היא נמשכה כשנה וחצי, נדבקו בה כחצי מיליארד אנשים, והיא קטלה כ–50 מיליון אנשים[25];

---

19 מגפה זו גרמה לאחד הפרקים הטרגיים בתולדות עם ישראל, עם עלילות דם, אנטישמיות גואה, ופרעות ביהודים. היהודים חיו לרוב בקהילות מסוגרות, בניגוד לנוצרים שנהגו בזמן המגפה להתקבץ בכנסייה, ובכך להפיץ את המחלה, וכן הקפידו היהודים יותר על היגיינה בגין חיובים שונים לנטילת ידיים ולטבילה. עקב כך נראה היה בעיני הנוצרים כי היהודים מתו פחות, ולכן בין ההמונים הנוצרים נפוצה השמועה כי היהודים הרעילו את בארות המים, והתכוונו להשמיד את העולם הנוצרי.

20 תיאור מעניין על מגפת הדבר בגטו היהודי ברומא בשנת 1656 נמצא בספר 'אוצר החיים' לרב ולרופא יעקב צהלון (ספר ב החקירה הי"ט).

21 Cholera. באותה תקופה "עיברתו" את שם המחלה ל–חולי–רע. זו מחלת המעי הדק עם שלשולים קשים, הנגרם על ידי החיידק Vibrio Cholerae. מקור ההדבקה הוא בדרך כלל במחזור צואה–פה, כאשר אדם נגוע מפריש את החיידק בצואתו, או משתמש במזון או במי שתייה מזוהמים בחיידק.

22 מגפות אלה יצרו דיונים הלכתיים רבים יותר ממגפות אחרות. ראה סיכום בנידון בספר: Zimmels HJ: Magicians, Theologians and Doctors. E Goldston & Son, 1952.

23 רבי עקיבא איגר שימש ברבנות בעיר פוזן בתקופת מגפת הכולירע השניה—בשנים 1829–1837—וקבע סדרי חיים על פי ההלכה. דברים אלו נדפסו בס' אגרות רבי עקיבא איגר, אגרות עא–עג. אגרת עא נדפסה גם בחלק מהמהדורות של חידושי רעק"א לנדרים נט א. וראה להלן בחלק ההלכתי.

24 נגרמה על ידי זן אלים במיוחד של נגיף מתת–המין H1N1 של המין Influenza A.

25 תיאור מפורט של מגפה זו ראה: Brown J: Influenza—The Hundred Year Hunt to Cure the Deadliest Disease in History. Simon & Schuster, 2020

- מגפת האבולה, שהחלה ב־1976 באפריקה, והיא מתפרצת מחדש כל 2–3 שנים. שיעור התמותה גבוה ועומד על כ־40% מהנדבקים;
- מגפת האיידס שהחלה בשנת 1981 באפריקה, והתפשטה לכל העולם. מעריכים כי עד כה מתו ממגפה זו כ־27 מיליון אנשים;
- מחלת SARS, שהחלה בשנת 2003 ומקורה בנגיף ממשפחת הקורונה;
- מחלת MERS, שהחלה בשנת 2012 במזרח התיכון בחצי האי ערב, והתפשטה למדינות רבות.

ב. מגפת הקורונה

מגפה זו התפרצה לראשונה בדצמבר 2019 בווהאן, בירת מחוז חוביי שבסין. אחת ההשערות היא שהנגיף עבר לראשונה לבני אדם מעטלפים, נחשים, או בעלי חיים אחרים אשר נמכרו בשוק הדגים בווהאן באופן לא חוקי, בו נמכרים מלבד דגים גם בעלי חיים רבים נוספים. יש שחשדו שמוצא הנגיף היה ממעבדה לנגיפים בווהאן שניסוי מסוים יצא מכלל שליטה.

במהלך חודש פברואר 2020 החל הנגיף להתפשט מחוץ לסין, ובמהלך חודש מרץ 2020 הגיעה המגפה כמעט לכל מדינות העולם.

בישראל התגלה מקרה ראשון ב־27.2.2020.

זו הפעם הראשונה בהיסטוריה האנושית ששליש מהאנושות—כ־2.5 מיליארד בני אדם—חוייבו להישאר בבידוד בתקופה מסויימת בגל הראשון של התפרצות המחלה.

2

רקע רפואי

מחלת נגיף קורונה[1]—2019—COVID-19[2]—היא מחלה זיהומית הפוגעת בבני אדם, ונגרמת על ידי הנגיף SARS–CoV-2[3] מתת משפחת נגיפי קורונה. ככל הנראה מוצאו מבעלי חיים, אך התפשטותו היא מאדם לאדם.

א. תסמיני המחלה

תסמיני המחלה דומים לתסמיני השפעת, והם כוללים חום, שיעול, בעיות בדרכי הנשימה דוגמת קוצר נשימה וקשיי נשימה, ובמקרים מסוימים המחלה עלולה להוביל לדלקת ריאות קשה, אי ספיקה נשימתית, אי ספיקת כליות, ואף מוות. תוארו גם תסמינים במערכת הקרדיו–וסקולרית, במערכת הקרישה, במערכת העיכול, כאבי שרירים, ופגיעה זמנית או קבועה בחושי הטעם והריח.

ב. סטטיסטיקות

שיעור החולים הקשים אשר לרוב נזקקים להנשמה מלאכותית הוא כ–10% מהנדבקים. שיעור השורדים לאחר שהונשמו הוא 15–20%.

שיעור התמותה הממוצע בעולם הוא 3–4%, אך הוא משתנה בהתאם לגיל החולה, בהתאם למיקומים גיאוגרפיים, ובהתאם ליכולות של מערכות רפואיות שונות להעניק טיפול מתקדם. שיעור התמותה עולה מאד בנפגעי קורונה שיש להם מחלות רקע משמעותיות, מגבלות בתפקוד וגיל מתקדם.

---

1 משפחת נגיפים זו נקראת כך בגלל צורת הנגיפים ככתר במיקרוסקופ אלקטרוני.

2 Corona Virus Disease-19, על שם התפרצותו בשלהי שנת 2019.

3 Severe Acute Respiratory Syndrome Corona Virus 2.

ג. הדבקה

הנגיף עובר מאדם לאדם דרך שיעול, התעטשות, והפרשות מהגוף. הנגיף עובר גם במגע לא ישיר, כאשר נשא של הנגיף נוגע בחפץ, ואדם בריא שייגע באותו החפץ יכול להידבק גם הוא.

תקופת הדגירה של הנגיף, במהלכה לא מופיעים תסמינים, היא בעלת שונות מסוימת. החציון הוא 5 ימים, כ–97% יגלו תסמינים עד 11 ימים, אך התקופה יכולה לנוע בין יומיים ל–14 יום, ובמקרים נדירים אף יותר מכך. במהלך תקופה זו הנשא יכול להדביק אחרים גם אם הוא ללא כל תסמינים.

ד. אבחון המחלה

אבחון המחלה מתבצע באמצעות לקיחת דגימה מהנבדק. הדגימה יכולה להיות נוזלי גוף שנלקחים מרקמות מערכת הנשימה כמו ליחה או כיח, או לחלופין מאזורים בדרכי הנשימה העליונות כמו ריריות האף והגרון. הדגימות נאספות באמצעות מְטוֹש סטרילי. מדגימות אלו מפיקים את החומר הגנטי, ומשווים אותו לחומר גנטי של הנגיף. במקביל, הולכות ומתפתחות שיטות זיהוי הנגיף באמצעים שיכולים לספק את התשובה תוך זמן קצר יחסית. ניתן לבצע בדיקה סרולוגית של הנוגדנים אצל הנבדק (IgG ו–IgM), על פיה ניתן לדעת אם הוא חלה בעבר והבריא, או אם הוא נמצא בשלב הפעיל של המחלה, או שהוא טרם נחשף למחלה.

ה. חיסון ותרופה

נכון למועד כתיבת מאמר זה טרם הצליחו לפתח חיסון לנגיף הקורונה, אך התקווה היא שדבר זה יתרחש בעתיד הנראה לעין, ובכך ניתן יהא להתגבר על מגפה זו.

כמו כן נכון למועד כתיבת מאמר זה טרם נמצא טיפול יעיל למחלת הקורונה, ונעשים ניסיונות שונים בתרופות שיעילותן ובטיחותן טרם הוכרעה. ביניהן יש לציין תכשירים אנטי–ויראליים שונים ותכשיר אנטי–מלריה.

ו. מניעה

הדרך היחידה להתמודד עם מגפת הקורונה לעת הזאת היא מניעת התפשטותו והדבקתו. לשם כך ניתנו מספר הנחיות, ובמדינות רבות הפכו חלק מההנחיות לחובות בנות אכיפה.

בין השאר יש לציין את הפעולות הבאות:

- רחיצת ידיים נכונה עם מים וסבון, או עם נוזלים המכילים אלכוהול;
- היגיינה של שיעול ועיטוש לשקע המרפק, ולא לכף היד;
- כיסוי האף והפה במסכה רפואית, על מנת למנוע התזת רסיסים זעירים לסביבה[4].
- ריחוק חברתי בדרכים שונות: מרחק של לפחות 2 מטרים זה מזה, הימנעות מלחיצת ידיים חיבוקים ונשיקות, הימנעות מהתקהלות של יותר ממספר אנשים (המדיניות להגדרת מספר האנשים המהווים התקהלות מסוכנת משתנה מזמן לזמן וממקום למקום).
- מי שנמצא שהוא נשא של הנגיף, או שבא במגע ישיר עם נשא, חייב בבידוד מוחלט בחדר, בבית, או במתקן מתאים.
- במדינות או באזורים שבהם ההדבקה משמעותית, יש שחייבו סגר מלא או עוצר של כל התושבים.
- בכל המדינות שנפגעו מנגיף הקורונה נאסרה כניסה ויציאה של התושבים למדינות אחרות.

ז. כלכלה וחברה

מגפת הקורונה גרמה לנזק כלכלי עצום ליחידים, לחברות, לענפי משק ולמדינות שלמות, ירידה משמעותית בבורסה, ושיעורי אבטלה עצומים.

בגין דרישות הבידוד, ההסגר והעוצר נסגרו ענפי משק רבים, כגון עסקי תיירות, תעופה, חנויות, חברות מסחריות ותעשייתיות, מוסדות ועמותות. בחלק מהמקרים הוגבל מספר העובדים ל–20–30% ממצבת העובדים, והשאר פוטרו או הופנו לחופשה בתשלום.

כמו כן בוטלו אירועים עולמיים, לאומיים ופרטיים, כגון ועידות בינלאומיות, אירועי תרבות וספורט, חגיגות ומסיבות.

נגרמה גם פגיעה משמעותית באירועים דתיים, כולל תפילות במניין, לימוד בתלמודי תורה וישיבות, מסיבות מצוה—חתונות, לוויות, אירועי חגים, ועוד.

---

4 וראה בביאוה״ל סי׳ תקנד ס״ו ד״ה ובמקום חולי, שמצטט מס׳ פתחי עולם שבעת מגפת הכולירע אם יוצא מביתו יש להכריחו שילבש על סביב חוטמו ופיו חתיכה ״קאמפער״, היינו בד, ומעט עשב ״מיאטע״, היינו מנטה.

3

פרטי הלכות והנהגות

א. התנהגות כללית והחיוב לשמוע לשלטונות ולמומחים בזמן מגפה

1. על פי הגמרא יש לברוח מן העיר בזמן שיש בה דֶבֶר[1].

וכתבו פוסקים שהעצה ההלכתית היא לברוח בתחילת המגיפה, אבל כאשר המגיפה כבר התפשטה, עדיף שלא לצאת מהבית ומהעיר[2]. ויש מי שכתב, שאלו שכבר חלו במחלה זו, או אלו המסוגלים להיות לעזר לאחרים בשירותם, לא יברחו מהעיר בשעת מגיפה[3].

אכן, במגפת הקורונה ההנחיות הן דווקא להישאר בבית, לא לצאת כלל, ובוודאי לא לעבור למקומות אחרים. וברור שבשיאי המגפה גם אין לאן לברוח, שהרי המגפה שוררת בכל מקום. אמנם ניתן לומר שזה מקור הלכתי להוצאת נשאים או חולים בקורונה מבתיהם למקומות מרוכזים (כגון מלוניות), על מנת לעצור את שרשרת ההדבקה בתוך הבית, ובפרט בבתים קטנים וצפופים.

---

1 ב"ק ס ב. וראה מהרש"א שם; שו"ת רשב"ש סי' קצה; שו"ת מהרי"ל סי' מא(א); רמ"א יו"ד קטז ה (וראה הקדמת הרמ"א לספרו מחיר היין על מגילת אסתר שכתב שברח מעירו קראקא לעיר שידלוב בגלל "עיפוש האוויר והחולי"); מג"א סי' תרכו סק"ג. ועצה זו נרמזה כבר על ידי הנביא ירמיהו (כא ט–י). וראה בביאור הגר"א יו"ד סי' קטז סקט"ז; תו"ת דברים פל"ב אות עה. וראה עוד זוהר וירא דקי"ג ע"א; ס' חסידים הוצאת מק"נ סי' שעב, ושם הוצאת ויסטינצקי סי' שעב; רבנו בחיי עה"ת במדבר טז כא; יש"ש ב"ק פ"ו סי' כו; שו"ת זרע אמת סי' לב. וראה של"ה שער האותיות אות דל"ת דרך ארץ, ומג"א סי' תרכו סק"ג, שדין זה חל במיוחד על הורים לצאת עם ילדיהם ממקומות המגפה.

2 שו"ת מהרי"ל סי' מא; יש"ש ב"ק פ"ו סי' כו; רמ"א יו"ד קטז ה. וראה עוד בנידון בשו"ת דברי משה (מזרחי) חחו"מ סי' פא. ראה גם ר"י וייסינגר, אסיא קג–קד: 50–35, מרחשון תשע"ז.

3 יש"ש ב"ק פ"ו סי' כו.

2. חובה על כל התושבים להתנהג בזמן המגפה על פי מה שינחו אותם שלטונות הבריאות המומחים לדבר, בהתאם לנתונים של המחלה המדבקת, ובהתאם לידע באותו זמן ובאותו מקום. הלכה זו נובעת ממספר חיובים—חלקם נוגעים לשמירת האדם על עצמו מפני הסכנה; חלקם נובעים מהאיסור לפגוע ולהזיק לאחרים; וחלקם נוגעים למניעת חילול השם ואיבה:

- 'רק השמר לך וּשְׁמֹר נפשך מאד'[4], 'ונשמרתם מאד לְנַפְשֹׁתֵיכֶם'[5]. מפסוקים אלו נלמד חיוב לשמור גופו מסכנה[6], ובשום מצוה לא נאמר "מאד" כמו במצווה זו[7]. ואף שהפסוקים הללו מתייחסים לשכחת התורה[8], לזכירת מעמד הר סיני ולשמירת המצוות[9], ולא לשמירת נפש האדם, כנראה היתה לחז"ל קבלה שהפסוקים הללו נדרשים גם לעניין אחר, ולכן יכולים לדרוש גם על שמירת הגוף[10].
- 'וְעָשִׂיתָ מַעֲקֶה לְגַגֶּךָ וְלֹא תָשִׂים דָּמִים בְּבֵיתֶךָ'[11]. העשה והלאו הקשורים במצות מעקה מהווים מקור כללי לחיוב הסרת סכנה[12], ואם לא הסיר והניח המכשולות המביאים לידי סכנה,

---

4 דברים ד ט.

5 שם טו.

6 ברכות לב ב; שבועות לו א; שאילתות שאילתא קלד; רמב"ם רוצח ושמירת הנפש יא ד, ושם סנהדרין כו ג; טושו"ע חו"מ תכז ח; לבוש יו"ד קטז א; קיצושו"ע לב א. וראה חי' הריטב"א שבועות לו א ד"ה א"ר ינאי (בהוצאת מוסד הרב קוק הוא בד"ה דכתיב). וראה העמק דבר דברים ד ט; שו"ת יביע אומר חיו"ד ח"א סי' ח סק"ב.

7 פלא יועץ ערך שמירה. וראה שם שכתב שמכל מקום צריך פלס ומאזני משפט לכלכל דבריו במשפט, ולא ירבה בשמירה במקום שאמרו לקצר, ולא יקצר במקום שאמרו להאריך. וראה גם בקובץ אגרות החזו"א ח"א איג' קלו.

8 ראה רש"י עה"פ.

9 ראה רמב"ן עה"פ.

10 מהרש"א ברכות שם בח"א ד"ה כתיב בתורתכם. וראה במנ"ח מ' תקמו, ובקומץ המנחה שם, שהקשה ותירץ כך, ולא ראה שקדמו המהרש"א, עיי"ש. וראה עוד בנידון בס' חסידים הוצאת מק"נ סי' תתתשנא; סמ"ע חו"מ סי' תכז סקי"ב; ביאור הגר"א על שו"ע חו"מ סי' תכז סק"ו; כלי יקר דברים ד ט; העמק דבר דברים ד ט; דרכ"ת יו"ד סי' קטז סקנ"ז; תו"ת דברים ד ט. וראה ברבינו בחיי דברים ד ט שקשר בין שתי ההבנות של הפסוק—"שאם ישכח ויסיר ענין המעמד הנכבד והנפלא ההוא מלבו, יבא לכפור בעיקר, וזה אבדן הגוף והנפש". ובדרך החידוד יש מי שפירש ונשמרתם מאד—למען נפשותיכם, היינו שימרו על גופכם כדי שנפשותיכם יתקיימו ותוכלו לקיים את התורה.

11 דברים כב ח.

12 רבנו בחיי שם.

ביטל מצות עשה, ועבר בלא תשים דמים[13], ומכאן החיוב למנוע מצבים העלולים לגרום נזק וסכנה[14].

- 'לא תשחית'[15]. איסור בל תשחית כולל גם השחתה של הגוף, וכדי להימנע מכך התירו פעולות שונות של השחתת חפצים לצורך שמירת הבריאות[16]. ואמנם רוב הפוסקים פסקו כאותה דעה שיש איסור בל תשחית בגופו של אדם, ולא רק בחפצים[17].
- 'וְאַתֶּם לֹא תֵצְאוּ אִישׁ מִפֶּתַח בֵּיתוֹ עַד בֹּקֶר'[18]. מלאו זה דרשו שצריך אדם להישמר בזמן מגיפת דֶבֶר[19].
- 'וַיְהִי הָאָדָם לְנֶפֶשׁ חַיָּה'[20]. אמר רב יהודה אמר רב, אמרה תורה נשמה שנתתי בך החייה[21].
- 'וְהֵסִיר ה' מִמְּךָ כָּל חֹלִי'[22]. דרשו חז"ל, ממך הוא שלא יבואו חוליים עליך[23]. היינו, באדם תלוי שלא יבואו חליים עליו[24].

---

13 רמב"ם רוצח ושמירת הנפש יא ד. וראה במנ"ח בקומץ המנחה מ' תקמו, מה שהקשה על הרמב"ם.

14 כתובות מא ב; ב"ק טו ב; רמב"ם נזקי ממון ה ט, ורוצח שם א–ד; טושו"ע חו"מ תט ג, ושם תכז ח; סמ"ע שם סי' תכז סקי"ב. וראה עוד בנידון בפרמ"ג או"ח סי' קנז, בתחילת הפתיחה להלכות נטילת ידים; חיי"א טו כד; העמק שאלה שאילתא קמה אות יז; מלבי"ם דברים כב ח. וראה בדבר אברהם ח"א סי' לז אות כה, ובס' שמירת הגוף והנפש מבוא פ"ב, אם חיוב מעקה הוא גם בחשש נזיקין, או דווקא בחשש מיתה. וראה פירוט דיני מעקה בספר ונשמרתם מאד לנפשותיכם (שוורץ) עמ' 69 ואילך. וראה באריכות באנציקלופדיה תלמודית כרך לה ע' לא תשים דמים, טור' קלג ואילך.

15 דברים כ יט.

16 שבת קכט א; שם קמ ב; ב"ק צא ב.

17 ראה רי"ף שבת נב א; רא"ש שבת פי"ח סי' ה; סמ"ג לאוין סי' רכט; סמ"ק סי' קעה; שערי תשובה שער ג אות פב; ס' חסידים (מרגליות) סי' אלף יד; יש"ש ב"ק פ"ח סי' נט. וראה בתו"ת דברים פ"כ אות נז שהסביר הדבר כמין חומר, והעיר שהרמב"ם השמיט דין זה, ונראה שסובר שאיסור בל תשחית אינו חל על גוף אדם. וראה עוד מ. סליי, איסור העישון בהלכה, תשמ"ח, עמ' 16–13.

18 שמות יב כב.

19 ב"ק ס ב. וראה שם עוד פסוקים לאותו עניין. וראה שו"ת רשב"ש סי' קצה; שו"ת רדב"ז ח"ב סי' תרפב; תו"ש שמות פי"ב אות תמז*.

20 בראשית ב ז.

21 תענית כב ב. וראה מאירי שם; ס' חינוך מ' שעד, משרשי המצוה.

22 דברים ז טו.

23 ויקרא רבה טז ח.

24 מתנות כהונה, שם.

- יש שלמדו באופן כללי, ממה שהזהירה אותנו התורה באומרה 'לא תנסו את ה' אלקיכם'[25], וכבר נקבע הכלל שאין סומכים על הנס[26].
- 'צנים פחים בדרך עקש, שומר נפשו ירחק מהם'[27], שעם היות האדם בוטח בה', עם כל זה לא יכניס עצמו בסכנות, וישמור מן המקריים כפי יכולתו, ושומר נפשו, רוצה לומר גופו, ירחק מהם[28].
- חמירא סכנתא מאיסורא[29], ולפיכך בדבר שיש בו סכנה לא מועיל ספק ספיקא[30], כי באיסור הקב"ה ויתר בספק ספיקא ושוב אין אחריותו עלינו, אבל בסכנה אי אפשר להשיב את הנפש[31]; ואין הולכים אחר הרוב במקום סכנה[32];
- פיקוח נפש—כל מי שיש לו חולי של סכנה, או ספק סכנה, ואפילו ספק רחוק וכמה ספקות[33] מצוה לחלל עליהם את השבת, והזריז

---

25 דברים ו טז.

26 ראה שבת לב א רשימה של כמה אמוראים שנזהרו במקום סכנה, ולא סמכו על הנס; פסחים סד ב, מחלוקת אביי ורבא, לאביי סומכין על הנס, ולרבא אין סומכין, וידוע שבכל מקום הלכה כרבא מלבד יע"ל קג"ם, וכך פסק הרמ"א ביו"ד קטז ה; ירושלמי יומא א ד, דעה אחת שאיסור ההסתכנות נלמד מהפסוק 'לא תנסו את ה' אלקיכם' (דברים ו טז), אך בבבלי תענית ט א, מפרשים פסוק זה בעניין אחר. וראה בכוזרי מאמר ה אות כ, רד"ק בראשית מב ד, ושמו"א טז ב, חובות הלבבות שער הבטחון פ"ד—שאכן למדו מפסוק זה איסור הסתכנות. וראה עוד בנידון ירושלמי שקלים ו ג. וראה רמב"ן עה"ת במדבר א מה; שו"ת הרשב"א המיוחסות לרמב"ן סי' רפג; רמ"א יו"ד קעט ב; דרשות הר"ן דרוש השמיני; עקדת יצחק בראשית שער כו; שד"ח מערכת אל"ף כלל שעט; שם מערכת נו"ן כלל מה; שם פאת השדה מערכת אל"ף כלל יח; אנציקלופדיה תלמודית, כרך א, ע' אין סומכים על הנס, טור' תרעט ואילך. וראה בשו"ת טוטו"ד מהדו"ג ח"ב סי' קצח, שבסכנה סגולית שאינה טבעית מותר לסמוך על הנס. וראה בס' ביטחון והשתדלות (וינרוט) פ"ח.

27 משלי כב ה.

28 מאירי שם. וראה תוס' כתובות ל א ד"ה הכל בידי שמים, בביאור פסוק זה. וראה עוד בס' האמונה הרמה להראב"ד מאמר שני עיקר ו; חובות הלבבות שער ה פ"ה; שו"ת הרשב"ש סי' קצה.

29 חולין י א, ורי"ף שם; כס"מ ברכות ו ב; שו"ע או"ח קעג ב; רמ"א יו"ד קטז ה; לבוש שם א; חידושי חת"ס ע"ז ל א; ערוה"ש או"ח קטז יב.

30 פרמ"ג שם במשב"ז סק"י, וכן משמע בשו"ת אבקת רוכל סי' ריג. וראה עוד בשו"ת דברי מלכיאל ח"ב סי' נג; שו"ת מנחת אלעזר ח"ב סי' עו; שו"ת קרן לדוד חאו"ח סי' א; שו"ת טוטו"ד ח"ג סי' קצח; שו"ת יבי"א ח"א חיו"ד סי' ט אות ח ואות יג.

31 חידושי חת"ס ע"ז ל א.

32 שו"ת נובי"ק חאבהע"ז סי' י; שו"ת מהרש"ם ח"א סי' נח. וראה תוס' פסחים קטו ב ד"ה קפא. וראה באריכות בשו"ת יבי"א ח"א חיו"ד סי' ט אות' י–טז.

33 שבת קכט א; יומא פג א–פד ב; ערכין ז ב; רמב"ם שבת ב א; טושו"ע או"ח שכט ג.

הרי זה משובח[34], והשואל הרי זה שופך דמים, והנשאל הרי זה מגונה[35]. לפיכך אין הולכים בפיקוח נפש אחר הרוב[36], שהרי אמרה התורה אֲשֶׁר יַעֲשֶׂה אֹתָם הָאָדָם וָחַי בָּהֶם[37], ולא שימות בהם[38], שלא יוכל לבוא בשום עניין לידי מיתת ישראל על ידי שמירת מצוות[39], ודבר זה מעיד שחביבה לפני הקב"ה נפש אחת מישראל יותר מן המצוה[40]. הא למדת שאין משפטי התורה נקמה בעולם, אלא רחמים וחסד ושלום בעולם, ואלו האפיקורסים שאומרים שזה חילול שבת ואסור, עליהן הכתוב אומר וְגַם אֲנִי נָתַתִּי לָהֶם חֻקִּים לֹא טוֹבִים וּמִשְׁפָּטִים לֹא יִחְיוּ בָּהֶם[41];

- "לא תעמד על דם רעך"[42];
- רודף—הרודף אחר חברו להורגו, הרי כל ישראל מצווים להציל הנרדף מיד הרודף, ואפילו בנפשו של הרודף[43].
- חב לאחריני—שיותר יש לאדם ליזהר עצמו שלא יזיק אחרים משלא יוזק[44].
- דינא דמלכותא דינא;
- חילול השם, ובחו"ל גם משום איבה—שיאמרו הגויים שהיהודים מפיצים את המחלה.
- ויש מי שכתב, שהמדביק אחרים עובר משום לפני עיוור, ומשום ואהבת לרעך כמוך, ומשום לא תעמד על דם רעך[45].

34 יומא פג ב; ירושלמי יומא ח ה; טושו"ע או"ח שכח ב; מ"ב שם סקי"ז.

35 ירושלמי שם; תורת האדם שער המיחוש ענין הסכנה; המאירי בחיבור התשובה מאמר ב פ"י ד"ה ואחר שבארנו; תרומת הדשן פסקים וכתבים סי' קנו; שו"ת התשב"ץ ח"א סי' נד; טושו"ע שם ומ"ב שם סק"ו; שו"ת הרדב"ז ח"ד סי' סז (סי' אלף קלט).

36 יומא פד ב–פה א; כתובות טו ב. וראה רש"ש יומא פד ב: פשיטא הוא דאפילו ספק שמא ימות בעוד שנה או שנתיים—מחללין. וראה שו"ת רעק"א סי' ס ד"ה ולענ"ד. וראה עוד שו"ת צי"א ח"ח סי' טו פ"ז;

37 ויקרא יח ה.

38 יומא פה ב.

39 תוס' יומא פה א ד"ה ולפקח; ר"ש מכשירין ב ז ד"ה אם. וראה חי' החת"ס סופ"ק כתובות.

40 המכתם, פסחים כה ב ד"ה ורוצח.

41 יחזקאל כ כה. רמב"ם שבת ב ג.

42 ויקרא יט טז.

43 סנהדרין עג א–ב; רמב"ם רוצח א ו; טושו"ע חו"מ תכה א. וראה תוס' שם ד"ה אף, שהצלת נרדף מיד רודף בנפשו של רודף הוא מצוה.

44 תוס' ב"ק כג א ד"ה וליחייב.

45 ס' חסידים סי' תרעג.

3. להלן לקט מדברי רבנים בדורות קודמים על החובה להישמר בזמן מגפה:

בשו"ת הרשב"ש סי' קצה כתב:

> בימות המגפה צריך להיזהר בתכלית השמירה, ושיוסיף בהנהגתו לנקות המותרים, ושלא להרבות במזון, ושיאכל דברים טובי האיכות ומעטי הכמות, וירבה המנוחה וירחיק היגיעה, וירבה מהמנוחים הטובים, וירחיק האנחה וירבה השמחה, כל זה בקצה אחד מהקצוות ולא יספיק בזה המצוע בלבד.

ובאגרות רבי עקיבא איגר, איגרת עג כתב:

> גם הזהרתי פעמים הרבה באזהרה אחר אזהרה שיהיו הנהגתם באכילה ושתי' כפי אשר סדרו ואשר שפטו הרופאים להיזהר מזה, וירחקו כמטחוי קשת כאילו הם מאכלות אסורות, ולא יעברו על דבריהם אף כמלוא הנימה, ובכלל הזה להישמר מכל דבר ודבר, כגון שלא לצאת שחרית מביתו אליבא דריקנא, וההכרח לשתות חמין מקודם, והעובר על ציווי הרופאים בסדר ההנהגה חוטא לה' במאוד, כי גדול סכנתא מאיסורא, ובפרט במקום סכנה לו ולאחרים שגורם ח"ו התפשטות החולי בעיר וגדול עוונו מנשוא[46].

ובשו"ת נשמת כל חי ח"ב חחו"מ סי' מט כתב בדין רופא שמטפל בחולים בזמן מגפה שרשאים המתפללים למנוע ממנו להיכנס לבית הכנסת, ולכן עליו להתקין מחיצה שתחצוץ בינו לבין המתפללים.

4. כאשר התברר שבריכוזי החרדים בישראל, בארה"ב ובאנגליה אחוז הנפגעים הוא גדול לעין שיעור מהנפגעים באוכלוסייה הכללית, יצאו כמעט כל הרבנים וראשי הישיבות בקול קורא ובפסקי הלכה ברורים למלא אחרי ההנחיות המקצועיות של רשויות השלטון בכל דבר ועניין, להפסיק את הלימודים בישיבות ובתלמודי התורה, להתפלל ביחידות בבתים, לצמצם עד מאד את ההשתתפות

---

46 וראה באגרות רעק"א איגרת עא שכתב הנהגות שונות הנובעות מקביעות של מומחים בזמנו להישמר מקור, לדאוג לאוכל בריא וטוב, לדאוג לניקיון הגוף והבגדים, לטייל באוויר הצח ולפתוח חלונות לאיוורור, ולהימנע מעצבות.

בחתונות, בבריתות מילה, בלוויות וכד׳. חלקם הורו שאף לא לקיים מניינים מצומצמים בשטחים פתוחים, וחלקם הורו שכל עוד משרד הבריאות מאשר תפילות במניין בשטח פתוח ובמרחק של 2 מטרים איש מרעהו מותר להמשיך להתפלל כך בציבור, ומשהשלטונות אסרו אף זאת—הורו להתפלל ביחידות בלבד. בכל מקרה אסרו לקיים אירועים עם משתתפים אחרים, ואף אירועי מצוה ושמחה, להסתגר בבתים, ובעיקר—כל הרבנים וראשי הישיבות מכל החוגים הדתיים והחרדיים חייבו להישמע להנחיות של הגורמים המקצועיים והממשלתיים ככתבם וכלשונם.

וכך מצינו שכמעט כל גדולי הרבנים וראשי הישיבות התבטאו בצורה ברורה וחד משמעית ביחס לחובה להישמע להוראות הרופאים:

- ״בעניין הוראות הרופאים יש לשמור עליהם, וחלילה לזלזל בחייו או בחיי אחרים בעניין שיש בו אף ספק ספקא של פקו״נ לו או לזולתו, ואיסור חמור שלא להתחכם כנגד הוראות הרופאים, וחמירא סכנתא מאיסורא, והוא פקוח נפש וחב לאחריני, וחטא גדול לזלזל בהוראות אלו״[47];
- ״איסור חמור לעבור על כל מה שכתוב לעיל [הנחיות משרד הבריאות], ללא יוצא מן הכלל. עי׳ רמב״ם הל׳ רוצח ושמירת נפש פ׳ י״א״[48].
- ״פשיטא שכל ירא ד׳ חייב להישמר מאד ולהוסיף זהירות על המתחייב ללא יוצא מן הכלל, וחלילה אם אינו עושה כן ונשמר ככל יכולתו בכל כללי ההיגיינה וההרחקות מלבד שהוא מפקיר נפשו ועובר על ״ונשמרתם מאד לנפשותיכם״ הרי הוא גם בחשש להיות פוגע בנפשות אחרים ח״ו, ובעיקר אלו המבוגרים והחולים, וחלילה להיכשל בחשש אחד מג׳ החמורות״[49];
- ״הרואה כאלה המזלזלים בהוראות משרד הבריאות מחויב למחות בידם ולהודיע לשלטונות כי הם בגדר רודף ח״ו.

47 אגרת ״מן המצר קראנו״ בחתימת כל חברי הבד״צ של העדה החרדית בראשות הגאב״ד הגר״ט וייס והראב״ד הגר״מ שטרנבוך, מיום ד׳ ניסן תש״פ.

48 רה״י הרה״ג ר׳ ג. אדלשטין, פורסם בעיתונות החרדית, תחילת ניסן תש״פ.

49 אגרת של רבני ה״פלג הירושלמי״ בחתימת הגר״צ פרידמן, הגרב״ש דויטש, הגר״ע אויערבאך, הגר״ש מרקוביץ, הגר״א דויטש, הגר״י ארנברג, מיום ד׳ בניסן תש״פ.

ונשמרתם מאד לנפשותיכם, ולא תעמוד על דם רעך, זוהי חובת השעה ללא שום הוראת היתר בזה"[50];

- יש לשמוע לרופאים, מי שמזלזל בהוראות הרופאים ועלול להביא אחרים לסכנה דינו כרודף, אם גרם למותו של אחר בגלל זלזול בהוראות הרופאים דינו קרוב למזיד, מותר לגעור במי שחייב בידוד ולמרות זאת יצא החוצה, מותר למסור לרשויות החוק את מי שמפר את הוראות משרד הבריאות, מותר להשאיר טלפון פתוח בשבת למקרה שהרופאים יצטרכו להשיגו ויוכל לענות בשל חשש פקוח נפש[51].
- "וכן יש ללמוד גם בימינו אלה, להקפיד הקפדה יתירה על ההוראות של גורמי הרפואה המוסמכים, ועל כל התקנות של משרד הבריאות, ולא לחרוג מהם. ואלה שנגזר עליהם להיות בבידוד אל יצאו מפתח ביתם ולא יסכנו את הרבים"; "וכאן מקום אתי להודיע את צערי, כעסי וכאבי על אלה שלא נשמעים להורות הרשויות ומפירים את פקודת הבידוד, והלוא ידעו שהם עלולים ח"ו להדביק אנשים במחלה קשה זו, ולגרום ח"ו למותם, ואיבוד נפש אף ע"י גרמא ודגרמא דגרמא בכוח שני ובכוח כוחו יש בו עוון רציחה בידי שמים, ואף שח"ו אינם מתכוונים להרע ולהזיק לאיש, מ"מ הוי כהורג נפש בשגגה ע"י גרמא, שגדול עוונו מנשוא"[52].
- "באתי בזה להבהיר כי אין שום הנחיה הלכתית שגוברת על הוראות משרד הבריאות. ההנחיה ההלכתית בנושא, היא לציית באופן מוחלט לכל הוראות משרד הבריאות ללא יוצא מן הכלל, וכל הוראה היוצאת על ידם היא כהוראה הלכתית לכל דבר וענין"[53].
- "כבר הודעתי ופרסמתי ברבים את דעתנו, דעת התורה הקדושה, כי אין שום הלכה בעולם שבכוחה לגבור על הוראות הרופאים

---

50 אגרת של רבני בני ברק הגרי"א לנדא והגרש"צ רוזנבלט מיום ד' בניסן תש"פ. וכן כתב במנחת אשר—בתקופת הקורונה מהדורה תניינא סי' טז(ז). אמנם בפניני חשוקי חמד על מגפת הקורונה (הגר"י זילברשטיין) ח"ב עמ' 5 כתב שאין לפרסם ברבים מי שידוע שהוא חולה ועלול לדבק אחרים, וצ"ע.

51 תשובות של הגר"ח קניבסקי לשאלות שנשאל. פורסם ברבים באתרי החדשות החרדיים.

52 קונטרס מנחת אשר—בתקופת הקורונה, ח"א עמ' 6 ושם ס"י.

53 קריאת קודש של הראש"ל מיום ט"ז אדר תש"פ.

והנחיות משרד הבריאות שנועדו לשמור על בריאות הציבור. ואדרבה, כל אדם שנותן יד למניינים אלו נכנס לגדר רודף ומסכן הבריות, ואפשר כי עוון רציחה בידו"[54].

ואמנם, אף שבתחילת המגפה לא הייתה הקפדה נאותה על כללי שמירת הבריאות בתנאי המגפה, והציבור החרדי בישראל ובעולם שילם על כך מחיר יקר עד מאד, אבל משהובנה חומרת הבעיה והובנו הכללים לשמירת הבריאות, וגדולי הרבנים יצאו בקריאה גדולה להישמר בדקדקנות בכל פרטי הדרישות של המומחים, הפך הציבור החרדי לקבוצה הממושמעת ביותר, והתחלואה והתמותות ירדו פלאים.

אשר על כן, לאור ההנחיות המקצועיות בכל העולם שבהיעדר חיסון או טיפול יעיל נגד הקורונה הדרך היעילה ביותר למנוע את התפשטות הנגיף היא שהייה של האוכלוסייה בבידוד או בהסגר, גם אם דבר זה כרוך בביטול תפילה בציבור, או בביטול לימוד תורה ברבים וכד'—חובה לשמור בקפדנות על כל הכללים וההנחיות המקצועיים, ומותר להטיל על אוכלוסיות כאלה סגר לצורך הגנה והצלה של אחרים, ככל שהדבר מוכח על ידי שלטונות הבריאות והמומחים בדבר.

מי שמפר את הוראות השלטונות להישאר בבידוד, להימנע מתפילות במניין, להימנע מביקורים אצל אחרים וכיו"ב—מותר וחובה לדווח על כך לשלטונות[55].

ויש לציין כי הרעיון שבידוד והסגר מועילים במחלות מדבקות נמצא כבר בתורה ביחס למצורע[56]. וכבר חז"ל הזכירו את הצורך הגדול להסתגר בעת מגיפה:

> ת"ר דֶבֶר בעיר כנס רגליך, שנאמר: ואתם לא תצאו איש מפתח ביתו עד בקר[57], ואומר: לך עמי בא בחדריך וסגור

---

54 הראשון לציון הרב הראשי לישראל הגר"י יוסף, באגרת מיום טז ניסן תש"פ. וראה עין יצחק—הקורונה בהלכה (הגר"י יוסף), עמ' א ואילך.

55 פסק הגר"ח קניבסקי, הובא לעיל; קונטרס מנחת אשר—בתקופת הקורונה ח"א סי' יב סק"ז.

56 ראה ויקרא יג ד, ובהמשך, בדיני מצורע; במדבר יב טו, בעניין מרים; מל"ב טו ה, ודבהי"ב כו כג, בעניין עוזיה.

57 שמות יב כב.

דלתיך בעדך[58], ואומר: מחוץ תשכל חרב ומחדרים אימה[59]. מאי ואומר, וכי תימא ה״מ בליליא, אבל בימָמא לא, תא שמע לך עמי בא בחדריך וסגור דלתיך, וכי תימא ה״מ [היכא] דליכא אימה מגואי, אבל היכא דאיכא אימה מגואי כי נפיק יתיב ביני אינשי בצוותא בעלמא טפי מעלי, ת״ש מחוץ תשכל חרב ומחדרים אימה, אף על גב דמחדרים אימה מחוץ תשכל חרב. רבא בעידן רתחא הוי סכר כוי [סגר החלונות], דכתי׳ כי עלה מות בחלונינו[60].

הרי שהתורה וחז״ל כבר הקדימו את רופאי זמנינו בהבנה שבידוד והסגר הם האמצעים הטובים ביותר למניעת התפשטות מחלה מדבקת[61].

ב. הגדרת מגפה

1. מגפה מוגדרת בחז״ל כך:

איזהו דֶבֶר[62], עיר המוציאה חמש מאות רגלי, ויצאו ממנה שלשה מתים בשלשה ימים זה אחר זה, הרי זה דבר, פחות מכאן אין זה דֶבֶר[63].

2. ופסק הרמב״ם:

איזה הוא דֶבֶר, עיר שיש בה חמש מאות רגלי, ויצאו ממנה שלשה מתים בשלשה ימים זה אחר זה הרי זה דבר, יצאו ביום אחד או בארבעה ימים אין זה דבר, היו בה אלף ויצאו ממנה ששה מתים בשלשה ימים זה אחר זה הרי זה דבר, יצאו ביום אחד או בארבעה ימים אין זה דבר, וכן לפי חשבון

---

58 ישעיהו כו כ.

59 דברים לב כה.

60 ב״ק ס ב. וראה בשו״ת הרשב״ש סי׳ קצה בביאור מאמר חז״ל זה בצדדים הטבעיים בזמן מגפה.

61 וכן ראה בספר ׳אוצר החיים׳ לרב ולרופא יעקב צהלון (ספר ב החקירה הי״ט) בתיאור של מגפת הדבר בגטו היהודי ברומא בשנת 1656 שכולם חויבו להישאר בבתיהם. ובס׳ ליקוטי אמרים מכתב יג בתיאור של המגפה בטבריה בשנת תקמ״ו על ידי האדמו״ר ר׳ מנחם מנדל מויטבסק שנסגרו בחצרותיהם ״ולא ניכרו בחוצות כי אם ריקים ופוחזים וגויים להבדיל״.

62 ראה לעיל שהכוונה לכל מגפה.

63 תענית יט א.

זה, ואין הנשים והקטנים והזקנים ששבתו ממלאכה בכלל מנין אנשי המדינה לעניין זה[64].

3. אכן, מגדולי האחרונים יש מי שכתב:

והעיקר נראה דרק הדָבָר שנזכר בש"ס שלא היה חולי מיוחד, רק שהיו מתים אנשים פתאום יותר מכפי ההרגל, בזה צריך שיעור ג' בג' ימים לת"ק רגלי, שזה מוכיח שהוחזק הדבר ונשתנה האויר, וכ"כ הב"י סי' תקע"ו ע"ש. אבן החולי שנקרא אצלינו חלי רע, כיון שנראתה מחלה זו באיזה בני אדם, ניכר שנשתנה ונתקלקל האויר. ואף שלא מתו החולים בכ"ז מה שנחלו הרבה בנ"א על מחלה זו מורה על שינוי האויר וקלקולו. ולזה נראה שאם חלו הרבה בנ"א על מחלה זו שפיר מיקרי שהוחזקה מחלה זו[65].

ג. תפילות, תעניות, וצדקה

1. מלבד התנהגות ממושמעת וקפדנית לפי הנחיות רפואיות, ומלבד טיפולים רפואיים—ככל שהם קיימים—בפגעי המגפה, יש להתפלל בכוונה מיוחדת[66], ותפילות אלו בזמן צרה גדולה הן מן התורה לכל הדעות[67].
2. כמו כן ראוי לומר ברצון הלב והנפש את פרשת קטורת הסמים ופיטום הקטורת, שהיא סגולה לביטול מגפה[68].

---

64 רמב"ם תעניות ב ה. וכן שו"ע או"ח תקעו ב.

65 שו"ת דברי מלכיאל ח"ב סי' צ. וראה עוד שו"ת חות יאיר סי' קצז.

66 ראה תענית כא א–ב, רמב"ם תעניות ב א,ה–ו; טוש"ע או"ח תקעו א–ג.

67 נחלקו הראשונים אם עיקר תפילה בכל יום היא מדאורייתא—כדעת הרמב"ם בסהמ"צ מ' ה, ובהל' תפילה א א, ודעימיה; או שהיא מדרבנן—כדעת הרמב"ן בסהמ"צ שם ודעימיה, אך גם הרמב"ן כתב שם שבעת הצרות התפילה היא מצוה מן התורה.

68 ראה פירוש הסולם לזוהר—בראשית פרשת וירא מאמר והנה שלשה אנשים—ויאכלו אות קכב: ועוד אמר לי אליהו, בשעה שיקרה מגפה בבני אדם, ברית נכרת, וכרוז מעביר על כל צבאות השמים, שאם בניו יכנסו בבתי כנסיות ובבתי מדרשות שבארץ, ויאמרו ברצון הלב ונפש, את העניין של קטורת הסמים, שהיו להם לישראל, יתבטל המגפה מהם. וראה מדרש הנעלם ח"א דף ק ע"ב. וראה עוד במדרש תנחומא תצוה טו, ובאריכות במעבר יבק מאמר ענן הקטורת פ"ג. וראה אגרות רעק"א איגרת עא; ערוה"ש או"ח תקעו ט. ומקור נאמן הם פסוקי התורה במדבר יז יא–יג שעל ידי הקטורת נעצרה המגפה. ואגב, בהשמטות מס' מעשה רב ס"ז כתב בשם הגר"א ש"צרי" מנוקד בשוא, אמנם בפסוק הניקוד בחטף-קמץ: מְעַט צֳרִי (בראשית מג יא), וצ"ע.

3. יש שהמליצו להוסיף תפילות, כגון אבינו מלכנו, ובמיוחד: "אבינו מלכנו מנע מגפה מנחלתנו"; אמירת נוסח א-ל רחום שמך, עננו ה' עננו, מי שענה[69]; אמירת פרשיות הקרבנות גם למי שבדרך כלל לא נוהג כך[70]; סדר יום כיפור קטן בערב ראש חודש; אמירת פרקי תהילים[71]; לומר בימי ב' ו-ה' והוא רחום שאחר תפילת י"ח בקול רם וקול בוכים; לומר בכל יום קודם שומר ישראל אותן יה"ר לפני אבינו שבשמים שאומרים בקריאת התורה[72].
ויש שחיברו תפילות מיוחדות למצב.

4. אמנם יש מי שכתב שבעת צרה אין להאריך בתפילה כמבואר במכילתא[73]: אמר המקום למשה, משה בני נתונים בצרה והים סוגר ושונא רודף ואתה עומד ומאריך בתפלה[74].

5. מעיקר הדין, עיר שיש בה דֶבֶר מתענים אנשי העיר ומתריעים[75]. אך בזמן הזה אין מתענים כלל בזמן הדֶבֶר[76]. אכן, במגפת הקורונה עדיין אין עדות רפואית שתענית של בריאים יכולה להזיק[77].

6. צריך להרבות בצדקה ולכלכל את העניים הן באוכל והן בתרופות ושכר הרופאים בגלל המצב הכלכלי הקשה בעת מגפות[78]. ובמגפת הקורונה צריך לעשות כל האפשר והמותר מבחינה רפואית לסייע לאלה שבבידוד או באשפוז במצרכים נחוצים, בכסף ובתמיכה בעסקים. זאת לאור הפגיעה הכלכלית החמורה לרבים מאזרחי המדינות.

7. אף על פי שבטלו הלימודים בתלמודי התורה ובישיבות, אין להורים לדרוש החזר תשלומים על הזמן שלא התקיימו לימודים, כי זה יגרום להתמוטטות מוסדות החינוך, ושארית ישראל לא יעשו עולה[79].

---

69 אגרות רעק"א שם.

70 ילקוט יוסף קצוש"ע או"ח סי' א סכ"ט.

71 במיוחד פרקים ג, ח, כ, צא, קל. וראה אגרות רעק"א שם על אמירת תהילים באופן כללי.

72 שו"ת חת"ס ליקוטים בקובץ תשובות סי' א.

73 מכילתא דרבי ישמעאל בשלח—מסכתא דויהי פרשה ג.

74 בן יהוידע, שבת י א.

75 תענית יט א; רמב"ם תעניות ב ב; שו"ע או"ח תקעו ב. וראה שו"ת רשב"ש סי' שס.

76 מג"א סי' תקעו סק"ב; מ"ב שם סק"ב. וכך נהגו גדולי ישראל בזמן מגיפות הכולירע—ראה להלן.

77 וראה להלן בדיני תשעה באב ותעניות מדרבנן.

78 אגרות רעק"א אגרת עג.

79 פסקי קורונה של הגר"צ שכטר, פורסם באתר: https://www.kolcorona.com/rav-schachter-official-pesakim. אמנם משרד החינוך פרסם הודעה לציבור, כי מוסדות החינוך ישיבו

8. כמו כן מי שהזמינו מקומות חופשה במלונות לתקופת החגים, ושילמו דמי קדימה למארגנים, ובגלל המגפה התבטלו כל ההזמנות, מעיקר הדין פטורים מלשלם וגם צריך להחזיר להם את דמי הקדימה, כי המצב הוא בגדר מכת מדינה[80].
ויש מי שכתב שיש לנהוג לפנים משורת הדין ולהתפשר עם המארגנים ובעלי המלונות כך שיוותרו על החזר חלק מהכספים שכבר הוציאו בעלי המלון ומארגני החופשה, מדין צדקה ומדין חסד[81].

ד. סיכון עצמי של הצוות המטפל— רופאים, אחיות, אנשי מעבדה, טכנאים

1. כל אדם שיכול להציל את זולתו מחוייב לעשות זאת מדין לא תעמוד על דם רעך[82]. ברם נפסק על ידי רוב הפוסקים שאין אדם חייב להכניס עצמו לספק סכנה כדי להציל את חברו אפילו מוודאי סכנה[83].
2. אך ביחס לעובדי בריאות הדבר שונה, שכן רופא ועובד בריאות חיוני אחר רשאי לטפל בחולים גם אם יש בכך כדי חשש סכנה לחייו, ובוודאי שלכל הדעות אין עליו איסור להיכנס לספק סכנה[84]. לפיכך, מותר לצוות רפואי לטפל בחולה במחלת קורונה המדבקת, אבל עם הזהירות המתחייבת מפעולה כזו, להיות ממוגן היטב, ולהקפיד הקפדה יתירה על כל כללי מניעת ההידבקות במצבים כאלה.

להורים את התשלומים בגין שירותים חינוכיים שלא ניתנו. שר החינוך דאז הרב רפי פרץ קבע: ההורים לא ישלמו על מה שהם לא מקבלים.

80 כמבואר ברמ״א חו״מ שכא א. אמנם עי׳ סמ״ע שם סק״ה שהסתפק בזה.

81 הגר״צ שכטר שם.

82 ויקרא יט טז. וראה סנהדרין עג א; רמב״ם הל׳ רוצח א יד; טוש״ע חו״מ תכו א.

83 ראה באריכות בספרי ״הרפואה כהלכה״ כרך ה עמ׳ 53 ואילך.

84 איגרת רעק״א בס׳ אגרות סופרים מכתב ל; שו״ת ציץ אליעזר ח״ח סי׳ טו פ״י סקי״ג, ושם ח״ט סי׳ יז פ״ה; שו״ת שבט הלוי ח״ח סי׳ רנא אות ז; הגרי״י נויבירט, הובאו דבריו בנשמת אברהם מהדורה שניה חחו״מ סי׳ תכו סק״ב4; שיעורי תורה לרופאים ח״א סי׳ מו; שו״ת מנחת אשר ח״ג סי׳ קכב. וראה עוד נשמת כל חי ח״ב חחו״מ סי׳ מט; שו״ת רמ״א סי׳ יט (סי׳ כ בדפוסים אחרים); שו״ת דברי יציב חחו״מ סי׳ עט.

3. אמנם אם לאיש צוות רפואי יש חולה בביתו, ואם איש הצוות ידבק בקורונה הוא עלול להדביק את החולה בביתו ובכך לסכן אותו—אל לו לטפל בחולים במחלת הקורונה, כי הסיכון לבן הבית החולה גדול, ויש אחרים שיכולים לטפל בחולי הקורונה[85].

4. בחלק מחובת ההתגוננות הקפדנית יש צורך לחבוש מסכה הדוקה על הפה והאף כדי למנוע הידבקות והדבקה. מסכה זו צריכה להיות אטומה ככל האפשר, ולדעת המומחים זקן מפריע להגנה היעילה של המסכה. במצב כזה מותר לכתחילה לגלח את הזקן באמצעים מותרים מדין פקוח נפש[86].

5. ואם יש צורך לבצע החייאה—יש לעשות זאת ככל האפשר באמצעות מכשירים, אבל אם יש צורך לעשות הנשמה מפה לפה נראה שאם הרופא הוא צעיר ובריא, וללא מחלות רקע, יבצע את ההנשמה, כי פעולה זו היא מצילת חיים, ומאידך גם אם ידבק בנגיף הקורונה עקב הפעולה הסיכון שלו יחסית נמוך; אבל אם הרופא מבוגר או שיש לו גורמי סיכון—לא יבצע את ההנשמה מפה לפה.

6. וראויים דברי הפוסקים להישמע: "באופן עקרוני אין לתת כללים ברורים וקבועים בשיעור ההסתכנות להצלת הזולת ובמניעה ממנה, אלא הכל לפי העניין, ויש לשקול העניין בפלס, ולא לשמור על עצמו יותר מדאי, ולא לדקדק ביותר"[87], כאותה שאמרו: המדקדק עצמו בכך, סופו שבא לידי כך[88], ולא כל חשש רחוק נקרא ספק פיקוח נפש, ואם אין בזה גדר ספק נפשות יש חיוב הצלה, ודבר זה מסור לחכמים ולבקיאים[89].

---

85 מנחת אשר—בתקופת הקורונה, מהדורה תניינא סי׳ ח.

86 מנחת אשר—בתקופת הקורונה, מהדורה תניינא סי׳ ז. אמנם מצד הקבלה יש עניין גדול להשאיר זקן, ולא לעקור אפילו שערה אחת (ראה זוהר ח״ג דק״ל ע״ב; טעמי המצוות פר׳ קדושים בדעת האר״י), ומנהג ישראל להניח את הזקן. אך מעיקר הדין לדעת רוב הפוסקים אין איסור בגילוח הזקן באמצעים מותרים, ויש עדויות שכך נהגו גדולים באירופה (ראה שיורי ברכה יו״ד סי׳ קפא סע׳ ז–י; שו״ת חת״ס חאו״ח סי׳ קנט), ולכן פשיטא שבמקום של פקוח נפש הדבר מותר לכתחילה.

87 פת״ש חו״מ סי׳ תכו סק״ב; ערוה״ש חו״מ תכו ד; מ״ב סי׳ שכט סקי״ט.

88 ראה ב״מ לג א; טושו״ע חו״מ רסד א.

89 פת״ש שם.

ה. סיכון עצמי בטיפולים ניסיוניים ובמציאת חיסון

1. מחלת הקורונה מסוכנת במיוחד לאנשים זקנים, אנשים עם מחלות רקע, ואנשים עם מוגבלות תפקודית. בעת כתיבת המאמר טרם נמצאה תרופה יעילה למחלה, אך נעשים ניסיונות טיפוליים בתרופות שונות. אם מדובר בתרופה מוכרת למחלות אחרות, כגון מלריה, או מחלות נגיפיות אחרות—מותר לחולה במצב בינוני וקשה, ובפרט חולה עם גורמי הסיכון דלעיל, להשתתף בניסיונות כאלה, ובלבד שהביע את הסכמתו לכך, ושקלול הנזק המוכר של התרופה הניסיונית למחלת הקורונה, אך המוכרת במחלות אחרות, מול התועלת לריפוי המחלה נוטה בבירור לטובת התועלת[90].

   ואם מדובר בתרופה חדשה לחלוטין, שטרם נוסתה כלל, מותר לחולה קורונה במצב בינוני וקשה להשתתף בניסיונות אלה רק אם הן עברו את כל הליכי האישור והפיקוח המקובלים והמאושרים על ידי רשויות המחקר הארציות והמוסדיות.

   ובכל מקרה חולה קורונה במצב קל וללא כל גורמי סיכון, ובוודאי נשא הנגיף ללא תסמינים—אסור לו להסתכן בתופעות הלוואי של התרופות הניסיוניות עד שיוודא שתופעות הלוואי אינן מסוכנות[91].

2. הצלת אלפים ורבבות ממחלת הקורונה תלויה במציאת חיסון יעיל נגד הנגיף. לצורך פיתוח חיסון יש לבדוק אותו על בני אדם, וזה אפשרי בשתי דרכים: האחת, לתת לקבוצת אנשים אחת את החיסון הנחקר, ולקבוצת אנשים אחרת חיסון–דמה (פלצבו), ולעקוב אחרי שתי הקבוצות. אם יתברר שהקבוצה שקבלה את החיסון נדבקה הרבה פחות באופן מובהק מזו שלא קבלה את החיסון, הרי זו הוכחה שהחיסון יעיל. דא עקא, ששיטה זו דורשת זמן ארוך מאד, ובינתיים אנשים רבים ידבקו, יחלו ואף ימותו.

   הדרך האחרת היא לתת לקבוצת אנשים אחת את החיסון, ולקבוצה אחרת לא לתת חיסון, ולהדביק את שתי הקבוצות בנגיף הקורונה. אם הקבוצה שלא חוסנה תידבק בנגיף בצורה מובהקת

---

90 וראה שו"ת מנחת שלמה ח"ב סי' פב אות יב.

91 ראה באריכות בגדרי האסור והמותר בסיכון עצמי בביצוע פעולות רפואיות בספרי "הרפואה כהלכה" כרך ה עמ' 65 ואילך. וראה מנחת אשר—בתקופת הקורונה, מהדורה תניינא סי' ה אות א.

יותר מהקבוצה שחוסנה, הרי זו הוכחה שהחיסון יעיל. הכוונה היא לקחת רק קבוצות אנשים צעירים וללא כל גורמי סיכון.

השאלה העומדת לדיון היא אם מותר לאדם בריא להיכנס לספק סכנה כדי להציל רבים ממוות. הסוגיה ההלכתית הזו נידונה בארוכה בפוסקים[92], ומסקנת רבים מהפוסקים היא שאם מידת הספק בסיכון למציל היא קטנה, ולעומת זאת מידת ההצלה לאחרים היא גדולה, יש אומרים שהמציל חייב להיכנס לקצת סכנה כדי להציל את האחר מדין 'לא תעמוד על דם רעך'; ויש אומרים שאין חובה אך יש רשות והיא מידת חסידות[93]. לאור העובדה שמידת הסיכון בהידבקות בנגיף הקורונה אצל אנשים צעירים ללא כל גורמי סיכון היא נמוכה, ומידת ההצלה לאלפים ולרבבות רבים היא גבוהה—מותר לאדם להשתתף בניסוי כזה, ויש בזה משום מידת חסידות[94].

ו. ביקור חולים

1. עיקר החיוב של ביקור חולים הוא בהליכה בפועל לבית החולה, ובקיום כל מטרות המצווה, הכוללת סיוע סיעודי וסביבתי לחולה[95].
2. אך בגלל חומרת ההדבקה בנגיף הקורונה אסור לבקר חולים בבידוד, או מאושפזים בבית חולים[96]. לפיכך ניתן לראות מצב כזה כדיעבד, ולקיים את המצווה—לפחות בחלקה—בטלפון[97], או לפחות לקיים

---

92 ראה באריכות בספרי "הרפואה כהלכה" כרך ה עמ' 53 ואילך.

93 ראה שם. וראה עוד בספרי הנ"ל כרך ו עמ' 482 ואילך בעניין תרומת איברים מן החי.

94 וראה מנחת אשר—בתקופת הקורונה, מהדורה תניינא סי' ה אות ב.

95 ראה הנהגת רבי עקיבא בנדרים מ א.

96 אמנם ראה רשימות שיעורים להגרי"ד סולובייציק ב"מ ל ב (עמ' קמז), שהעיד על סבו הגר"ח מבריסק שקיים מצות ביקור חולים אצל חולי כולירע, אף שהייתה מחלה מדבקת, אלא שחילק שאם קיים רק חשש סכנה מותר לצורך מצות ביקור חולים, אבל אם יש וודאי סכנה אינו חייב להכניס עצמו לסכנה. וכן הביא מעשה זה בשו"ת תשובות והנהגות ח"ה סי' שצ, ועוד הביא שם שכך נהג רבה של לודז' הגרא"ח מייזלס.

97 יש שכתבו שבדרך זו מקיים בדיעבד חלקים ממצות ביקור חולים: ראה הגרי"א הענקין, הפרדס, שנה מח חוב' א; שו"ת אגרות משה חיו"ד ח"א סי' רכג; שו"ת מנחת יצחק ח"ב סי' פד; שו"ת מנחת שלמה ח"ב סי' פב אות ט; שו"ת באר משה ח"ב סי' קד; שו"ת חלקת יעקב חיו"ד סי' קפח (בישן—ח"ב סי' קכח); שו"ת ציץ אליעזר ח"ה קונט' רמת רחל סי' ח אות ו; יחוה דעת ח"ג ס' פג, וחזון עובדיה ח"א עמ' יב. יש מי שכתבו שלא מקיימים בדרך זו כלל מצות ביקור חולים—שו"ת מהר"י שטייף סי' רצד; הגרי"ש אלישיב, הובאו דבריו בשו"ת ישא יוסף ח"ב סי' עא אות א, וכן כתב בשמו בס' משנת איש סי' קסג. וראה עוד בשיטת רי"ש אלישיב בס' ציוני הלכה עמ' שיג, ומכתבו שהודפס בס' כתבוני לדורות אגרת תב. אך ראה בס' קב

בדרך זו מצות גמילות חסדים[98]. טוב יותר לקיים מצות ביקור חולים באמצעים אלקטרוניים של הסתכלות בזמן השיחה, שאז מקיימים מצות ביקור חולים כמעט לכל הדעות[99].

3. ספק אם מקיימים מצות ביקור חולים על ידי שליח[100].

ז. תפילה במניין, נשיאת כפיים, קריאת התורה, ישיבות ותלמודי תורה

1. דבר פשוט וידוע הוא שתפילה במניין בבית הכנסת היא מצוה גדולה וחשובה, אך חיובה לכל הדעות הוא רק מדרבנן[101]. אך גם ברור וידוע שפיקוח נפש דוחה את כל התורה כולה פרט לג׳ עברות, ובוודאי שדוחה תפילה בציבור. לפיכך אם השלטונות סבורים שיש חשש להדבקה בתפילה בציבור חייבים לשמוע להם[102].

ונקי ח״ב סי׳ שמט; ילקוט יוסף אבלות סי׳ כו ס״ט, רץ כצבי ענייני אבלות סי׳ ח אות יא. ויש מי שכתב שמקיים מצות ביקור חולים בטלפון ללא שום פקפוק, כי לדעתו המושג ״ביקור״ איננו לבוא למישהו, אלא מלשון ביקורת תהיה (ויקרא יט כ), שפירושו עיון במצב הקרבן, וכן ביקור חולים פירושו עיון וחקירה במצבו של החולה, וזה אפשר לקיים בשלמות גם דרך הטלפון—פחד יצחק (הוטנר) אגרות וכתבים סי׳ לג (וראה בשיטתו בס׳ רץ כצבי ענייני אבלות סי׳ ח אות יג). וראה רש״י ומצודת דוד ומלבי״ם ביחזקאל לד יא. וראה עוד בנידון בשו״ת רץ כצבי ח״ב סי׳ י פ״ד, ורץ כצבי אבלות סי׳ ג, ובחוב׳ אסיא פא–פב, תשס״ח עמ׳ 125 ואילך.

98 כל בו על אבלות ח״ב שו״ת פ״א סי׳ א אות א; מנחת אשר בראשית סי׳ ב אות ד. וראה עוד שו״ת חלקת יואב ח״ב סי׳ קכח; שערים המצויינים בהלכה קצג סק״א.

99 ראה שו״ת מנחת יצחק ח״ב סי׳ פד. וראה ר״י וייסינגר, חוב׳ אסיא קג–קד תשע״ז עמ׳ 35 ואילך.

100 ראה שו״ת אגרות משה חיו״ד ח״א סי׳ רכג; שו״ת באר משה ח״ב סי׳ קד–קה; שו״ת ציץ אליעזר חי״ז סי׳ ו אות ו. גדרי הספק הם, שמחד גיסא מצות ביקור חולים היא מגדר גמילות חסדים, שבוודאי אפשר על ידי שליח, ומאידך גיסא ממטרות מצות ביקור חולים היא לסייע לחולה בפועל, ודבר זה הוא כעין מצוה שבגופו, וגם הצורך להתפלל על החולה יותר בולט אם בא בעצמו ורואה בצרתו. ואמנם מובא בספרים שרבי עקיבא איגר היה שוכר שליחים שיבקרו חולים בשמו (ראה משכיל אל דל (רבי הלל מקלאמיי) ח״ד כלל ב פרט א שאלה א; חוט המשולש (מהדורת תשכ״ג) עמ׳ רח; קרני ראם (רבינוביץ, מהדורת תשנ״ה) עמ׳ רא; חידושי רעק״א החדשים תשנ״ח נדרים לט ב, והאדר״ת דן בענין זה (ראה מאמרו של ר״י דנדרוביץ, המעין, גליון 200, תשעב, עמ׳ 147 ואילך).

101 ברמב״ם תפילה ח א כתב ולא יתפלל ביחיד כל זמן שיכול להתפלל עם הציבור, ובשו״ע או״ח צ ח נכתב שישתדל אדם להתפלל בבית הכנסת עם הציבור. וראה בשו״ת אגרות משה חאו״ח ח״ב סי׳ כז, ושם ח״ג סי׳ ז, שלדעתו תפילה בציבור היא חיוב גמור, אך ראה מנחת אשר—בתקופת הקורונה ח״א סי׳ טז אות א, ועין יצחק—הלכות קורונה (הגר״י יוסף) עמ׳ ט, שאין זה חיוב גמור, אלא שצריך להשתדל מאד.

102 ראה בס׳ אוצר החיים לרב והרופא יעקב צהלון (פ״ב סע׳ יט) אודות מגפת הדֶבֶר בגיטו רומא בשנת 1656, שהיה הסגר מוחלט, ואסרו לפתוח בתי כנסת ולהתפלל במניין.

2. בישראל, בשלבים הראשונים של מגפת הקורונה, נקבע על ידי משרד הבריאות שמותר להתפלל בבית כנסת במניין מצומצם של עשרה גברים בלבד, וכאשר כל אחד עומד במרחק 2 מטרים מחברו. וכבר הגאון רבי עקיבא איגר היה מודע היטב לצורך לצמצם את גודל המניין בשעת מגפה, ולרווח בין המתפללים, וכך כתב בשעת מגפת הכולירע השניה[103]:

> זה אמת שהקיבוץ במקום צר אינו נכון, אבל אפשר להתפלל כתות–כתות, ובכל פעם במתי מעט ערך ט״ו אנשים, ויתחילו כאור הבוקר, ואחריה כת אחרת, ויהי׳ מיוחד לאנשים אלו באיזהו זמן יבואו להתפלל שם, וכן במנחה...ולחוש שלא ידחקו אנשים יותר מהסך הנ״ל לבא לביהכ״נ, ואפשר על ידי עמידת שומר מפאליציי [מהמשטרה] להשגיח בזה, שמאחר ויש כבר כפי המספר אל יניחו לאחר לבוא לשם עד אחר שישלימו הם, תעריכו מבוקשת זה להמגיסטראט [השלטונות] ושכן נכתב לכם ממני להתנהג כן, ואם יסרבו טוב להעריך להרעגירונג [הממשלה] דפה, ובודאי תצליחו אם תזכירו שמי שהזהרתי אתכם שלא להיות קיבוץ גדול בביהכ״נ במקום צר, ושיעצתי לכם כסדר הנ״ל, וגם האזהרה באמירת תהילים ולהתפלל גם על המלך י״ה [ירום הודו].

ועוד כתב[104]:

> בכל בתי כנסיות הן בעזרת אנשים והן בעזרת נשים מותר יהי׳ בראש השנה וביום כפורים לתפוס רק את מחצית המקומות, בצורה כזו שליד כל מקום שיושבים בו המקום השני הגובל עמו לא יהא תפוס. ועל כן רק מחצית מבעלי המקומות בבתי הכנסת יהיה להם גישה לבתי כנסיות בימים הקדושים האלה. ומכיון שלכל בעלי המקומות הזכויות שוות ומי נדחה מפני מי, לכן המחצית האחת תתפוס את מקומותיה בבתי כנסיות בשני ימים טובים של ראש השנה, והמחצית השניה ביום הכפורים לילה ויום״. ובהמשך כתב שיטילו גורל בין

---

103 אגרות רעק״א איגרת עא.

104 בס׳ פסקים ותקנות רבי עקיבא אייגר (יצא לאור ע״י הרב נתן גשטטנר תשל״א) בחלק הנהגות ותקנות סי׳ ב.

הקבוצות השונות, וכל קבוצה תקבל כרטיס בצורה מיוחדת, ויוצב משמר צבאי בכניסה לבית הכנסת שיכניס את האנשים עם הכרטיסים המתאימים לאותו יום, ופקידי המשטרה ישמרו על הסדר בבית הכנסת. אלו שלא יוכלו לבוא לבית הכנסת יוכלו להתפלל במניינים בבתים פרטיים, אך גם שם עליהם לשמור על הכללים של שמירת רווחים בין המתפללים.

3. לאחר מכן הורו שלטונות הבריאות בישראל לאסור תפילות בבית הכנסת, אך התירו להתפלל בשטח פתוח במניין מצומצם של עשרה גברים, ובמרחק של 2 מטרים זה מזה. ואף שנפסק להלכה שלא יתפלל אדם במקום פרוץ, כמו בשדה[105], מכל מקום בשעת דוחק גדול כמו המצב של מגפה התירו הרבנים להתפלל בשטח הפתוח בתנאים הנ"ל[106], ואם יש אילנות טוב יותר שיעמדו שם ביניהם ויתפללו[107].

4. לאחר מכן אסרו השלטונות להתפלל במניין אפילו בשטח פתוח, וחייבו להימנע מכל התקהלות בכל מקום. בשלב זה הורו כל גדולי הרבנים להישמע להנחיות אלה ולהתפלל ביחידות[108].
היו שבקשו לשמור על תפילה במניין אף על פי שכל אחד נותר בביתו בדרך של קביעת זמן שכל אחד יעמוד במרפסת ביתו, ויראו אלה את אלה. ונחלקו הפוסקים אם מניין מתפללים שלא נמצא בבית אחד, אך רואים אלה את אלה—אם זה נחשב למניין שיכולים לומר דברים שבקדושה וקדיש[109]. ויכולים גם כהנים לברך ברכת

---

105 שו"ע או"ח צ ה. וראה ברכות לד ב שהמתפלל בחוץ נקרא חצוף.

106 וראה מ"ב שם ס"ק יא, שעוברי דרכים לכ"ע מותרים להתפלל בשדה, ולכאורה מצב המגפה החמורה הוא ק"ו. וראה שו"ת מנחת יצחק ח"ב סי' מד. וראה מנחת אשר—בתקופת הקורונה ח"א סי' כ, ושם מהדורה תניינא סי' כט.

107 מ"ב שם.

108 וראה בשו"ת אגרות משה חאו"ח ח"ג סי' ז, שיש מי שמרגישים שדווקא ביחידות יכולים לכווין יותר מאשר בציבור, ואמנם בתנאים רגילים פסק שם שגם במצב כזה עדיף תפילה בציבור על פני כוונה יתירה ביחידות, אך במצב חירום ופקוח נפש, כשיש חובה להתפלל ביחידות, מאד יתכן שיהיו ש"ירוויחו" בכוונות התפילה. וראה בס' מעשה איש (יברוב) ח"ג עמ' קנה-ו שהחזו"א יעץ לר' מיכל יהודה לפקוביץ אחרי נישואיו להתפלל ביחידות, כי הפריעה לו התפילה בבית הכנסת הגדול שלא הייתה בדרך שהורגל בישיבה.

109 המחבר בשו"ע או"ח נה יג פסק: צריך שיהיו כל העשרה במקום אחד ושליח צבור עמהם, והעומד בתוך הפתח מן האגף ולחוץ, דהיינו כשסוגר הדלת ממקום (שפה) פנימית של עובי הדלת ולחוץ, כלחוץ. ועל סמך זה ודעות באחרונים פסק בעין יצחק—הלכות קורונה

כהנים בצירוף מניין מרפסות, אך לעניין קריאת התורה, מכיוון שלא יכולים לעלות לתורה אלו שבמרפסות נכון שבעל הקורא יעלה ויברך ויחזור ויעלה ויברך שבע פעמים[110]. ובכל מקרה הוא דווקא כשאין רשות הרבים או אף דרך היחיד מפסיק בין המתפללים[111], ויוצאים דווקא אם שומעים את השליח ציבור, אבל מי שאינו שומע אותו אינו מצטרף למנין[112].

ואם יש מניין במרפסת אחת יכולים יחידים להצטרף למנין זה גם ממרפסות אחרות, ובלבד שיראו לפחות את קצתם[113].

5. לאחר מכן—בעת היציאה ההדרגתית מתנאי בידוד והסגר—התירו השלטונות תפילה במניין עד 19 אנשים בשטח פתוח. יחד עם זאת חייבו השלטונות שכל המתפללים יעטו מסכה על אפם ופיהם. אכן אין מניעה להתפלל כך, ואף בעלי התפילה והכהנים הנושאים כפיים יכולים לעשות זאת עם המסכה, ובלבד שקולם יישמע[114].

6. כאשר יש הגבלה במספר האנשים המותרים להתפלל במקום אחד, ולכן צריך לקבוע קדימויות מי יתפלל במניין המצומצם ומי לא יורשה להתפלל שם—יש מי שכתב שהקדימות צריכה להיות לפי המשנה בהוריות יג א: כהן קודם ללוי, לוי קודם לישראל, וכו׳, ותלמיד חכם קודם לכולם, ובעל קורא קודם להם כי הרבים צריכים לו, וכל השאר ילכו למקום אחר[115].

(הגר״י יוסף) עמ׳ כח ואילך שלספרדים לא מקיימים תפילה במניין כשכל אחד עומד על מרפסת ביתו. לעומת זאת כתב בפר״ח סי׳ נה ס״ק יג, וכדעתו הכריעו כמה מהאחרונים, ובהם המ״ב סי׳ נה ס״ק נד, שכל זה דווקא בשאינן רואין אלו לאלו, אבל אם מקצתן רואין אלו את אלו בכל גווני מצטרפי להדדי, ודווקא בשעת הדחק כמבואר בשעה״צ שם סקנ״ז, ונראה שלאשכנזים יכולים לקיים בדרך זו מניין. וראה שו״ת מנחת יצחק ח״ב סי׳ מד; הליכות שלמה, תפילה, פ״ה סי״ב; מנחת אשר—בתקופת הקורונה ח״א סי׳ יח, ושם מהדורה תניינא סי׳ כה וסי׳ כז.

110 מנחת אשר שם מהדורה תניינא סי׳ כו. והוא על פי המבואר בשו״ע או״ח קמג ה כשאין בציבור מי שיודע לקרות.

111 שו״ע או״ח קצה א; ט״ז שם סק״ב; פרמ״ג שם בא״א סקי״ב.

112 ט״ז או״ח סי׳ קכד סק״ב. אמנם הפרי חדש סי׳ נה ס״ח חולק על הט״ז, אך ראה במנחת אשר—בתקופת הקורונה, מהדורה תניינא סי׳ לג שיש לנהוג כדעת הט״ז.

113 שו״ע או״ח נה כ, וראה מ״ב שם סקנ״ב.

114 כן פסק הגר״י זילברשטיין.

115 פניני חשוקי חמד על מגפת הקורונה (הגר״י זילברשטיין) ח״א עמ׳ 17. וראה להלן בדיני קדימויות להצלה שלא נוהגים כמשנה זו. אמנם יש להבדיל בין דיני קדימות להצלת חיים

7. בעניין נטילת ידי הכהנים על ידי הלויים—המקור למנהג זה הוא מהזוהר[116], ונפסק להלכה בשולחן ערוך[117], ואל ללויים לזלזל במנהג זה[118]. יש שכתבו שרק לוי אחד יטול ידיו של כהן[119], ויש שהצדיקו את מנהג האשכנזים שכמה לויים נוטלים ידי כהן אחד[120]. עוד דנו הפוסקים אם החיוב ללויים ליטול ידי הכהנים הוא גם כשיפסידו חלק מברכות שמונה עשרה של חזרת הש״ס, ואם מותר להם לעבור כנגד העומדים בתפילת שמונה עשרה, ואם לוי תלמיד חכם יטול ידי כהן עם הארץ, ועוד נידונים[121]. ועל כן נראה שבעת מגפה עדיף שהכהנים יטלו ידיהם ללא הלויים כדי למעט מגע קרוב ביניהם, ולכל הפחות יסתפקו בלוי אחד לכהן אחד.

8. המתפללים ביחידות בביתם יכוונו להתפלל בשעה שהציבור מתפללים[122]. אמנם בשלבים המתקדמים של מגפת הקורונה אסרו בישראל ובכל העולם להתפלל בציבור בכל מקום, פרט למניין מצומצם בכותל המערבי ובמערת המכפלה, וניתן לכוון את זמן התפילה בבית לזמני תפילות אלו. כאשר לא ניתן לכוון לזמנים אלו, נראה כי ראוי לקבוע שכל היחידים יקבעו שעה מסוימת להתפלל כל אחד בביתו כעין יחד[123].

9. מי שצריך לומר קדיש על נפטר, ואינו משתתף במניין מרפסות—ילמד משניות לעילוי זכרו או זכרה[124].

10. בעת שהשלטונות התירו מניינים מצומצמים אך בריחוק זה מזה במרחק 2 מטרים—העולה לתורה והגבאי יחבשו מסכות על הפה

לדיני קדימות בעניינים אחרים. ומכל מקום נראה שמשום דרכי שלום עדיף שהקדימות תהא בדרך כלל על פי כל הקודם זוכה.

116 זוהר, פר׳ נשא דקמ״ו ע״ב. וראה ריקאנטי במדבר ו ב–ג שמביא מקור ממדרש רות. וראה ב״י או״ח סי׳ קכח.

117 שו״ע או״ח קכח ו. וראה שו״ע הרב שם י, וערוה״ש שם טו.

118 שו״ת אגרות משה חאו״ח ח״ד סי׳ קכז.

119 שו״ת שבט הקהתי ח״ב סי׳ נז, בשם הגרי״ש אלישיב.

120 שו״ת שבט הקהתי שם.

121 ראה מג״א סי׳ קכח סק״ז; מ״ב שם סקכ״ב; שו״ת שבט הלוי ח״ח סי׳ מז; שו״ת שרגא המאיר ח״ח סי׳ לו; שו״ת תשובות והנהגות ח״ג סי׳ מח; שו״ת ציץ אליעזר חט״ו סי׳ כב, ושם חכ״א סי׳ ז.

122 שו״ע או״ח צ ט. וראה בהליכות שלמה, תפילה, פ״ה סי״ח ודבר הלכה שם, שהיינו דווקא שיתכוון להצטרף למניין מסויים, שהרי בערים גדולות יש מניינים בכל שעות היום. וכן כתב במרומי שדה ברכות דף ו.

123 מנחת אשר—בתקופת הקורונה ח״א סי׳ יז.

124 מנחת אשר—בתקופת הקורונה ח״א סי׳ כב.

והאף, ומותר גם לעולה לעמוד במרחק הנדרש אף על פי שלא יראה את הכתב, וישמע מפי הקורא[125]. ומכל מקום עדיף שהעולה עצמו יקרא את הפרשה שלו, ואפילו אם אינו מדייק בטעמים, ובלבד שיקרא נכונה את המילים, ויקפיד על סוף פסוק, ובמידת האפשר גם על אתנחתא.

11. קריאת התורה בשבתות ובימים ב׳ ו–ה׳ היא דווקא בציבור[126], ולכן כשנמצאים יחידים בבידוד אין חובת קריאת התורה, ולא יוצאים ידי חובה בקריאה מחומש. אך צריך לקרוא את הפרשה שניים מקרא ואחד תרגום. ואם יוכל הקהל להתפלל בשבת הבאה—ישלימו את הפרשה שהחסירו[127].

12. ולעניין השלמות פרשיות התורה שהחסירו בשבתות שלא היה מניין—נחלקו הפוסקים אם מעיקר הדין יקראו בשבת הראשונה שמתפללים בציבור רק את הפרשה שלפניה, ולא את כל הפרשיות שהחסירו בשבתות האחרות[128], או שישלימו את כל הפרשיות שהציבור החסיר[129]. ובמקרה כזה יקראו לכהן את כל הפרשה מהשבת שעברה ועד שני של פרשת השבוע, ואחר כך יקראו לשאר העולים בפרשת השבוע[130]. אמנם אם החסירו הקריאה בתורה בשבת שיש בה שתי פרשיות—אין משלימים בשבת שאחריה[131], וכן אם בשבת שחזרו לקרוא בתורה קוראים שתי פרשיות—אין מוסיפים עליה את הפרשה שהחסירו[132]. ויש מי שכתב שבעת מגפת הקורונה, שהפסיקו להתפלל בכל בתי הכנסיות מחמת הסכנה

---

125 מנחת אשר שם סי׳ כג, ושם מהדורה תניינא סי׳ לא. וראה ראיותיו שם.

126 ראה הליכות שלמה, תפילה, מילואים סי׳ יז.

127 שו״ע או״ח קלה א.

128 אגודה מגילה פ״ג סי׳ ל; שו״ת מהר״ם מינץ סי׳ פה; רמ״א או״ח קלה ב; מג״א שם סק״ד; שערי אפרים שער ז ס״ט, ושם סל״ט.

129 כך משמע באור זרוע ח״ב הל׳ שבת סי׳ מה. וכן פסקו אליה רבה סי׳ קלה ס״ב; שו״ת מהר״ם שיק חאו״ח סי׳ שלה, בשם החת״ס, שהעיד שכך נהג הגר״נ אדלר הלכה למעשה; הגר״א בתוספת מעשה רב אות לד; ערוה״ש או״ח קלה ו; החזו״א, הובא בס׳ פאר הדור ח״ג עמ׳ לג; חזון עובדיה שבת ח״ב עמ׳ שלב; ילקוט יוסף הל׳ קריאת התורה עמ׳ כ, ועין יצחק—הקורונה בהלכה (הגר״י יוסף), עמ׳ נג ואילך; שו״ת בצל החכמה ח״א סי׳ ז. וראה מ״ב סי׳ קלה סק״ז שהביא שתי הדעות.

130 שו״ת יביע אומר ח״ט חאו״ח סי׳ כח.

131 שו״ת מהר״ם מינץ סי׳ פה; מג״א סי׳ קלה סק״ד.

132 מ״ב סי׳ קלה סק״ז.

למשך כמה שבועות, וחזרו להתפלל בתנאים מגבילים, ויש חשש שיצטרכו עוד לחזור ולהימנע מתפילה בציבור—מעיקר הדין אין קוראים אלא את הפרשה של אותו שבוע שבו מתפללים במניין[133]. ומכל מקום מכיוון שמדובר במחלוקת הפוסקים בדבר שהוא תקנה, מכיוון שיש סכנה בשהייה ממושכת של קיבוץ אנשים—בוודאי לא נכון להאריך את התפילה על ידי קריאת פרשיות נוספות. ובעניין ההפטרות—לכל הדעות אין משלימים מה שהחסירו[134].

13. אף שנוהגים לנשק את מעיל ספר התורה[135] ואת המזוזה[136] כאות חיבה, אבל בזמן מגפה אין לנשק מחשש להידבקות.

14. יש מחולי קורונה שמאבדים את חוש הטעם, אך מכל מקום יברכו ברכה ראשונה על המאכלים[137].

15. אף שתלמוד תורה הוא כנד כולם בחשיבותו[138], ואין העולם מתקיים אלא בשביל הבל תינוקות של בית רבן[139], ותורה מגנא ומצלא[140], אך היכא דשכיח היזיקא שאני[141], ואין דבר העומד בפני פקוח נפש,

---

133 מנחת אשר—בתקופת הקורונה, מהדורה תניינא סי' לד. ונימוקו: לפי השערי אפרים שער ד סל"ט דין השלמה הוא דווקא אם הציבור התפלל אך מאיזה סיבה לא קרא בתורה, אבל לא נאמר דין השלמה במקרה שהציבור כלל לא התקבץ לתפילה; ועוד, לפי שו"ת שבות יעקב ח"ג סי' ו דין השלמה נאמר רק אם בטלו הציבור את קריאת התורה פעם אחת אבל אין דין השלמה אם הציבור לא התפלל מספר שבתות.

134 עין יצחק—הקורונה בהלכה (הגר"י יוסף), עמ' נז.

135 הרמ"א או"ח קמט א כתב בשם אור זרוע שמביאים התינוקות לנשק התורה, כדי לחנכם ולזרזם במצות, וכן נוהגין. אבל לא מצינו מקור שכל מבוגר שספר התורה עובר לפניו מנשק אותו, ומובא שהגרי"ש אלישיב כשנישק את ספר התורה לא היה נוגע בשפתיו אלא רק קרב אל הס"ת ונישקו באוויר, ומקורו ברמב"ם שמירת הנפש יב ד, ושו"ע יו"ד קטז ד, ובש"ך שם, שאסור לתת מעות בפיו מחשש שדבק בהם רוק של חולי, כיון שיד הרבים ממשמשת בהם. ומעתה כל שכן שמעיל הס"ת שלא רק ממשמשים בו, אלא מנשקים בפה שיש לחשוש לרוק של חולים. וכן מובא בסידור צלותא דאברהם (שחרית) לגאון רבי אברהם מטשכנוב שכתב שלא להניח לנשק בפה מטפחת ספר התורה. וק"ו בזמן מגפת הקורונה.

136 ברמ"א יו"ד רפה ב כתב: י"א כשאדם יוצא מן הבית יניח ידו על המזוזה (מהרי"ל שם, ומוכח בעבודת כוכבים דף י"א), ויאמר: ה' ישמר צאתי וכו' (במדרש). וכן כשיכנס אדם לבית, יניח ידו על המזוזה. אך לא כתב שינשק אותה. אמנם בקיצשו"ע יא כה כתב שינשק את המזוזה. וראה בחשוקי חמד על מס' ע"ז יז א. מכל מקום ברור שמעיקר הדין אין מקור לנשק את המזוזה, ולפיכך בעידן מגפת הקורונה בוודאי אין לנשק את המזוזה.

137 מנחת אשר—בתקופת הקורונה, מהדורה תניינא סי' מג. וראה נימוקיו שם.

138 משנה פאה א א.

139 שבת קיט ב.

140 סוטה כא א.

141 פסחים ח ב.

ולכן כשברור שהתקבצות אנשים יחד בזמן מגפה גורמת להדבקה ולסכנה של כל אחד ושל הכלל, אין ברירה אלא לסגור את תלמודי התורה והישיבות, ולהמשיך ללמוד תורה בדרכים אחרות[142].

ח. ברכת הגומל

1. מי שחלה במחלת הקורונה וסבל מדלקת ריאות, ובוודאי אם היה מונשם—חייב לברך הגומל לאחר שהבריא.
2. ומי שהנגיף נמצא בקרבו בבדיקות דם, וסבל מתסמינים קלים דמויי שפעת—אם הוא אדם בריא בעיקרו, לא יברך הגומל; ואם הוא אדם עם גורמי סיכון—יש מקום שיברך ברכת הגומל[143]. אבל מי שיצא מבידוד ולא היה חולה—לא יברך ברכת הגומל[144].
3. ומי שחייב בברכת הגומל אבל לא ניתן להתקבץ במניין—יכול לברך את הברכה בוועידת וידיאו (כגון זום), כי דין עשרה בברכת הגומל הוא לא כדין דבר שבקדושה שצריכים העשרה להיות בבית אחד, אלא מדין פרסום הנס, ולכן די שכולם רואים את המברך גם בווידיאו[145].
4. ואף שלכתחילה צריך לברך ברכת הגומל בתוך שלושה ימים מההחלמה, אבל אם אין אפשרות כזו—ובתקופת מגפת הקורונה היו תקופות שלא היו מניינים, וברכת הגומל צריכה עשרה גברים—יש לו תשלומים כל זמן שירצה, וכששוב יחזרו להתפלל במניין—יברך אז[146].

---

142 וראה בספרו של ש״י עגנון ״ספר, סופר וסיפור״, שמתאר את המגפה בתקופת אחיו הגדול של המהר״ל מפראג וחברו של הרמ״א—ר׳ חיים ב״ר בצלאל, בעל ״ספר החיים״: בימים הרעים ששלטה המגפה...והסגירו אותו ואת אנשי ביתו שני חודשים, נתבטלו הישיבות...ולא נתנוהו דאגותיו להשתעשע בהוויות אביי ורבא, ולירד לעומק ההלכה.

143 ראה בקונטרס נאות מרדכי (הגר״מ גרוס), בחלק שו״ת לעת צרה. וראה מנחת אשר—בתקופת הקורונה מהדורה תניינא סי׳ טז(א).

144 מנחת אשר—על מגפת הקורונה, מהדורה תליתאה סי׳ ו.

145 פסקי קורונה של הגר״צ שכטר.

146 שו״ע או״ח ריט ו. יש מי שהגבילו לברך עד שנה מההחלמה (שו״ת שבט הקהתי ח״א סי׳ ק. וראה חזון עובדיה, ברכות, עמ׳ שנח); ויש שכתבו שהחיוב לא פוקע לעולם, ויכול לברך אפילו אחרי כמה שנים (שו״ת בצל החכמה ח״ה סי׳ פח אות ב; הלכה ברורה סי׳ ריט, בבירור הלכה אות כה). וראה מנחת אשר—בתקופת הקורונה מהדורה תניינא סי׳ כב שכתב שיכול לברך רק עד שלושים יום.

ט. שבת ויום טוב

1. כאשר על פי השלטונות חייבים ללכת עם מסכה על הפה והאף, ועם כפפות על הידיים כדי למנוע הידבקות והדבקה—מותר לצאת כך גם לרשות הרבים, אף שאין בו עירוב[147].
2. מותר להשתמש באלכו-ג׳ל בשבת, ואין בו משום ממחק[148]. וכן מותר להשתמש במגבוני נייר לחים של אלכוהול או אלכוג׳ל[149].
3. בבתי חולים שיש בהם מערכת אוטומטית שבודקת את חום הגוף של כל הנכנסים, מותר לבקר בשבת חולים, כי הנכנס הולך לפי תומו וללא כל מעשה מצידו, והוא בא לקיים מצוה גדולה[150].
4. מותר לנסוע בעיר בשבת ובחג ברכב עם כרוז להודיע לרבים כשיש כאלה שהיו במגע עם פלוני שנמצא נשא חיובי לנגיף. עדיף לעשות כל זאת על ידי גוי, ואם אי אפשר—מותר גם על ידי יהודי[151].
5. מדין פיקוח נפש מותר לחולה קורונה להתפנות בשבת למקום שבו מרוכזים חולי קורונה כדי למנוע הדבקת אחרים.
6. חולה קורונה שהחלים, אם ברור לרופאים שזה שהבריא יכול לשמש כתורם נוגדנים למי שנמצא במצב קשה—מותר לו לנסוע בשבת כדי לתרום את הפלזמה, ועדיף שיסע עם נהג גוי.
7. חולה הסובל מדיכאון או מחרדות ופחדים שנמצא בטיפול ובמעקב פסיכולוגי, ובידוד מלא ללא קרובים וידידים בימי שבת ומועד עלולים לדרדר את מצבו הנפשי—אם לדעת המטפלים בו שיחה בטלפון יכולה להועיל לו, מותר לו לטלפן לקרוב משפחה או למטפל כדי להפיג את הבדידות, או בווידיאו דרך מחשב, ועדיף שיעשה זאת בשינוי[152].

---

147 ראה קונטרס מנחת אשר—בתקופת הקורונה ח״א סי׳ ט, ומהדורה תניינא סי׳ יג; עין יצחק—הקורונה בהלכה (הגר״י יוסף), עמ׳ נ-נא.

148 מנחת אשר—בתקופת הקורונה מהדורה תניינא סי׳ טז(ג).

149 ראה שו״ת הר צבי ח״א סי׳ קצ; שו״ת אג״מ חאו״ח ח״ב סי׳ ע; שש״כ יד לז, בשם הגרש״ז אויערבאך. ואף שיש חולקים, אך במקום ספק פקוח נפש יש להקל.

150 מנחת אשר—על מגפת הקורונה, מהדורה תליתאה סי׳ ז.

151 מנחת אשר—בתקופת הקרונה ח״א סי׳ יג.

152 וראה פסקי קורונה של הגר״צ שכטר, פורסם באתר: https://www.kolcorona.com/rav-schachter-official-pesakim.

8. יולדת שצריכה לנסוע לבית חולים בשבת, ורוצה שבעלה ילווה אותה, מותר לו לנסוע אתה[153], גם אם לא ירשו לו להישאר אתה בבית החולים מחשש להדבקת חולים אחרים, ויחזור עם נהג גוי[154].
9. נהג אמבולנס שנקרא כדי לפנות מבית חולים לבידוד ביתי חולה קורונה במצב קל—אם ידוע לו שבאותו בית חולים נוצרה מצוקת אשפוז, ולכן חייבים לפנות את החולים הקלים כדי לתת מקום לחולים היותר קשים, וגם אין אפשרות לאשפזו במחלקה אחרת מחמת החשש להדבקה—מותר לנסוע ולהביאו לביתו; ואם אין לו דרך לברר—מותר מדין ספק פקוח נפש.
10. צוות רפואי המטפל בחולי קורונה צריך להתקלח כשיחזור מביתו כדי למנוע הדבקה, ובשבת—יש מי שכתב שמותר לו להתקלח רק במים צוננים[155], ויש מי שכתב שמותר גם במים בפושרים[156]. וביום טוב לכל הדעות מותר אפילו במים פושרים.
11. אחד התסמינים של מחלת הקורונה הוא איבוד חוש הריח. לפיכך לא יברך על הבשמים בהבדלה במוצאי שבת[157]. ואם נתכוין להוציא בני ביתו הקטנים שהגיעו לחינוך רשאי לברך על הבשמים, אף שהוא עצמו אינו יכול להריח[158]. ומכל מקום מי שאינו יכול

---

153 בעצם ההיתר ללוות יולדת בנסיעה לבית חולים בשבת—ראה בספרי "הרפואה כהלכה" כרך ב עמ' 256 בסע' לא.

154 מנחת אשר—בתקופת הקורונה ח"א סי' טו.

155 פסקי קורונה של הגר"צ שכטר, פורסם באתר: https://www.kolcorona.com/rav-schachter-official-pesakim. האיסור לרחוץ כל גופו בשבת במים חמים אפילו אם הוחמו בערב שבת הוא משום גזרת הבלנין—שבת מ א; רמב"ם שבת כב ב; שו"ע או"ח שכו א. ואף שהמנהג הוא לא לרחוץ בשבת אפילו במים צוננים—ראה מג"א שם סק"ח ומ"ב שם סקכ"א, אך במצב כזה אין להחמיר.

156 מנחת אשר—בתקופת הקורונה מהדורה תניינא סי' טז(טז). וראה הגהות רעק"א לשו"ע או"ח שז ה ושם שכו א, שהתיר רחיצה בשבת במים שהוחמו מערב שבת למי שמצטער. ומכל מקום נראה שעדיף במים שהוחמו בדוד שמש ולא בחשמל, ובכל מקרה יזהר מסחיטה.

157 טושו"ע או"ח רצז ה; שו"ת תרומת הדשן פסקים וכתבים סי' רד.

158 ואמנם בטושו"ע שם כתב שיכול להוציא גם גדולים אם אינם יודעים לברך בעצמם, וכן הכריע בשו"ת שבות יעקב ח"ג סי' כ, אך רוב האחרונים חלקו בזה על השו"ע, וכן הכריע במ"ב שם סקי"ג שדווקא להוציא בני ביתו הקטנים שהוא מדין חינוך, אבל לא גדולים אפילו מי שאינו יודע. וראה שו"ת רדב"ז ח"ה סי' ב' אלפים שכא שכתב שלא יברך, וראה מה שהעיר על דבריו בהגהות רעק"א סוסי' רצז. וראה באריכות בשו"ת יביע אומר ח"ד חאו"ח סי' כד. וראה בשו"ת חלקת יואב מהדו"ק אונס סי' ד. ואמנם במ"ב שם סקי"א כתב שמדובר במי שאין לו חוש הריח, אבל בשו"ת הלכות קטנות ח"ב סי' קפג כתב שהוא-הדין גם במי שיש לו נזלת, שלמרות שזה רק מצב זמני, ודומה למצב בקורונה.

להריח יכול לענות אמן על ברכת הבשמים בהבדלה, ואין ענייתו נחשבת הפסק כיון שהוא מסדר ההבדלה ומכבוד המצוה[159].

12. בתפילה בליל שבת, המתפלל ביחידות יאמר אחרי שמונה עשרה רק את פרשת 'ויכולו', ולא יאמר 'מגן אבות'[160].
13. הפיוט 'אנעים זמירות' שנאמר בשבת נתקן להיאמר בציבור, ולכן המתפלל ביחידות לא יאמר פיוט זה[161].
14. מי שיצא מבידוד בחול המועד ולא היה סיפק בידו להסתפר לפני החג—מותר להסתפר בחול המועד[162].
15. רופא מותר לכבס את בגדי הרופא או המנתח בחול המועד[163].

י. פסח

1. נהגו הבכורים להתענות בערב פסח, אך כבר השתרש המנהג שהם עושים סיום מסכת, או משתתפים בסיום מסכת, ובסעודת המצווה לסיום המסכת הם נפטרים מהצום.

אכן בתקופת מגפת הקורונה, כאשר אסור להתקהל יחד, ובפרט מי שנמצא בבידוד, אם הוא בכור צריך ללמוד לבדו מסכת ולסיימה, כדי להיפטר מהצום. ואם הוא לאו בר הכי, יכול לסיים סדר משניות, או אף משניות של מסכת אחת אם לומד בעיון, או אפילו ספר נביאים אם לומד בעיון[164], אלא שבספרים כאלה יכול לפטור עצמו בלבד ולא אחרים[165].

---

159 מנחת שלמה על מס' פסחים עמ' רח"ץ. וראה הליכות שלמה, מועדים ח"ב פט"ז בארחות הלכה הע' 35.

160 שו"ע או"ח רסח י, ובמ"ב שם סקכ"ד. היינו אפילו מתפללים במניין בבית אין אומרים מגן אבות, ובוודאי כשמתפללים ביחידות. וראה מנחת אשר—בתקופת הקורונה, מהדורה תניינא סי' כח. אמנם בירושלים העתיקה נהגו לומר מגן אבות בכל מקום שמתפללים—ראה עין יצחק—הלכות קורונה (הגר"י יוסף) עמ' יז, ושם עמ' נא. וראה מנחת אשר שם.

161 פסקי קורונה של הגר"צ שכטר, פורסם באתר: https://www.kolcorona.com/rav-schachter-official-pesakim. וראה שם שהביא בשם הגרי"ד סולובייציק שדין פיוט זה כדבר שבקדושה, עיי"ש.

162 מנחת אשר—בתקופת הקורונה, מהדורה תניינא סי' מד.

163 מנחת אשר שם סי' מו.

164 ראה בכל אלה בפסקי תשובות סי' תע אות ט, ובמקורות שציין. וראה שו"ת אגרות משה חאו"ח ח"א סי' קנז, ושם ח"ב סי' יב, שפסק שיוצא גם בסיום ספר מקרא, אך דווקא אם למד כפי פירושי רבותינו הראשונים ולא מפירושים של אנשים בעלמא.

165 שו"ת יביע אומר ח"א חאו"ח סי' כו.

בעת מגפת הקורונה התירה הרבנות הראשית לישראל בשעת הדחק לשמוע סיום מסכת דרך טלפון, או דרך אמצעי תקשורת אחרים[166].

2. מכירת חמץ יכולה להיעשות על ידי חתימה והעברת טופס ההרשאה לרבנים בפקס או במייל וכד׳, ובדוחק גדול ובמקום שאי אפשר למסור את השליחות מותר לתת הרשאה לרב בטלפון[167].
ניתן למכור חמץ גם דרך אתרים של רבנים המוכרים חמץ.
ומי שהוא מורדם ומונשם—יכולים למנות עבורו שליח שימכור את חמצו מדין זכין לאדם שלא בפניו[168].

3. יש שפסקו להימנע כליל משריפת חמץ בחוץ, ולקיים מצות ביעור חמץ על ידי פירור החמץ לגדלים של פחות מכזית, והשלכתם לאסלה בשירותים[169].
ונראה שזה דווקא במקום שיש עוצר ואיסור לצאת מהבתים לשום מטרה, או כאשר מתאספים רבים יחד לשרוף את החמץ, אבל במקום שמותר לצאת מעט (כמו בישראל שהתירו לצאת עד 100 מ׳ מהבית)—אם שורף את החמץ בעצמו, ובכמות קטנה של חמץ—לא נראית סברא לאסור.

4. מי שנמצא בבידוד ומתפלל ביחידות—יש אומרים שלא אומר הלל בתפילת ערבית של ליל הסדר[170], כי זה נתקן דווקא בציבור[171]; ויש אומרים שגם יחיד יכול לומר הלל בערבית בליל הסדר[172].

5. אנשים הנמצאים בבידוד, ובעיקר זקנים וזקנות שבני משפחותיהם מצווים להימנע מלהשתתף עמם מחשש שידביקו אותם בנגיף, צריכים לעשות את הסדר כהלכתו לבדם[173].

---

166 וכן פסק הרב הרשל שכטר, פורסם באתר של ישיבה-יוניברסיטי. וכן פסק במנחת אשר—בתקופת הקורונה ח״א סי׳ יב סק״ו.

167 פס״ד של רבני הבד״צ עדה חרדית בירושלים, בראשות הגאב״ד הגר״ט וייס, והראב״ד הגר״מ שטרנבוך. וכן בעין יצחק—הלכות קורונה (הגר״י יוסף) עמ׳ כה ואילך; ובמנחת אשר—בתקופת הקורונה, מהדורה תניינא סי׳ לו.

168 עין יצחק—הלכות קורונה (הגר״י יוסף) עמ׳ כז.

169 פס״ד של הגר״ד פיינשטיין, והגר״ש קמינצקי, והגר״צ שכטר בארה״ב.

170 לנוהגים כן על פי המבואר במחבר או״ח תפז ד.

171 ביאור הגר״א או״ח סי׳ תפז סק״ד. וראה בס׳ נפש הרב (הגרי״ד סולובייציק) עמ׳ רכב.

172 ברכ״י או״ח סי׳ תפז אות ח; כף החיים סי׳ תפז ס״ק לט-מב. וכן כתב במנחת אשר—בתקופת הקורונה, מהדורה תניינא סי׳ לט-מ.

173 מצב זה הוא קשה מאד מבחינה רגשית-חברתית, והיו כמה רבנים שהתירו שימוש באמצעים טכנולוגיים של וידיאו וכד׳ כדי לשתף את הזקנים עם בני משפחתם העורכים את הסדר.

6. בנוסח "הא לחמא עניא" שבפתיחת ההגדה אומרים "כל דכפין ייתי וייכול", והרי ברור שאין מכניסים עניים לבית בעת המגפה, אך מכל מקום יאמרו זאת כי הכוונה היא זכר למקדש שהיו מזמינים לאכול אתם קרבן פסח[174].
7. אחד התסמינים של מחלת קורונה היא איבוד חוש הטעם. ומכל מקום גם במצב זה יוצא ידי חובת אכילת מצה בליל הסדר ויכול לברך עליה, כי יוצא גם אם בלע מצה.
אבל ביחס למרור מכיוון שלא יצא אם בלע ולא הרגיש טעם המרירות בפיו—יאכל בלא ברכה[175].
8. תפילת יזכור יכולים לומר ביחידות.
9. בעניין ברכת האילנות—מי שנמצא בבידוד יכול לברך ברכה זו בראיית האילנות דרך החלון[176].

יא. ספירת העומר

1. מנהג כל ישראל להימנע משמיעת מוזיקה בכלי נגינה, ואפילו מקלטות. אכן בתקופת מגפת הקורונה, כאשר נגזר על כל אחד להיות בבידוד, אם מדובר באנשים בודדים, ובוודאי כשהם חולים וזקנים, וכן בילדים שקשה להם לשהות תקופה ארוכה בבידוד—יש מקום להקל שמיעת מוזיקה בקלטות, בוודאי אם מדובר בשירה בפה, אך הוא-הדין גם בכלי נגינה, אם יש בזה כדי לרומם את מצב הרוח של הבודדים[177]. ואם יכול להסתפק בשירה המעוררת

שימוש בטכנולוגיות כאלה אסור גם ביום טוב (ראה בעין יצחק—הלכות קורונה (הגר"י יוסף עמ' לה ואילך; מנחת אשר—בתקופת הקורונה, מהדורה תניינא סי' מא). יש מי שהציע לערוך חלקים מסויימים מהסדר באמצעות תקשורת וידיאו וכד' אחרי מנחה גדולה בערב פסח, שאז אין איסור בשימוש באמצעים טכנולוגיים כאלה, ובזמן שבית המקדש היה קיים הקריבו את קרבן פסח אחרי תמיד של בין הערביים לפני כניסת החג, ורק אותם חלקים בסדר שחייבים להתקיים אחרי צאת הכוכבים יעשו בבדידותם (הרב י. בן נון).

174 פסקי קורונה של הגר"צ שכטר.

175 מנחת אשר—בתקופת הקורונה ח"א סי' ל, מסתפק אם כדי לצאת ידי חובת מרור די בדרך אבילה, (לאפוקי בליעה), או שהרגשת טעם המרור היא הכרחית לקיום המצווה. ולכן מכריע שלא לברך מחמת הספק.

176 ראה שו"ת אור לציון ח"ג פ"ו-א.

177 ביסוד איסור שמיעת מוזיקה בכלי נגינה לא מצאנו לקדמונים שאסרו זאת במפורש, ואיסור כזה לא מוזכר בשולחן ערוך. אך כתבו האחרונים שיש בזה איסור גמור מדיני אבלות בימי ספירת העומר—ראה ערוה"ש או"ח תצג ב; מועד לכל חי סי' ו אות יא; שו"ת אגרות משה

את האדם, אך איננה מביאה לריקוד ומחול, או בשמיעת פרקי חזנות—עדיף, כי זה מותר לכל אדם גם לא בעת מגפה[178]. אבל אין להקל לבריאים שאינם במצב נפשי קשה בגין הבידוד[179].

2. בדין תספורת בספירת העומר—מכיוון שבתקופת הקורונה נסגרו כל המספרות והיה אונס שלא יכלו להסתפר, יש מי שכתב שבמקום צורך יכול לשנות את המנהג האבלות בספירה, כך שגם אם נהג מנהגי אבלות עד ל״ג בעומר יכול להחליף לנהוג אבלות מר״ח אייר, ולפי זה יוכל להסתפר אחרי הפסח[180]; ויש מי שכתב שאבלות ספירת העומר היא בגדר אבלות י״ב חודש על אביו ואמו[181], ובמצב כזה מותר להסתפר משיגערו בו חבריו[182]; ויש מי שכתב, שבכל מקרה של אונס מצד אחרים וכשדבר האונס מפורסם יכול להסתפר בימי הספירה, והיינו דווקא בשיער הראש אבל לא בזקן[183].

3. בדין נישואין—נהגו ישראל—פרט ליהודי תימן—שלא להתחתן בימי הספירה מדין אבלות[184]. אך מצינו בפוסקים מצבי דחק שונים שהתירו להתחתן[185], ולכן הובאה לידיעת הציבור ביום ח׳ ניסן תש״פ החלטת מועצת הרבנות הראשית לישראל מיום י״ט תמוז תשע״ט שבנסיבות מיוחדות בסמכות הרב המקומי לערוך חופה וקידושין גם בימים שנהגו שלא להתחתן כמו בספירת העומר ובימי בין המצרים.

חאו״ח ח״א סי׳ קסו, ושם ח״ג סי׳ פז, ושם ח״ד סי׳ כא, ושם ח״ה סי׳ סז וסי׳ קלז, ושם חיו״ד ח״ב סי׳ קלז; שו״ת מנחת יצחק ח״א סי׳ קיא; שו״ת משנה הלכות ח״ח סי׳ קפח, ושם חי״א סי׳ תב–תג; שו״ת יחוה דעת ח״א סי׳ מה, ושם ח״ג סי׳ ל, ושם ח״ו סי׳ לד, ועוד. וכן אסרו גם שמיעת שירה בפה—ראה הליכות שלמה מועדים ח״א פי״א סי״ד והע׳ 53; שו״ת שבט הלוי ח״ח סי׳ קכז; שו״ת ציץ אליעזר חט״ו סי׳ לג. אכן כאשר מדובר במצב של מחלה ובקושי נפשי—אין מקום להחמיר. וכן כתב בעין יצחק—הקורונה בהלכה (הגר״י יוסף), עמ׳ מד ואילך. וראה הליכות שלמה שם הע׳ 54 שהגרש״ז אויערבאך הורה פעם להתיר נגינה בפסנתר בבית חולנית כדי לחזק רוחה כי אין המטרה לשמוח אלא להקל מעליה הפחד.

178 הליכות שלמה מועדים ח״א פי״א סי״ד והע׳ כב.

179 מנחת אשר—בתקופת הקורונה, מהדורה תניינא סי׳ מז.

180 שו״ת אגרות משה חאו״ח ח״א סי׳ קנט.

181 ראה דעת הגרי״ד סולובייציק, הובא בנפש הרב, עמ׳ קצא.

182 וראה רמ״א יו״ד שצ ד שהשיעור הוא ג׳ חודשים, ובשו״ת אגרות משה חיו״ד ח״ג סי׳ קנו כתב שבימינו שמסתפרים בתדירות יותר גבוהה השיעור הוא ב׳ חודשים.

183 עין יצחק—הקורונה בהלכה (הגר״י יוסף), עמ׳ מח ואילך.

184 טוש״ע או״ח תצג א. ומקורו בגאונים—ראה אוצר הגאונים, יבמות סב ב, ותשובות הגאונים סי׳ שעו–שעז. אבל לא מוזכר מנהג זה בתלמוד, ולא הובא מנהג זה ברמב״ם.

185 האריך בכך הרב רצון ערוסי בתשובה כת״י.

יב. ראש השנה

1. בעניין התפילות בראש השנה כתב הגאון רבי עקיבא איגר[186], שהתפילה בראש השנה הוגבלה לחמש שעות בלבד, חלק מהפיוטים לא יאמרו כלל, והחזנים ובעלי התפילה לא יאריכו בניגונים.
לפיכך בהתאם למצב ולצורך ניתן להשמיט פיוטים[187]; לומר ברכות השחר ופסוקי דזמרה בבית, ולהתאסף למניין החל מנשמת כל חי; לומר לפני תקיעת שופר "למנצח לבני קורח מזמור" רק פעם אחת; לקצר או להשמיט "מי שבירך" בקריאות התורה; להמעיט בניגונים; ולקצר דרשות.

2. בעניין הסליחות—אחרי אשרי וחצי קדיש יש לקצר ולומר פיוטים בודדים ואחריהם י"ג מידות, ואחרי פיוטי הסליחות לומר פרקי "זכור רחמיך" המקוצר כמו בערב יום כיפור.
בעת סגר, כשנאלצים להתפלל ביחידות, יכולים לומר את פיוטי הסליחות בחודש אלול ובימים נוראים, אך צריך לדלג על י"ג מידות ועל הבקשות בלשון ארמית[188].
יש מי שכתב שמי שנמצא בבידוד בערב ראש השנה יכול לעשות התרת נדרים דרך הזום ואפילו דרך הטלפון[189].

3. תקיעה בשופר גורמת לפיזור חזק ורחוק של תרסיסי רוק מהפה. לפיכך יש לנקוט באחד או יותר מהדרכים הללו: רצוי שהתפילה תתקיים במקום פתוח, ואזי בעל התוקע יתקע במרחק מהציבור

---

186 בס' פסקים ותקנות רבי עקיבא אייגר (יצא לאור ע"י הרב נתן גשטטנר תשל"א) בחלק הנהגות ותקנות סי' כ.

187 להלן הצעה להשמטת פיוטים: **ראש השנה א שחרית**—להשמיט בחזרת הש"ס: את חיל יום פקודה + נעלה בדין; תאלת זו כחפץ להתעיל + מלך עליון ונורא; אבן חוג מצוק נשיה; אדירי איומה יאדירו בקול. **ראש השנה א מוסף**—להשמיט בחזרת הש"ס: אופד מאז לשפט היום + נעלה שופר עם תחנון; תפן במכון לכס שבת + עולם בבקרך בראש השנה; אף ארח משפטיך; מלך עליון א-ל דר במרום; האוחז ביד מדת משפט. **ראש השנה ב שחרית**—להשמיט בחזרת הש"ץ: אמרתך צרופה ועדותיך צדק + בו שעננו מעולם; תמים פעלך גדול העצה + שפתינו מדובבות עז; מדבר בצדקה חונן ומתרצה; מלך עליון אמיץ המנושא; כל שנאני שחק. **ראש השנה ב מוסף**—להשמיט בחזרת הש"ץ: האוחז ביד מדת משפט. וכבר נחלקו המחבר והרמ"א באו"ח קיב ב אם בכלל מותר לומר פיוטים באמצע חזרת הש"ץ בתפילת העמידה, ואף שמנהג ישראל התקבל לאומרם (ראה שו"ת רדב"ז ח"ג סי' תקלב, ב"ח או"ח סי' פח), אך בוודאי בעת מגפה ניתן לדלג על פיוטים אלה.

188 מ"ב סי' תקפא סק"ד.

189 קונטרס מנחת אשר—ירח האיתנים בעידן הקורונה, סי' ג.

ולכיוון המנוגד לציבור; אם התפילה מתקיימת בחלל סגור יש לתקוע מול חלון פתוח לכיוון המנוגד מהציבור; אפשרות אחרת היא שבעל התוקע יעמוד לבדו מאחורי מחיצת פלסטיק שקוף ועבה (Plexiglass); עוד אפשרות לסגור את הפתח הרחב באמצעות מסכת פנים מהודקת בגומייה עבה[190]. ובכל מקרה יעמוד התוקע במרחק גדול מהקהל, וגם המקריא יעמוד מרחוק.

4. אם השלטונות יקבעו סגר בראש השנה יש לאפשר לבעלי תקיעה לעבור מחצר לחצר או מחדר מדרגות לחדר מדרגות, ולתקוע ליושבים בסגר.

5. כשצריכים להתפלל בראש השנה ביחידות יתפלל תפילת מוסף דווקא אחרי שלש שעות זמניות[191], אבל תפילת שחרית יתפלל גם בתוך שלש שעות אם הציבור מתפלל באותה שעה[192].

6. בענין טבילה במקווה ראה לעיל עמוד 53.

יג. יום הכיפורים

1. בעניין תפילה ביום הכפורים כתב הגאון רבי עקיבא איגר[193], שבשחרית לא יאמרו סליחות ופיוטים, ויסיימו את כל התפילות עד שעה 10, שאז יסגרו את כל בתי הכנסת[194]. חייבים לקצר בחזנות ובניגונים, ויהיו הפסקות בין התפילות למנוחה.

---

190 בניסוי שערך עבורי בעל התוקע שלנו לא היה שינוי בקול היוצא מן השופר בלי ועם המסכה, וכמו כן בבדיקת תדרי קול לא נרשמו הבדלים. אכן הראשל"צ הרב הראשי לישראל הרב יצחק יוסף, בתשובה כת"י אלי, כתב שבדרך כלל אין להשתמש בעצה זו מחשש שיש בכל זאת שינוי בקול השופר, וכן מחשש שהמסכה תחדור לתוך השופר, ורק כשאין ברירה, כגון שהמקום צפוף אפשר להתיר בתנאי שלא יהא שינוי בקול השופר ושהמסכה תהא כולה מחוץ לשופר. ולעומתו כתב במנחת אשר—ימים נוראים בעידן הקורונה סי' ה-ו להקל בשעת הדחק כמו המגפה, ולהתיר כיסוי השופר עם מסכה, וכן להתיר תקיעת שופר במחיצת פלסטיק בין התוקע לקהל.

191 שו"ע או"ח תקצא ח.

192 מ"ב שם סקי"ד. וראה בשעה"צ שם סקי"ג.

193 בס' פסקים ותקנות שם.

194 להלן הצעה להשמטת פיוטים: בכל הסליחות לגמור "יכירו וידעו כי לה' אלקינו הרחמים והסליחות. **יום כיפור שחרית**—להשמיט בחזרת הש"ץ: אמצת עשור לכפור תמה + כצהרים משפטיך האר; תאות נפש לשמך ולזכרך + נפש נענה תבשר סליחה; אנוש מה יזכה; אחדת יום זה בשנה; אמרו לאלקים ארך אפים וגדל כח; מעשה אלקינו אין בשחק. **יום כפור מוסף**—להשמיט בחזרת הש"ץ: שושן עמק איומה + שפתנו מדובבות ישנים; יום מימים הוחס + כפר פדיון נפש; אנוש איך יצדק; צפה בבת תמותה; אמרו לאלקים א-ל מלך

2. בזמן מגיפה, אם הרופאים אומרים שהתענית תזיק לבריאים, מותר לכולם לאכול פחות-פחות מכשיעור אפילו ביום הכיפורים[195], וצריך להכריז ולהודיע ברבים שאין להתענות, וגם אין צריך תשלומים לתענית[196].

ומספרים על ר' ישראל סלנטר, אבי תורת המוסר, שבעת מגפת כולירע בוילנה בשנת תר"ט (1848) הוא בעצמו עלה על הבימה ביום הכיפורים שחל להיות בשבת, ודרש שהקהל לא יתענה, ויש מוסיפים שהוא בעצמו קידש על היין וטעם בפניהם[197],[198].

וכן מסופר שבשעת מגפת הכולירע בשנת תר"ח הכריז האדמו"ר ר' שלום מבעלזא, שכל מי שמרגיש חולשה רבה ישתה או יאכל כפי הצורך לחזק ליבו[199].

בעולמו; האוחז ביד מדת משפט; אשרי עין ראתה אהלנו; לא אישים ולא אשם; תכפו עלינו צרות; תנות צרות לא נוכל...עד זכור רחמיך; אל תירא יעקב שובו בנים שובבים. **יום כפור מנחה**—להשמיט בחזרת הש"ץ: איתן הכיר אמונתך + צדקה תחשב לנו; מאהב ויחיד לאמו + לפניו יקימנו נחיה; אראלים בשם תם ממליכים; א-ל נא רפא נא תחלואי גפן פוריה.

195 שו"ת חת"ס ח"ו סי' כג; שו"ת רמ"ץ חאו"ח סי' לט; שו"ת דברי נחמיה חאו"ח סי' מ–מא.

196 שו"ת דברי מלכיאל ח"ג סי' כו.

197 הרב יחיאל יעקב וויינברג, תלמיד תלמידו של רבי ישראל סלנטר, מעיד על אירוע זה בפירוט בספרו שו"ת שרידי אש (מוסד הרב קוק), חלק רביעי עמ' רפט. וראה שו"ת מצפה אריה מהדו"ת חחו"מ סי' מה; המועדים בהלכה עמ' פג; ס' ימים נוראים לש"י עגנון, עמ' רעג; ס' מקור ברוך ח"ב פי"א. ויש מוסיפים שר"י סלנטר ציווה להכריז שבטרם תחילת יום הכיפורים ישבע כל יהודי כי החל מרגע זה ועד צאת היום הקדוש הוא לא יאכל כשיעור, ועל ידי זה יצא שאין איסור תורה לאכול מצד יום הכיפורים אלא רק מצד השבועה, כי אין איסור חל על איסור, וממילא יהיו מותרים מן התורה לאכול חצי שיעור (ראה שו"ת רב"ז סי' יא, ומה שכתב בזה). וראה עוד בס' תנועת המוסר ח"א עמ' 152 ואילך. וכן ראה עוד בס' ר' ישראל סלנטר (ע. אטקס), עמ' 183. וראה בשו"ת אגרות משה חאו"ח ח"ג סי' צא שהגאון ר' ישראל סלנטר ציווה בשעת מחלת כולירע מתפשטת שכל בני העיר, אף שהיו בריאים, יאכלו ביום הכיפורים כדי שלא יחלו, מפני שהרעבים עלולים להדבק יותר. אמנם ראה בשו"ת מנחת שלמה ח"א סי' לא (ובהליכות שלמה מועדים ח"ב פ"ה הע' 58), שיש עדויות שר' ישראל סלנטר בעצמו לא אכל. ויש עדויות שאביו של החפץ חיים נפטר בוילנה ממחלת הכולירע בשמחת תורה שבועיים אחרי אותו יום כפורים.

198 ואמנם גירסת הסיפור שהגר"י סלנטר קידש ואכל עוגה קשה מאד מצד ההלכה, שהרי ביום הכיפורים אין כלל דין קידוש גם בחולה שמותר לו לאכול, וכמו כן גם חולה שמותר לו לאכול צריך לאכול בשיעורים, וק"ו בריא אם הותר לו לאכול שצריך לאכול פחות-פחות מכשיעור, בעוד שהמקדש צריך לאכול שיעור שלם כדי שיהא קידוש במקום סעודה, ומי התיר לבריא לאכול שיעור שלם. ואמנם פוסקים אחרים שנהגו בזמן מגפות להתיר אכילה ביום הכיפורים לא קידשו והתירו רק פחות-פחות מכשיעור.

199 ימים נוראים, לש"י עגנון, עמ' רעג.

ועוד יש מי שכתב שבעל השואל ומשיב אף הוא הורה לקהילת אסטראה בשנת תרל"ג (1873) שלא להתענות, הן חולים והן בריאים, ויאכלו פחות-פחות מכשיעור[200].

וכן נהג הראי"ה קוק שבהיותו רב בזוימל פרצה שם מגפת החולירע, והורה לאכול "אכילה קלה" (לא מפורט האם פחות מכשיעור או יותר) ביום הכיפורים, ועשה כך בעצמו בבית הכנסת בזמן התפילה והקהל בעקבותיו[201].

אמנם יש מי שכתב להודיע הדבר הגדול הזה לדורות עולם, אשר בתלתא הוי חזקה, מאלפים ורבבות אנשים ונשים ת"ל, התענו כולם בצום כיפורים דשנת תקצ"ט, ות"ט, ותרכ"ז בכל מדינתנו אז, ולא קרה להם כל רע חלילה, ונודע זאת כמעט בכל העולם אז[202].

ובעצם נראה שאין מחלוקת עקרונית ביניהם, אלא שהדבר תלוי במה שהרופאים סבורים ביחס למגיפה הנידונה—אם צום מחמיר את הבעיה, מותר לאכול ביום הכיפורים, ואם לאו—אסור.

3. ועל כן אם מדובר בסוג מגיפה שלדעת הרופאים אין יתרון באכילה או בשתיה, אסור לבריאים להימנע מצום ביום הכיפורים. ואמנם לפי הידע הקיים היום, מגפת הקורונה איננה תלויה באכילה ושתיה, ולפיכך מי שהוא בריא, או שהוא שוהה בבידוד, או שיש לו תסמינים קלים בלבד—חייב לצום[203]. ומכל מקום עדיף להישאר בבית ולא לצאת אפילו לתפילות אם זה יסייע להשלים את הצום.

ויש מהרופאים שממליצים לאדם שאומת כנשא של הנגיף לשתות פחות מכשיעור עד 3 ימים מהאבחנה.

ומי שיש לו תסמינים ברורים של המחלה, ובוודאי מי שחולה ממש—יאכל וישתה פחות מכשיעור. ואם הוא חולה בינוני ומעלה—לא יצום כלל.

---

200 שו"ת מצפה אריה שם.

201 לשלשה באלול, עמ' ט.

202 ס' ראשית בכורים דל"ג, הובא בס' המועדים בהלכה עמ' פד. ובשו"ת מצפה אריה שם, הביא שחלקו רבני ווילנא על ר' ישראל סלנטר. וראה מטה אפרים סי' תריח באלף המגן בהקדמה לסי' זה. וראה בביאוה"ל סי' תריח ס"א סוד"ה חולה. וכן הביא בשד"ח מערכת יום הכיפורים, סימן ג, אות ד, בשם רבי דוד חיים חזן, שהיה הראשל"צ בירושלים, על החולירע בשנת תרכ"ו (1865) שלא התיר לקהל לאכול, ורק ציווה שימעטו בפיוטים. וכן כתב בשו"ת זכר יהוסף ח"ד סי' רג.

203 ראה קונטרס מנחת אשר—בתקופת הקורונה, ח"א סי' ג.

חולה מאומת עם תסמינים—אפילו הם קלים—ויש לו מחלות רקע—יאכל וישתה פחות מכשיעור או יאכל וישתה כדרכו בהתאם למצבו ובהתאם לחוות דעת של רופא.

חולה קורונה קשה שהבריא—אם נותרו סיבוכים, או שהוא מרגיש חלש, או שיש לו גורמי סיכון—לא יצום עד להחלמה מלאה; ואף אם נראה שהבריא לגמרי לא יצום בחודשים הראשונים לאחר מחלתו, כי ישנן עדויות על התפתחות סיבוכים גם תקופה אחרי תום המחלה החריפה.

4. אף שרחיצה היא אחת מהעינויים ביום הכיפורים מותר לרחוץ ידיים עם סבון נוזלי או לשטוף עם אלכוג'ל וכד', כי אין זו רחיצה לתענוג אלא לשם בריאות.[204]

5. אחיות שעובדות במשמרות ארוכות במחלקות קורונה כשהן ממוגנות צריכות לשתות בהפסקות כל צרכן מחשש סביר להתייבשות בתנאי העבודה המיוחדים והקשים.

יד. פורים

1. מי שהפסידו את קריאות התורה של פרשות שקלים, פרה והחודש—אין להם תשלומין.[205]

2. במצב של הסגר או בידוד שאסור לצאת לבית הכנסת או להתכנס במניין—אסור לצאת גם לקריאת פרשת זכור, אף שהיא לדעת פוסקים רבים מן התורה. ומכל מקום יקרא את פרשת זכור ביחידות מתוך חומש, שאף שאינו יוצא ידי המצווה, אבל יש בזה משום זכירת עמלק.[206]

3. אם הסתיים הבידוד או ההסגר עד פורים—יכוין לקיים מצות זכירת עמלק בקריאת התורה של "ויבא עמלק"; ואם גם אז עדיין יהיה בבידוד יכוין לצאת ידי חובת זכירת עמלק בפרשת כי תצא.

---

204 מנחת אשר—ירח האיתנים בתקופת הקורונה—מהדורה תליתאה סי' יד.

205 שו"ת גינת ורדים כלל א סי' לו; הגהות רעק"א או"ח תרפה א; שערי אפרים שער ח סצ"ה; מ"ב סי' תרפה סק"ב. וראה עוד בפסקי תשובות תרפה א; מנחת אשר—בתקופת הקורונה, מהדורה תניינא סי' לה.

206 ראה רמ"א תרפה ז, ובשו"ת בנין שלמה סי' נד.

4. כמו כן הנמצא בבידוד יקרא את המגילה בפורים ביחידות בביתו[207]. וכמובן עדיף שיקרא ממגילה כשרה ויברך את הברכות שלפניה, ואם אינו יודע לקרוא—טוב שמישהו יקרא עבורו מבחוץ. ומכל מקום איננו יוצא ידי חובת מקרא מגילה בשמיעה דרך טלפון, רדיו או כל אמצעי אלקטרוני אחר[208].
5. הנמצא בבידוד יכול למנות שליח לקיים מצות משלוח מנות ומתנות לאביונים.

טו. תשעה באב ושאר הצומות מדרבנן

1. חולה אף שאין בו סכנה פטור מלהתענות בתשעה באב, שבמקום חולי לא גזרו רבנן[209].
2. דין זה נכון אפילו בחולה שאינו מוטל במיטה, שאינו צריך להתענות[210]; ואפילו מי שהוא חלש וחש בגופו, אף על פי שאין בו סכנה, מאכילים אותו[211]; וכן זקנים תשושי כוח, שהתענית צער להם[212], ואין כדאי להחמיר[213]; ואפילו חולה שנתרפא, אך עודנו תשוש כוח, מותר לו לאכול כל זמן שיש לחשוש שאם יצום יחזור לחוליו, רק שלא יאכל מעדנים[214].
3. חולה שאין בו סכנה אינו צריך אומד[215], היינו שאין צריך לאמוד ולשער אם יבוא לידי סכנה על ידי זה שיתענה, ואפילו אם אין בו

---

207 וראה בהקדמת הרמ"א לספרו מחיר יין על מגילת אסתר, שנאלץ לעזוב את עירו קרקוב בגלל "עיפוש האוויר" וכתב: "ולא יכלנו לקיים ימי הפורים במשתה ושמחה להסיר יגון ואנחה".

208 שו"ת משפטי עוזיאל מה"ת חאו"ח סי' לד; שו"ת מנחת שלמה ח"א סי' ט; יחוה דעת ח"ג סי' נד; החשמל בהלכה ח"א פי"ג.

209 שו"ת מהר"ם מרוטנברג האחרונים סי' טו; שו"ע או"ח תקנד ו. וראה בחידושי הגר"ח (סטנסיל) סי' מה שמה שנאמר שבמקום חולי לא גזרו רבנן הכוונה דאין כאן דין תענית ולא רק משום דאונס, ולא שייך חומרא אף בחולה שאין בו סכנה. ומסופר שאחד שהיה חולה שאין בו סכנה ושאל את הגר"ח מבריסק אם הוא יכול להחמיר ולצום, ואמר לו הגר"ח שיקבל עליו תענית יחיד במנחה שבערב תשעה באב, כי אין כל משמעות לצום שלו במצבו בתשעה באב, והוא סתם תענית יחיד שיכול לקבל על עצמו בכל יום. ודלא כשו"ת זכרון יוסף סי' כא, ושו"ת דברי נחמיה סי' מ, שהחמירו.

210 ערוה"ש או"ח תקנד ז; כף החיים שם סק"ל וסקל"ג.

211 מ"ב סי' תקנד סקי"א. וראה עוד שו"ת להורות נתן ח"ב סי' לו; ושם ח"ג סי' לד.

212 רוח חיים סי' תקמט סק"א.

213 מ"ב סי' תקנד סקט"ז.

214 כף החיים סי' תקנד סקל"א.

215 רמב"ן, תורת האדם, ענין אבלות ישנה והיא תשעה באב; טושו"ע או"ח תקנד ו.

סכנה כעת, כיוון שהוא בכלל חולה אין צריך להתענות[216]; ואפילו לא אמר צריך אני—מותר לאכול[217].

4. יש הסבורים שגם בתשעה באב יש להאכיל חולה פחות-פחות מכשיעור, כמו ביום-הכיפורים[218]; ויש הסבורים שלא שייך כלל פחות מכשיעור בתשעה באב, שבמקום חולי לא גזרו רבנן[219]; ויש מי שכתבו שזה דווקא במי שהוא כבר חולה, אבל בריא שיש חשש שיחלה, כגון כשיש מגיפה כמו כולירע, ויש חשש שיחלה, אז יש להחמיר בפחות מכשיעור[220].

5. לאור כללים אלו בהתייחס למגפת הקורונה עולות המסקנות הבאות:

- מי שהוא בריא, ללא תסמינים, וללא עדות למגע עם חולה מאומת—חייב לצום[221].
- מי שנמצא בבידוד בגלל מגע אפשרי עם חולה מאומת, אך אין לו כל תסמינים והוא חש בריא—חייב לצום.

---

216 מ״ב שם סקי״ב. וראה בשו״ת תשובות והנהגות ח״ב סי׳ רסד.

217 ט״ז או״ח סי׳ תקנד סק״ד. בהבנת דברי הט״ז הללו ראה ביד אפרים שם; שו״ת מהר״ם שיק חאו״ח סי׳ רפט; שו״ת שבה״ל ח״ד סי׳ נו.

218 שו״ת חת״ס חאו״ח סי׳ קנז; שו״ת מהר״ם שיק חאו״ח סי׳ רפט; שד״ח מערכת בין המצרים סי׳ ב אות א ואות מג, בשם צמח צדק החדשות ודברי נחמיה; שו״ת צמח צדק שער המילואים סי׳ ח-ט; ביאוה״ל סי׳ תקנד ס״ו; שו״ת שי למורא חאו״ח סי׳ ד; ס׳ מרחשת ח״א סי׳ יד סק״א. ועיי״ש שהעיד על עצמו שכשהיה חולה בתשעה באב נהג בעצמו לאכול פחות-פחות מכשיעור. וראה מחלוקת ר״ש סלנט והאדר״ת, הובאו דבריהם בספר זכרון לר׳ השיל רייזמן עיונים בתעניות עמ׳ קמח, וראה הערות ר״י זילברשטיין שם.

219 ערוה״ש או״ח תקנד ז; מזבח אדמה סי׳ תקנד; מחזיק ברכה בקו״א אות א; שו״ת אבני נזר חאו״ח ח״ב סי׳ תקמ; שו״ת שערי דעה ח״ב סי׳ רנב; משנת יעב״ץ חאו״ח סי׳ מט; שו״ת צי״א ח״י סי׳ כה פט״ז; שו״ת שבה״ל ח״ד סי׳ נו; רש״ז אויערבאך, הובאו דבריו בס׳ ועלהו לא יבול עמ׳ רא, ובס׳ נשמ״א מהדורה שניה חאו״ח סי׳ תקנד סק״ו. וראה גם בס׳ הליכות שלמה מועדים ח״א פ״ב הע׳ ב.

220 כמבואר בביאה״ל סי׳ תקנד ס״ו ד״ה דמקום חולי, בשם ספר פתחי עולם (שכתב זאת בשם ס׳ דברי נחמיה שכתב דברים אלה בשם האדמו״ר הצמח צדק). וראה בשבה״ל שם; הליכות שלמה, מועדים ח״א פי״ג ס״ה ובדבר הלכה שם; קב ונקי ח״ב סי׳ קצג בהע׳ קט.

221 ואף לשיטות הפוסקים שהתירו גם לבריאים לאכול ביום הכיפורים בעת מגפת הכולירע הרי מהות המגפות שונה—הכולירע גורמת לשלשולים קשים ולהתייבשות, ולכן יש צד לומר שגם הבריאים לא יכנסו למחלתם כשהם בצום, אבל הקורונה גורמת לדלקת ריאות ואין כל עדות לבעיה עבור מי שצם לפני שחלה, ובכל מקרה מיד כשירגיש תסמינים יוכל לאכול ולשתות ואין עדות שמצב כזה יחמיר את מצבו. ובוודאי לשיטות הפוסקים שאסרו לבריאים לאכול ביום צום גם במגפת הכולירע ק״ו שהדבר נכון במגפת הקורונה. ראה לעיל בדיני יום הכיפורים.

- מי שבבדיקה נמצא חיובי לקורונה, אך אין לו כל תסמינים, והוא חש בריא—יש מהרופאים הסבורים שיכול לצום, ויש הסבורים שיאכל וישתה פחות-פחות מכשיעור.
- חולה קורונה שיש לו תסמינים—לא יצום, וכן כל מי שיש לו גורמי סיכון—אסור לו לצום.
- חולה קורונה קשה שהבריא—אם נותרו סיבוכים, או שהוא מרגיש חלש, או שיש לו גורמי סיכון—לא יצום עד להחלמה מלאה; ואף אם נראה שהבריא לגמרי לא יצום בחודשים הראשונים לאחר מחלתו, כי ישנן עדויות על התפתחות סיבוכים גם תקופה אחרי תום המחלה החריפה.

6. רופאים או אחיות שמתקשים לעבוד ביום צום כראוי, ובפרט כשצריכים לבצע ניתוחים או טיפולים מורכבים—רשאים לאכול[222].
7. אף שרחיצה היא אחת מהעינויים האסורים בתשעה באב[223], אבל בזמן מגפת הקורונה נדרשת רחיצה להגנה מפני הדבקה, ולכן מותר לרחוץ ידיים בסבון וכן בחומרים מחטאים לפי הנחיות שלטונות הבריאות[224].
8. אמירת קינות איננה מצריכה ציבור, ואפשר לאומרם גם ביחידות. לפיכך בתקופת המגפה, שיש לקצר בשהייה ביחד של רבים, יכולים להתפלל שחרית, לומר מספר קטן של קינות[225], ולהשלים את אמירת הקינות בבית.

טז. טבילה במקווה

1. ביחס לגברים—איסור גמור לטבול במקווה בזמן מגפה, בהיותו מקום שיכול להדביק, והמקפידים על טבילות לפני התפילה יכולים להסתפק בט' קבין, היינו יכולים לעמוד תחת מים זורמים במקלחת במשך כמה דקות[226].

---

222 הליכות שלמה מועדים א פי"ג ס"ד בארחות הלכה הע' 12.

223 שו"ע או"ח תקנד ז.

224 שלא גרע מהיתר לרחוץ ידיו המלוכלכות בטיט וצואה להסיר הלכלוך—שם ט.

225 כגון הקינה הראשונה והאחרונה, הקינה ארזי הלבנון והקינה ציון הלא תשאלי.

226 כמבואר ברמ"א או"ח תרו ד ומ"ב שם סקכ"ו לגבי ט' קבין כתחליף לטבילה בערב יום כיפור. וראה עוד מקראי קודש (הררי) יום כיפור פ"ו הע' סז.

2. ביחס לנשים—טבילה בזמנה שהיא מצוה—מותרת, בתנאי שהמקווה עומדת בכל כללי ההיגיינה, הבניין וכל המשטחים מנוקים בתדירות גבוהה ובחומרים מאושרים לחיטוי מפני הנגיף, מי המקווה יכילו כלור בריכוז שיוגדר על ידי המומחים בממית וירוסים (למרות שלא הוכח שנגיף הקורונה עובר דרך המים), ומעקב של רמות הכלור וה–pH הרצוי, מי המקווה יוחלפו כל יממה, וכל אשה תהא לבדה באותו אזור, הטובלת תעשה את כל ההכנות לפני הטבילה בביתה ותשהה במקווה רק לצורך הטבילה עצמה, המגבות ושאר הכלים הדרושים לרחצה יהיו של הטובלת עצמה, והבלנית תעמוד במרחק 2 מטרים מהטובלת.
ומותר לאשה להתרחץ מיד לאחר הטבילה אם חוששת שעלולה הייתה להידבק בטבילה במקווה[227].
אם יש צורך לרווח בין הנשים הזקוקות לטבילה יש מי שהתיר לטבול ביום השמיני, ומותרת לספר לבעלה, אך שלא תשמש עד הלילה[228].
יש מהרבנים שאסרו על נשים ששוהות בבידוד לטבול במקווה עד שיעברו ימי הבידוד, ויש שהתירו לה לטבול אחרונה, ואחר כך יחטאו היטב את המקווה ויחליפו את המים.
אשה חולה בקורונה, או נשאית קורונה, או שיש לה תסמינים חשודים לקורונה לא תטבול במקווה עד שתחלים לחלוטין.
ויש שהתירו לחולת קורונה לטבול במקום מבודד בים, אם אפשר.

---

227 מנחת אשר—בתקופת הקורונה, מהדורה תניינא סי׳ יא. והיינו אף שהמנהג שהנשים לא רוחצות אחרי הטבילה—ראה מרדכי שבועות סי׳ תשנ, ורמ״א יו״ד רא עה, אך מדובר בחומרא בלבד, ולכן במקום חשש סכנה—מותר. וראה שו״ת אג״מ חיו״ד ח״ב סי׳ צו שהתיר לאשה איסטניסטית לרחוץ ביום הטבילה.

228 קונטרס מנחת אשר—בתקופת הקורונה ח״א סי׳ ז. ואף שמבואר בנידה סז ב, ונפסק בשו״ע יו״ד קצז ג, שאסור לאשה לטבול ביום ואפילו ביום השמיני משום סרך בתה, אבל בשו״ע ס״ד נפסק שבמקום אונס—מותר, ובוודאי שמצב מגפת הקורונה הוא גדר אונס רבים, ומה שפסק הרמ״א שם סוסע׳ ה שתסתיר טבילתה עד הלילה ואסורה בתשמיש עד הלילה, כתב בחכ״א קיח ו שחומרא זו היא דווקא אם טבלה ביום השמיני ללא אונס, אבל באונס ליתא לחומרא זו.

יז. טבילת כלים

אם מדובר בזמן שאין לצאת מהבית, ומקום המקוואות לגברים ולטבילת כלים סגורים—ניתן לתת כלים חדשים במתנה לגוי, ולשאול אותם ממנו, ובעתיד כשהדבר יתאפשר צריך לטבול אותם בלי ברכה[229].

עצה אחרת שיפקיר את הכלי בפני שלשה, ויתכוין לא לזכות בו בחזרה[230].

יח. ברית מילה

מחבר הקונטרס (א.ש.), בתוקף תפקידו כיו״ר הוועדה הבין-משרדית להסמכה ולפיקוח על המוהלים, פרסם ביום ב׳ מנ״א תש״פ את הנהלים המעודכנים הבאים:

1. כאשר התינוק ואמו בריאים ללא כל עדות לנשאות נגיף הקורונה, או מגע עם נשא כזה, או תסמינים החשודים למחלה—חובה לקיים את ברית המילה ביום השמיני במועדו וככל הלכתו.
2. חובה על המוהל לעקוב אחרי ההנחיות של משרד הבריאות ולהקפיד למלא את כל הדרישות ככתבם וכלשונם. ביתר שאת על המוהל להקפיד על ניקיונו הכללי, ובמיוחד בניקיון ידיו ברחיצה במים וסבון ובאלכוג׳ל, ועל סטריליות מכשירי המילה; לשטוף את הפה בליסטרין; לשאת מסכה על הפנים; ומומלץ שהמוהל ילבש סינר חד פעמי, ויחליפו בכל ברית.
3. על המוהל לוודא שמספר המשתתפים בברית הוא מינימום הכרחי, ובכל מקרה לא יעלה על מספר המשתתפים המותרים לפי הנחיות משרד הבריאות בכל עת (יש לעקוב אחרי פרסומי משרד הבריאות ביחס למספר המותר של אנשים נכון ליום הברית); ועליו להקפיד על רווח של 2 מטרים בין כל משתתף.
4. כמו כן צריך המוהל לוודא שהסנדק, וכל מי שמתקרב לתינוק ולמוהל—הורים, קוואטר, ברכות וכד׳—ילבש מסכה, וירחץ ידיו במים וסבון ובאלכוג׳ל.

---

229 ראה שו״ע או״ח שכג ז, ושם יו״ד קב טז.

230 שו״ת מנחת שלמה ח״ב סי׳ סו אות טז; ארחות רבנו ח״ד עמ׳ נד, בדעת הסטייפלר; שו״ת מנחת אשר ח״ג סי׳ נז, ובמנחת אשר—בתקופת הקורונה, מהדורה תניינא סי׳ לז-לח. אמנם ראה בשו״ת מהרי״ל דיסקין, קונטרס אחרון סי׳ ה אות קלו, שלא מועיל הפקר בזה.

5. על המוהל להקפיד לשמור מרחק של 2 מטרים מכל מי שהוא בא במגע אתו לפני הברית ואחריה, כולל מתן הסברים להורים ותשובות לשאלותיהם תוך שמירת המרחק.
6. חובה לבצע מציצה בכל ברית, אך בתקופת מגפת הקורונה יש לבצעה בשפופרת בלבד[231]. הנחיה זו בתוקף רק לתקופת המגפה. בעת ביצוע המציצה בשפופרת יש להרים את המסכה ולהחזירה מיד לאחר מכן.
7. מוהל נגוע בקורונה, או שיש חשש שהוא נגוע בקורונה, או שבא במגע עם נשא קורונה מאומת—אסור לו לבצע ברית מילה עד שיקבל אישור מוסמך ממשרד הבריאות שהוא בריא; מוהל ששהה בבידוד בגלל מגע עם נשא נגיף הקורונה, אך הוא עצמו לא נשא הנגיף, ואין לו תסמינים החשודים למחלת הקורונה—רשאי לחזור ולמול אחרי שישלים את ימי הבידוד על פי הנחיות משרד הבריאות (יש לעקוב אחרי פרסומי משרד הבריאות ביחס למספר ימי הבידוד הנדרשים לפי המצב נכון ליום הברית).
8. יולדת שאובחנה כנשאית קורונה, או שיש חשד שהיא נגועה בקורונה, או שהייתה במגע עם חולה קורונה מאומת, בין אם חלתה או נדבקה לפני הלידה, או במהלכה, או בסמוך לאחר הלידה לפני מועד הברית, והיא מניקה את התינוק, או נמצאת בקשר הדוק אתו, או שנמצאת בבידוד אתו—יש לדחות את הברית עד אחרי שיתברר שהאם והתינוק בריאים על פי אישור ממשרד הבריאות; ובמקרה זה אין צורך להמתין שבעה ימים.
9. דין זה נכון לכל מי שמטפל בתינוק מהלידה ועד הברית, והוא נשא קורונה, או שהיה במגע עם נשא קורונה והוא בבידוד.
10. אם התינוק עבר בדיקת מטוש ביום השמיני לחייו ונמצא שלילי, ואין לו כל תסמינים—מותר למולו בזמנו. אבל אם התינוק היה עם תסמינים או שנמצא חיובי בבדיקת מטוש—יש להמתין עד לתוצאה שלילית ואז לספור שבעה ימים מעת לעת כדין חולה כל גופו. וכבר כתב הרמב"ם מילה א יח:

---

231 וראה מנחת אשר—על מגפת הקורונה, מהדורה תליתאה סי' ב שאף הוא כתב לעשות מציצה בשפופרת בתקופת הקורונה.

אין מלין אלא ולד שאין בו שום חולי, שסכנת נפשות דוחה את הכל, ואפשר למול לאחר זמן, ואי אפשר להחזיר נפש אחת מישראל לעולם[232].

1. אם אבי הבן לא יכול להיות נוכח בברית המילה הוא יכול לברך ברכת להכניסו וברכת שהחיינו בטלפון; אבל ברכת אשר קידש ידיד מבטן עדיף שיברך אחד שנוכח במקום הברית[233].

יט. נישואין

עצם קידושי אשה מצריך את נוכחות החתן והכלה, שני עדים כשרים, ומסדר החופה וקידושין. בברכות אירוסין צריך רק לכתחילה שיהיו עשרה[234], אבל בברכות הנישואין צריך עשרה לעיכוב, והחתן מן המניין[235], אלא שנחלקו הפוסקים אם הדין שכלה בלא ברכה אסורה לבעלה הכוונה כפשוטו שאם לא ברכו ברכת חתנים האשה אסורה לבעלה, או הכוונה שהארוסה אסורה לבעלה עד שתיכנס לחופה, אבל ברכות חתנים אינן מעכבות[236]. ומגדולי האחרונים יש מי שהכריע כדעה אחרונה[237].

לפיכך יש מי שכתבו שאם יש סכנת הדבקה בזמן מגפה, וצריך שיתקבצו כמה שפחות בני אדם יחד, יעשו חופה ויחוד עם שני עדים, בלא עשרה[238].

כ. קבורה

1. בגלל החשש מפני התפשטות המחלה והדבקה בה, התירו הפוסקים שינויים שונים בדיני הקבורה של אנשים שמתו עקב זיהומים ומגיפות, כגון לשפוך על המת סיד, לחטא את הגופה בחומרים כימיים, לקבור בעזרת כלים מכניים וכיו"ב[239].

---

232 נהלים אלה אושרו ע"י שני הרבנים הראשיים לישראל, הגר"י יוסף והגר"ד לאו.

233 מנחת אשר—על מגפת הקורונה, מהדורה תליתאה סי' ב.

234 שו"ע אבהע"ז לד ד.

235 שם סב ד.

236 ראה ב"ש שם סק"ד.

237 שו"ת נובי"ק חאבהע"ז סי' נו.

238 שו"ת עמק הלכה (גולדשטיין) ח"א סי' סז; הלכות קורונה להגר"צ שכטר.

239 ראה שו"ת שבות יעקב ח"ב סי' צז; שו"ת ערוגת הבושם (גרינוואלד) ח"ב חיו"ד סי' רנא; פת"ש יו"ד סי' שסג סק"ה; הגר"ש גורן, תחומין, כג, תשס"ג, עמ' 93 ואילך. וראה שו"ת חת"ס חיו"ד סי' שלד, בעניין העברת נפטרים מבית קברות ארעי לנפטרים במגפת הכולירע. וראה שו"ת רוח חיים (פאלאג'י) חאו"ח סי' שכה סק"ד אם להתיר קבורה בזמן מגפת כולירע בשבת על

2. בעת מגפת הקורונה הוחלט על ידי הוועדה לכבוד המת של הרבנות הראשית לישראל, שנפטר ממחלת הנגיף הזה לא יעבור טהרה ולא יולבש תכריכים, אלא יעטפו אותו בשני שקי פוליאתילין שיסגרו באופן הרמטי, וכך יקבר, והמטפלים בקבורתו יתמגנו היטב לפי הכללים הרפואיים למיגון מפני הידבקות במחלה זיהומית[240]. משרד הבריאות הוציא הנחיות מפורטות כיצד לטפל בנפטר מקורונה מרגע מותו במתקן הרפואי ועד קבורתו. בתחילה היו ההנחיות, כאמור, לעטוף את המת בשני שקי פוליאתילן סגורים הרמטית, וכך יובל הנפטר לבית הקברות, ויקבר שם בצורה זו ללא טהרה ותכריכים. אך בהמשך הקים משרד הבריאות 4 מתקנים ייעודיים למתים מקורונה, עם הקפדה יתירה על מיגון אנשי החברה קדישא, והתירו טהרה חיצונית בלבד והלבשה בתכריכים. ויש מי שכתב שצריך לקרוע את השקים בזהירות רבה בעת הטמנת המת בקבר, בגלל האיסור לעכב את עיכול הבשר של המת[241]. בהנחיות מאוחרות יותר התיר משרד הבריאות את קבורת הנפטרים מקורונה בכל בתי הקברות, תוך שמירה על הנהלים הקפדניים של מיגון אנשי החברא קדישא, טהרה חיצונית בלבד, תכריכים וקבורת הגופה כשהיא עטופה בשני שקי פוליאתילן סגורים הרמטית. כמו כן הותר לפתוח 3 נקבים או חתכים בשקים באמצעות מכשיר חד המורכב על ידית אחיזה ארוכה.
3. לויית המת תיעשה על ידי מספר מצומצם מאד של קרובים מדרגה ראשונה, גם אם הנפטר הוא גדול בישראל.
4. בהנחיות לחברה קדישא בעולם צויין שאם נפטר אדם ממחלה ידועה שאין לה קשר לוירוס הזה צריכים לבצע טהרה ולעוטפו בתכריכים, אך בכל מקרה צריכים המטפלים להתמגן כראוי, ולפי הכללים למניעת הידבקות של מחלות זיהומיות[242].

ידי גוי. וראה שו"ת אגרות משה חיו"ד ח"ד סי' נה, בעניין קבורה מהירה בשבת של אשה בעת מגיפת כולירע. וראה באופן כללי מאמרו של י. וייסינגר, תחומין לו תשע"ו עמ' 234 ואילך.

240 וכבר כתב בעל החכמת אדם בהקדמה להנהגות החברא קדישא שכל ענייני טהרת המת לא מצינו לזה שורש בגמרא. וראה בס' גשר החיים פ"ט ס"ג אות ד שבזמן מחלה מדבקת אין עושים הטהרה הפנימית.

241 הלכות קורונה להגר"צ שכטר. וראה שו"ת אגרות משה ח"ג חיו"ד סי' קמג.

242 ראש שירותי בריאות הציבור במשרד הבריאות בישראל הוציא הנחיות מפורטות לטיפול בנפטר חשוד או מאומת לתחלואה בנגיף הקורונה ביום כ"א באדר תש"פ (17.3.20).

5. במקומות שמספר המתים ל"ע הוא גדול ורב, ויש חשש שישרפו את גופות המתים, מותר להניח לגוי לקבור מת יהודי בשבת. וביום טוב—אף שלא נהגו עוד לקבור מתים ביום טוב ראשון[243], יש מי שכתב שבעת המגפה הקשה הזו מותר לקבור את המת ביום טוב כדינא דגמרא[244], ומותר בתוך התחום, וביום טוב שני אף מחוץ לתחום, ובלבד שילכו ברגל ולא יסעו ברכב, פרט לקברנים או לבני משפחה שמקפידים לקבור בעצמם שאז מותר להם לנסוע ברכב, וביום טוב שני מותר גם לחזור ברכב[245].
6. מי שקנה חלקת קבר בישראל ונפטר בחו"ל, אך בגלל המצב בגין הקורונה לא יכולים להעבירו לקבורה בישראל, מותר לקוברו בחו"ל על מנת להעבירו לישראל כשהדבר יתאפשר, ואז מותר לפנותו[246].

כא. אבלות

1. בעת מגפה נהגו שלא להתאבל משום פחד[247], אך נוהג דברים שבצינעא, וגם אינו רשאי לעסוק בסחורה הרבה[248]. ונחלקו אחרונים אם המגפה נעצרה בתוך שלשים יום מהקבורה—אם צריך להתאבל[249]. במגפת הקורונה הגבלת האבלות נובעת בעיקר בגלל הצורך בריחוק חברתי.
2. כמו כן אין מנחמים, ובפרט במגפת הקורונה שיש לשמור על כללי בידוד וריחוק חברתי.

---

243 ראה שו"ת אגרות משה חאו"ח ח"א סי' קכב ענף ד, ושם חאו"ח ח"ג סי' עו. וראה בס' נפש הרב עמ' קפט.

244 שו"ע או"ח תקכו ו.

245 פסקי קורונה של הגר"צ שכטר, פורסם באתר: https://www.kolcorona.com/rav-schachter-official-pesakim.

246 כמבואר בשו"ע יו"ד שסג א שמותר לפנות מת לארץ ישראל, ובוודאי אם התנו כך מלכתחילה בעת קבורתו בחו"ל.

247 שו"ת מהרי"ל סי' מא (וראה מה שכתב בשו"ת דברי מלכיאל ח"ב סי' צ); רמ"א יו"ד שעד יא; שו"ת רב פעלים ח"ג חיו"ד סי' כח; שו"ת דברי מלכיאל ח"ב סי' צ.

248 שו"ת דברי מלכיאל שם.

249 ראה שו"ת חת"ס חיו"ד סי' שמב—שצריך, ושו"ת שואל ומשיב קמא ח"א סי' שעא שלא צריך. וראה שו"ת יביע אומר ח"י חיו"ד סי' נח אות כג שהכריע שאין צריך להתאבל. וראה מנחת אשר—על מגפת הקורונה, מהדורה תליתאה סי' יא–יב שלדעתו אין הלכה כמנהג שהביא הרמ"א, וצריך להתאבל.

3. מי שנמצא בבידוד והוא אבל, או שחל יום הזיכרון לאביו או לאמו — יבקש ממישהו אחר לומר קדיש במניין[250], אם ניתן לעשות כן.
4. בימינו ניתן לקיים בשעת הדחק הזו ניחום אבלים בטלפון, בדואר אלקטרוני, ב"זום", וכדומה.
5. במקומות שבהם לא-עלינו ישנם מתים רבים בבת אחת, עד שאין יכולת לקבור את כולם עד עבור מספר ימים ואפילו שבועות, וגם לא ניתן לדעת בעת הפטירה מתי תתקיים ההלוויה, חלים על הקרובים דיני אבלות אחרי שהמת נמסר לחברה קדישא וכבר הזמינו תכריכים, אף שטרם קברו את המת[251].

250 וראה בשו"ת זכר שמחה סי' ח שמביא פסק מהגרעק"א בזמן מגפת כולירע שהיו הרבה יתומים שלא יצא לכל אחד מהם לומר אפילו קדיש אחד פעם בחודש (לפי המנהג שרק אבל אחד אומר קדיש, ולא כפי שהתקבל בדורות האחרונים שכל האבלים אומרים יחד קדיש), והתקין שכל האבלים יאמרו יחד קדיש אחרי עלינו לאותה שנה.

251 הגר"צ שכטר באתר ישיבה-יוניברסיטי. וראייתו מהמבואר בשו"ע יו"ד שעה ד, בדין של מת בעיר במצור; ושם שעה ב, בדין מת שנשלח למדינה אחרת; ודגול מרבבה יו"ד ריש סי' שעה במת בערב יום טוב ומסרוהו לגויים שיקברוהו ביום טוב. וראה עוד שו"ת זקן אהרן ח"ב סוסי' פח.

4

קדימויות[1] בטיפול בחולי קורונה במצב של מחסור חמור

א. פתיחה

הסוגיה החמורה והקשה ביותר במצבי מגפות עולמיות היא שאלת הקדימויות בטיפול רפואי מתקדם כאשר קיים מחסור במיטות לטיפול נמרץ, במכשירי הנשמה, בעזרי מיגון, בחומרי בדיקות ובתרופות, ובכוח אדם מיומן—רופאים, אחיות, טכנאים וכד׳. במצבים כאלה צריך לקבל החלטות טרגיות וקשות של העדפת חולים מסויימים על פני אחרים בגלל היעדר משאבים הנחוצים לטיפול בכל אחד.

נגיף הקורונה גורם לקשיי נשימה בדרגות שונות. החולים הקשים נזקקים לאשפוז ביחידות לטיפול נמרץ, והקשים במיוחד זקוקים להנשמה באמצעות מכשירי הנשמה, ולעתים גם טיפול ב–ECMO.

לאור מספר הנדבקים הגדול, ובמיוחד המספר הגדול של הנזקקים למכשירי הנשמה, הגיעו מספר מדינות לאי ספיקה של מערכת הבריאות, ונאלצו לקבוע אמות מידה לקדימויות במתן טיפול נשימתי מורכב.

במדינת ישראל, בעת כתיבת קונטרס זה, ב״ה לא קיימת בעיה כזו, כי מספר החולים הקשים הנזקקים להנשמה מלאכותית הוא נמוך, והמדינה דאגה לבנות חדרי טיפול נמרץ ארעיים רבים, רכשה ובנתה מכשירי הנשמה, והכשירה רופאים ואחיות לטיפול בהנשמה. אך קיים החשש שח״ו נגיע למצב דומה לאיטליה, לספרד, לצרפת או לארה״ב, ויצטרכו להתקבל החלטות על קדימויות בטיפול בחולי קורונה הזקוקים להנשמה.

1 Triage. וכיום מכנים זאת תיעדוף.

ב. מצבים שונים של קביעת קדימויות רפואיות בזמן מחסור

הסוגיה של קביעת קדימויות רפואיות במצבי מחסור מוכרת מאז ומעולם בצורות שונות, ובגין סיבות שונות:

מצבים המוגדרים כאירועים רבי–נפגעים (אר״ן = אירוע רב–נפגעים), כגון תאונות דרכים עם פצועים רבים בבת אחת ובו–זמנית; אסונות טבע, כמו רעידות אדמה, שיטפונות, סופות טורנדו וצונמי וכיו״ב; מלחמות עם פצועים בנשק קונבנציונלי ובלתי–קונבנציונלי (אב״כ = אטומי, ביולוגי, כימי); אסונות תעשייתיים, כמו דליקות, התפוצצויות, דליפת חומרים רעילים וכיו״ב; ולעניינינו מגפות המוניות, כגון דֶבֶר, כולירע, שפעת, אבולה, איידס וכד׳.

המדובר בדרך כלל באירוע פתאומי ובלתי חזוי מראש, בו נפגעים בני אדם רבים בפציעות פיזיות ונפשיות בדרגות שונות, בתוך פרק זמן קצר, וכאשר קיימת יכולת מוגבלת מצד המערך הרפואי לתת פתרונות מלאים לכל אחד מהנפגעים, הן בגלל היעדר כוח אדם ואמצעים מספיקים, והן בגלל מהירות ההתערבות הנדרשת.

בכל אלה צריכים להתקבל החלטות ביחס לקדימויות בטיפול, ואכן קיימים הנחיות והוראות שונות הנוגעים לפתרונות אפשריים להחלטות טרגיות וקשות אלה. קיימות שיטות שונות לקביעת קדימויות, כגון טיפול על ידי הטלת גורל, או טיפול בשיטת כל הקודם זוכה, היינו במי שהרופא פוגע תחילה—בו הוא יטפל. לשתי שיטות אלו יש צדק מוסרי בכך שהטיפול הוא אקראי, ולכאורה נותן סיכוי שווה לכל חולה, אך הוא פחות מוסרי בכך שהוא איננו מתחשב בדרגות החומרה של הפציעות, בסיכויים להצלת חיים, ובעיקר בהקרבת רבים למען יחידים.

מגפת הקורונה העולמית יצרה דילמה הלכתית מהחמורות, הקשות והטרגיות ביותר של צורך בקביעת קדימויות לטיפול בחולים קשים ומונשמים. משמעות החלטות טרגיות אלו היא שבמצב של היעדר אמצעים וכוח אדם מספיקים לטפל בו–זמנית בכל החולים הזקוקים לטיפולים מצילי חיים, חלק מהחולים הקשים במיוחד לא יזכו לטיפול מציל חיים מיטבי. אשר על כן מדובר בשאלות של חיים ומוות באופן מיידי, מוחשי וממשי.

ג. מקורות הלכתיים לדיון בקדימויות

הצורך בהפעלת שיקולי קדימות או עדיפות מתעורר כאשר שני מצבים או יותר באים יחדיו, ואי אפשר לספק את כל צרכיהם של כל הגורמים הנזקקים לפתרון הבעיה. במקרים אלו יש להקדים אחד מהם, לעתים תוך כדי גרימת נזק לאחרים. קיים מגוון רחב של מצבים מתנגשים בנוכחות מחסור יחסי באפשרות סיפוק הצרכים, וקיימות מערכות מגוונות של שיקולים לקביעת ההעדפה והבחירה ביניהם.

בהלכה יכולים להיווצר ניגודים כאלו כאשר יש צורך בקיום שתי מצוות בו בזמן, ויש להכריע איזו מהן להקדים, או לעתים אף לבטל, מפאת אי היכולת לבצען בבת-אחת, או לבצע את כולן; או מצבים בהם אין אפשרות לרכוש את חפצי המצוות, ויש צורך בהעדפת אחת על פני חברתה.

באופן כללי מצינו בהלכה דיונים רבים הנוגעים לשיקולי קדימויות ביחס לקיום מצוות. יש שהפתרון הוא באמצעות עקרון כללי, ויש שהפתרון הוא בהתאם לנתונים המיוחדים של המצוות או המצבים.

מצינו בהלכה מספר עקרונות לקביעת קדימות, כגון כל התדיר מחברו קודם את חברו (או תדיר ושאינו תדיר, תדיר קודם)[2]; כל המקודש מחברו קודם לחברו[3]; מעלין בקודש ולא מורידין[4]; אין מעבירין על המצוות[5]; עשה דוחה לא תעשה[6]; מצוות מן התורה דוחות מצוות מדרבנן; דבר שהוא חובה דוחה דבר שהוא מצוה או רשות[7]; עוסק במצוה פטור מן המצוה[8]; מצוה עוברת לעומת מצוה שאינה עוברת[9], ועוד.

2 ברכות נא ב; פסחים קיד א; סוכה נד ב; שם נו א; מגילה כט ב; הוריות יב ב; זבחים פט א; ירושלמי שקלים ח ד. וראה באריכות בט״ז או״ח תרפא סק״א. וראה עוד בשד״ח מערכת התי״ו כלל מז–נ, וכלל סב(א).

3 הוריות שם; זבחים שם.

4 ברכות כח א; שקלים ו ג; מנחות צט ב. וראה טושו״ע או״ח כה א.

5 יומא לג א. וראה באריכות באנציקלופדיה תלמודית, כרך א, ע׳ אין מעבירין על המצוות, טור תרסה ואילך.

6 שבת קלב ב; ביצה ח ב; כתובות מ א; רמב״ם ציצית ג ו. וראה שד״ח מערכת העי״ן כלל לז–מג.

7 ראה תוס׳ ברכות כו א ד״ה טעה, בעניין תפילת ערבית.

8 סוכה כה א; סוטה מד ב; טושו״ע או״ח לח ח. וראה שד״ח מערכת העי״ן כלל מה, וכלל סז.

9 קידושין כט ב.

שאלת הקדימות בין מצוות מתייחסת לשני מצבים עיקריים:

מצב א': כאשר נוצר צורך לקיים שתי מצוות או יותר בו-בזמן, או לבצע פעולות אחדות בו-בזמן, ויש להקדים מצוה אחת או פעולה אחת על פני רעותה, מפאת אי היכולת מבחינת הזמן לקיים את שתיהן בבת אחת. השאלה במקרים אלו היא רק לגבי סדר הדברים, והשיקולים הנדרשים הם רק ביחס להקדמת פעולה או מצוה אחת על פני רעותה.

להלן מספר דוגמאות למצוות שהזדמנו יחד, ואפשר לקיים את שתיהן, אך לא בבת-אחת, והשאלה היא מי קודם למי: עטיפת טלית והנחת תפילין[10]; תפילין של ראש ותפילין של יד[11]; דיני קדימה בברכת הנהנין[12]; דיני קדימה בפת[13]; סדר ברכות ההבדלה[14]; סדר ברכות הבדלה וקידוש ביום טוב שחל להיות במוצאי שבת[15]; ברכת סוכה וברכת הזמן[16]; נר חנוכה וקידוש, או נר חנוכה והבדלה[17]; ספירת העומר והבדלה, או מקרא מגילה והבדלה[18]; כבוד אביו וכבוד רבו[19]; הוא ללמוד תורה ובנו ללמוד תורה[20]; פדיון הבן של עצמו (אם לא נפדה) ופדיון בנו[21]; פדיון הבן ועליה לרגל[22]; ניחום אבלים וביקור חולים[23]; מת, כלה ומלך שפגעו זה בזה בדרך[24]; הוצאת המת והכנסת כלה[25]; שני מתים כאחת, מי קוברים ראשון[26];

---

10 טושו"ע או"ח כה א. וראה אנציקלופדיה תלמודית, כרך ט, ע' הנחת תפילין, עמ' תפ-תפא.

11 מנחות לו א; רמב"ם תפילין ד ה; טושו"ע או"ח כה ה.

12 ברכות מ ב; רמב"ם ברכות ח יג; טושו"ע או"ח ריא א. וראה אנציקלופדיה תלמודית, כרך ד, ע' ברכות הנהנין, עמ' שלח ואילך.

13 ברכות לט ב; רמב"ם ברכות ז ד; טושו"ע או"ח קסח א.

14 ברכות נב ב; רמב"ם שבת כט כד; טושו"ע או"ח רצו א.

15 פסחים קג א; רמב"ם בת כט כב; טושו"ע או"ח תעג א.

16 סוכה נו א; רמב"ם סוכה ו יב; טושו"ע או"ח תרמג א.

17 טושו"ע או"ח סי' תרעט, וסי' תרפא ב.

18 ט"ז או"ח סי' תרפא סק"א. וראה שו"ת אבני נזר האו"ח סי' תפט; שו"ת מחזה אברהם ח"א סי' קנ.

19 כריתות כח א; רמב"ם ת"ת ה א; טושו"ע יו"ד רמב א.

20 קידושין כט ב; רמב"ם ת"ת א ד; טושו"ע יו"ד רמה ב. וראה שו"ת אג"מ חאבהע"ז ח"ד סי' כו אות ד.

21 קידושין כט א; בכורות מט ב; רמב"ם בכורים יא ג; טושו"ע יו"ד שה טו.

22 קידושין כט ב.

23 רמב"ם אבל יד ז; רמ"א יו"ד שלה י. וראה בנו"כ שם.

24 כתובות יז א; רמב"ם אבל יד ח; טושו"ע יו"ד סי' שס, ואבהע"ז סה ד.

25 רמב"ם אבל יד ח. וראה העמק שאלה שאילתא ג סק"ו.

26 אבל רבתי פי"א; רא"ש מו"ק פ"ג סי' פב.

אבדתו, אבדת אביו ואבדת רבו[27]; קדימות בגביית חוב[28]; שתי ספינות או שני גמלים במעבר צר[29]; שיר של ראש חודש ושיר של שבת[30]; קדימויות של קורבנות[31], ועוד.

מצב ב': כאשר נוצר צורך לקיים יותר ממצוה אחת או יותר מפעולה אחת, ויש להעדיף מצוה אחת או פעולה אחת על פני רעותה, מפאת אי היכולת לקיים את כולם. השיקולים הנדרשים במקרים אלו מתייחסים לביטול מצוה או פעולה אחת מפני האחרת. סיבות למצבים כאלו יכולות להיות היעדר אמצעים כספיים לרכישת חפצי המצוה, מצוות עוברות מבחינת הזמן שלא ניתן לקיימן אחרי עבור זמנן, הגבלה הלכתית בביצוע אחת המצוות, וכיו"ב.

להלן מספר דוגמאות למצוות שהזדמנו יחד ואי-אפשר לקיים את שתיהן, כגון שאין ידו משגת לקנות את שתיהן, והשאלה היא מי עדיף ודוחה את מי: טלית ותפילין[32]; תפילין ומזוזה[33]; יין לקידוש בליל שבת, סעודות שבת, וקידוש היום[34]; סוכה ותפילין, או סוכה ומזוזה, או סוכה וציצית[35]; לולב ותפילין, או לולב ומזוזה[36]; נר חנוכה וקידוש[37]; תלמוד תורה ומצוות עוברות שונות[38]; טומאת כהן בבית הקברות ומצות השבת אבדה[39]; זקן ואינו לפי כבודו ומצות השבת אבדה[40]; הוצאת המת, או הכנסת כלה ותלמוד תורה[41], ועוד.

---

27 ב"מ לג א; רמב"ם תלמוד תורה ה א, ואבידה יב ב,ח; טושו"ע יו"ד רמב ד, וחו"מ רסד א-ב.

28 כתובות צד א; רמב"ם מלוה ולוה ב א; טושו"ע חו"מ קד א.

29 סנהדרין לב ב; רמב"ם רוצח יג יב; טושו"ע חו"מ רעב יד.

30 סוכה נד ב; רמב"ם תמידין ומוספין ו י.

31 הוריות יג א; זבחים פט א-צא א; רמב"ם תמידין ומוספין פ"ט.

32 ראה באה"ט או"ח סי' כה סק"א.

33 ירושלמי סוף מגילה; טושו"ע או"ח לח יב; רמ"א יו"ד רפה א. וראה עוד שו"ת בנימין זאב סי' קצג; שו"ת רעק"א סי' ט; הליכות שלמה, תפילה ח"א במילואים אות ח.

34 פסחים קה א; רמב"ם שבת כט ד; טושו"ע או"ח רעא ג.

35 שו"ת בשמים ראש סי' סג; שו"ת רעק"א מהדו"ק סי' ט; שד"ח מערכת למ"ד אות נז.

36 שו"ת רעק"א שם; שו"ת בית הלוי ח"א סי' ד; הליכות שלמה שם.

37 שבת כג ב; רמב"ם חנוכה ד יד; טושו"ע או"ח רסג ג, רצו ה, תרעה.

38 ראה מגילה ג א-ב.

39 ב"מ ל א; רמב"ם גזלה ואבדה יא יח; טושו"ע חו"מ רעב ב.

40 ב"מ שם; רמב"ם שם יג; טושו"ע חו"מ רסג א.

41 כתובות יז א; רמב"ם אבל יד ט; טושו"ע יו"ד שסא א.

מספר מקורות הלכתיים הנוגעים לקדימויות הם בעלי משמעות מיוחדת לנידוננו, שכן הם מתייחסים לקדימויות של בני אדם:

קדימויות לעניין פדיון שבויים[42], קדימויות לעניין צדקה[43], קדימות בין עני, אביון ועשיר בעניין שכר שכיר[44], וקדימות לדין של בעלי דין אצל דיין[45].

מצינו עוד דיון הדומה לקדימויות בעניין שכיב מרע שאמר לתת נכסיו לטוביה, ולא פירש איזה טוביה, ודנו בשלושה קדימויות—תלמיד חכם, קרוב ושכן[46].

ד. מקורות הלכתיים לקדימויות בהצלת חיים

אף שקיימים מספר מקורות הלכתיים רלוונטיים לדיון בשאלה של קביעת קדימויות להצלת חיים במצבי מחסור באמצעים או בכוח אדם, אך המורכבות המודרנית של מצבים כאלה לא מוצאת בקלות פתרונות

---

42 הוריות יג א; רמב"ם תלמוד תורה ה א, ומתנות עניים ח י–טו; טושו"ע יו"ד סי' רנב. וראה רלב"ג סוף ס' שופטים, בעניין פילגש בגבעה שכתב: "התועלת העשירי הוא להודיע כי כשיבריח הכרח להיתבע לחטא המשגל האיש והאשה, מתירין האשה לזה קודם לאיש, ואף על פי שהיתה אשת איש, ולזה התיר זה האיש פילגשו להם קודם שיתיר עצמו להם".

43 רש"י עה"ת דברים טו ז; רמב"ם מתנות עניים ז, יג, ושם ח יז–יח; טור ורמ"א יו"ד רנא ג; ביאור הגר"א שם סק"ו; פת"ש שם סק"ג–ד. וראה עוד שו"ת מהרי"ט ח"א סי' קטז; שו"ת חב"צ סי' ע; שו"ת משיב דבר ח"ב סי' מז; אהבת חסד לח"ח פ"ו נתיב החסד סי"ד; שו"ת אג"מ חיו"ד ח"ג סי' צד; מנחת אשר עה"ת פר' ראה סי' כא. וראה עוד בדיני העדפות בענייני צדקה בשו"ת חת"ס חיו"ד סי' רלד; שו"ת בנין אב ח"ג סי' עא–עב. וראה בס' אהבת צדקה (אבידן).

44 ב"מ קיא ב. ופלא שהפוסקים לא הביאו כלל דיני קדימות אלו.

45 סנהדרין ח א; רמב"ם סנהדרין כ י; טושו"ע חו"מ טו א. וראה שבועות ל א, ותוס' שם ד"ה למישרי. וראה מאירי סנהדרין לב ב. וראה באנציקלופדיה תלמודית כרך ז, ע' דיני ממונות, עמ' שיד–שיז, ושם כרך כו, ע' כבוד חכמים, עמ' תקפח ואילך, ועמ' תרלא ואילך. וראה בשו"ת בנין אב ח"ג סי' סח, בעניין הקדמת תלמיד חכם בדיוני בתי הדין; שם סי' עא, בעניין קדימויות ועדיפויות במצוות שבין אדם לחברו.

46 כתובות פה ב. וראה במצבים שונים בנידון ברש"י ובתוס' שם ד"ה שודא; רמב"ם זכיה ומתנה יא ב; טושו"ע חו"מ רנג כט. וראה עוד בשיטמ"ק ובנו"כ ברמב"ם ובטושו"ע במחלוקת זו. אמנם דיון זה שונה במקצת משאלת הקדימויות הרגילה. וראה בקובץ שיעורים כתובות שם אות שי, שלדעתו בכל המצוות שבין אדם לחברו, תלמיד חכם קודם לקרוב. ויש להעיר, שלא דנו במקרה זה בדוגמאות אחרות של קדימויות, כגון אם יש הבדל בין שני ה'טוביה' בעניין כהן, לוי, ישראל; עני ועשיר; וכיו"ב. ומצינו עוד נידון של קדימויות כאשר יש שני מתים בעיר אחת, מי מוציאים קודם לקבורה—ראה אבל רבתי פי"א; תורת האדם לרמב"ן עניין ההוצאה; רא"ש מו"ק פ"ג סי' פב; טושו"ע יו"ד סי' שנד. ולא הובאו דברים אלו ברמב"ם. וראה בהרחבה מאמרו של ר"נ גוטל, בעניין שיקולי קדימה בפינוי וזיהוי חללים בצה"ל, תחומין, כד, תשס"ד, עמ' 383 ואילך.

מובנים בהלכה. וכבר כתב ההגרש"ז אויערבאך: "אגיד לו נאמנה שאין אני קובע מסמרים בכל מה שכתבתי [בעניין קדימויות], כי השאלות הן חמורות מאד, ואינני יודע ראיות ברורות"[47].

בנידוננו, בגין הפנדמיה העולמית של מגפת הקורונה צפוי מחסור באמצעים ובכוח אדם להצלת חיים, כולל מיטות טיפול נמרץ, מכשירי הנשמה, ערכות מיגון מתאים לצוות, וכוח אדם—רופאי טיפול נמרץ, אחיות טיפול נמרץ, טכנאים למכשירי הנשמה.

הדיון בקביעת קדימויות להצלה מתחלק ל-3 שלבים:

1. בזמן שגרה ובזמן חירום ללא מחסור באמצעים ובכוח אדם להצלת חיים
2. בזמן חירום עם מחסור באמצעים ובכוח אדם להצלת חיים—לפני התחלת הטיפול
3. בזמן חירום עם מחסור באמצעים ובכוח אדם להצלת חיים—אחרי התחלת הטיפול

1. בזמן שגרה ובזמן חירום ללא מחסור באמצעים ובכוח אדם להצלת חיים

א. במצבים אלו קיימת חובה על המדינה לעשות את כל הנדרש וככל האפשר—תוך איזון ראוי ומידתי עם צרכים ציבוריים חיוניים אחרים—כדי לספק את כל הדרוש על מנת לשמר ככל הניתן את ערך החיים העליון ואת ערך השוויון, ובכך למנוע או לדחות ככל האפשר את המצב הדורש החלטות טרגיות וגורליות של תיעדוף בטיפול על חשבון אחרים.

זה כולל הקמת יחידות טיפול נמרץ ארעיות, רכישה וייצור של מכשירי הנשמה, רכישה וייצור של ציוד מיגון ייעודי עבור הצוותות המטפלים בחולים, והכשרת צוותות רפואיים מתאימים לטיפול בחולים מונשמים[48].

47 שו"ת מנחת שלמה תניינא (ב-ג) סי' פו אות א (פורסם באסיא נט-ס, אייר תשנ"ז עמ' 48).

48 יש לציין כי אכן הרשויות המוסמכות במדינת ישראל ניצלו את זמן החירום שבו לא היה מחסור כדי להקים יחידות קורונה בכל בתי החולים במתחמים מבודדים, לרכוש ואף לייצר מכונות הנשמה בכמות גדולה, להכשיר רופאים ואחיות שאינם מומחים בטיפול נמרץ כדי להגדיל את הצוות המיומן, לרכוש אמצעי מיגון מתאימים ועוד.

ב. על המדינה להפנות משאבים לטיפול בחולי קורונה, כולל משאבי
שטח וכוח אדם, אולם זאת בתנאי שאין זה פוגע בטיפול הנדרש
לחולים באותה דרגת חומרה שאינם חולי קורונה.

ג. המדינה חייבת להבטיח זמינות הוגנת בפריסה ארצית של מיטות
טיפול נמרץ, של מכונות הנשמה, ושל צוות מיומן שנדרש
להפעלתם על פי מדדים של צפיפות אוכלוסייה וצפי/ביקוש בפועל
של המשאב המצומצם.

ד. כל עוד המדינה לא הגיעה לאי־ספיקה של מערכות הבריאות,
ועדיין קיימים אמצעים וכוח אדם הנדרשים לטיפול בחולים קשים,
יש להמשיך ולתת טיפול מירבי לכל חולה הזקוק לכך, בין אם הוא
חולה קורונה, או חולה בגלל סיבות רפואיות אחרות שאינן קשורות
לקורונה. כל זאת בשוויוניות מלאה, ללא תיעדוף וללא אפליה.

ה. קיימת חובה על כל אזרח במדינה לקיים בהקפדה יתירה את כל
ההנחיות של הממשלה למניעת הידבקות ולמניעת הדבקה, על
מנת למנוע תחלואה קשה שעלולה להגיע למצב של אי ספיקת
מערכת הבריאות.

2. בזמן חירום עם מחסור באמצעי ההצלה—לפני התחלת הטיפול

א. הכלל היסודי והבסיסי הוא שערך החיים של כל אחד ואחת הוא
ערך עליון ושווה לכל אדם בכל מצב ובכל גיל, ולכן בדרך כלל
קיימת חובה מוסרית והלכתית לעשות ככל הניתן להציל את חייו
של כל אדם.

לפיכך נברא אדם יחידי, ללמדך שכל המאבד נפש אחת
[מישראל][49] מעלה עליו הכתוב כאילו איבד עולם מלא, וכל
המקיים נפש אחת [מישראל] מעלה עליו הכתוב כאילו קיים
עולם מלא.[50]

---

49 יש גירסאות שהמילה "ישראל" לא כלולה במאמר זה, ומכאן שהחיוב להציל נפש כוללת
כל נפש שנבראה בצלם אלקים, כולל גוי. בכתבי יד של התלמוד הבבלי (הגניזה ומינכן),
בכתבי יד של הירושלמי (ליידן), ובכתבי יד של המשניות (קאופמן, פארמה, קיימברידג')
חסרה המילה 'מישראל', וכך היא הגירסא גם בפרקי דר' אליעזר (היגר) חורב פמ"ז, ובתנא
דבי אליהו רבה (איש שלום) יא, וכן ברמב"ם סנהדרין יב ג. וראה באבות דרבי נתן (שכטר)
נוסחא א. וראה באריכות בס' משיב מלחמה ח"א סי' א.

50 סנהדרין לז א; במדבר רבה (וילנא) כג ו; תנחומא (ורשא) מסעי ה; רמב"ם רוצח א טז.

אכן ההלכה משתנה במצבים בהם מספר בני אדם זקוקים לטיפול מציל חיים, אך ניתן לטפל רק בחלק מהם בגלל מחסור במיטות טיפול נמרץ, או במכשירי הנשמה, או על ידי צוות רפואי מיומן. במקרים כאלה אין כל דרך אחרת אלא לקבוע דירוג להצלת חיים, גם במחיר הכואב של מות אחרים.

ב. מצינו דיונים בהלכה ביחס לקדימויות בין חולים שיש בהם סכנה, כשאמצעי ההצלה שייכים לאחד מהאנשים שבסכנה:

> שנים שהיו מהלכין בדרך, וביד אחד מהן קיתון של מים. אם שותין שניהם—מתים, ואם שותה אחד מהן—מגיע לישוב. דרש בן פטורא, מוטב שישתו שניהם וימותו, ואל יראה אחד מהם במיתתו של חברו; עד שבא רבי עקיבא ולימד 'וחי אחיך עמך'—חייך קודמים לחיי חברך'[51].

רוב הפוסקים הכריעו כדעת רבי עקיבא, שחייך קודמים[52]. ובדעת רבי עקיבא—יש מי שכתבו שבעל המים מחויב להציל עצמו, שכן אין הוא בעלים על גופו לוותר על חייו לטובת האחר כאשר לפי ההלכה חייו קודמים[53]; אך פוסקים אחרים כתבו שבעל המים רשאי לשתות בעצמו, אבל אם רוצה לוותר על המים ולהציל את חברו—רשאי לעשות כן, ואף נקרא קדוש וחסיד[54].

---

51 תו"כ פר' בהר פרשתא ה, ברייתא ג (בשינויי גירסא), וראה פירוש המלבי"ם שם; ב"מ סב א; ילקוט שמעוני ויקרא רמז תרסה. וראה ריטב"א ב"מ שם, ורמב"ן עה"ת ויקרא כה לה.

52 קיצור פסקי הרא"ש ב"מ שם (אע"פ שהרא"ש עצמו מביא את שתי הדעות); העמק שאלה שאילתא קמז סק"ג; מנ"ח מ' רצו; שבט מיהודה שער א פ"ח. אמנם ברמב"ם ובטושו"ע לא נזכר עניין זה כלל, וראה בנידון בשו"ת בנין ציון סי' קעה; שו"ת אחיעזר ח"ב סי' טז אות ה; שו"ת אג"מ חיו"ד ח"א סי' קמה (וראה שם חחו"מ ח"ב סי' עג אות ב); ר"י קוליץ, תורה שבעל פה, כה, תשמ"ד, עמ' קלג ואילך. וראה באריכות בס' תפארת יעקב (ר"י פינק) עמ' רנג ואילך שהוכיח מהרבה מקורות שהלכה כר' עקיבא. וראה שו"ת משפט כהן סי' קמד, שהסתפק כמי ההלכה. וראה בשו"ת בנין ציון שם שלדעתו לא הכריע הרמב"ם הלכה כמאן. וראה עוד בסוגיא זו: חקר הלכה עניני חולה אות ח סק"ב; שו"ת מחנה חיים חחו"מ סי' ג; חמדת ישראל קונט' נר מצוה אות נב סק"ג; חידושי הגר"ח הלוי על ב"מ סב א; חזו"א חו"מ ב"מ ליקוטים סי' כ, דס"ב ע"א, ויו"ד סי' סט אות ב; שו"ת שרידי אש ח"א עמ' שיג סע' 10; שו"ת יד אליהו (מלובלין) סי' מג; שו"ת ציץ אליעזר ח"ט סי' יז פ"י אות ה, וסי' כח אות ג; שו"ת חוות בנימין ח"ב סוסי' צג; כנסת אברהם (פרבשטיין) סי' מט; מנחת אשר עה"ת בראשית סי' לח, ושם ויקרא סי' נט. וראה עוד במאמר ב. גזונדהייט ואח', הרפואה 153:638, 2014.

53 שבט מיהודה שער א פ"ח; מנחת אשר עה"ת ויקרא סי' נט אות ה.

54 ראשון לציון (לבעל אור החיים) יו"ד רמט א; היעב"ץ במגדל עוז אבן בחן פינה א פ"ה; שו"ת משפט כהן סי' קמד אות טו; רי"י ויינברג, קובץ יד שאול, עמ' שצא ועמ' שצג בהערות. וכתב

ובמצב כזה הוא קודם לכולם אפילו אם יש שם אנשים שעל פי דירוג הקדימויות במשנה הוריות יג א[55] הם קודמים לו[56].

יש מי שכתב שדין זה נכון גם במצב שחברו לא יכול להשיג מים אפילו על ידי טורח גדול[57].

כמו כן נפסק להלכה שאין האחר רשאי לגזול את אמצעי ההצלה מבעליו[58].

אם אמצעי ההצלה שייך לשני האנשים הזקוקים לכך—לכל הדעות יחלקו ביניהם, ואל יראה אחד במיתת חברו[59].

אכן, באופן עקרוני סוגיה זו איננה רלוונטית לדיון שלפנינו, שכן כאן מדובר במצב שאמצעי ההצלה המוגבל שייך לאחד מהאנשים שהוא עצמו נמצא בסכנה, בעוד שהדיון לפנינו מתייחס למצב של חסר באמצעי הצלה כשהאמצעי שייך לציבור.

ג. מצינו דיונים בהלכה גם ביחס לקדימויות בין חולים שיש בהם סכנה, כשאמצעי ההצלה שייכים לציבור:

> משנה: איש קודם לאשה...כהן קודם ללוי, לוי לישראל, ישראל לממזר, וממזר לנתין, ונתין לגר, וגר לעבד משוחרר. אימתי, בזמן שכולם שווים, אבל אם היה ממזר תלמיד חכם וכהן גדול עם הארץ—ממזר תלמיד חכם קודם לכהן גדול עם הארץ[60].

על פי משנה זו קנה-המידה להעדפת ההצלה הוא על פי המעמד החברתי-דתי, ריבוי חובת המצוות (כגון איש קודם לאשה), הייחוס הטבעי (כגון כהן קודם ללוי), והמעלה הרוחנית (כגון ממזר תלמיד

שם, שאם החמיר על עצמו, ומסר נפשו להציל את חברו, מיקרי קדוש וחסיד, וראה שו"ת שרידי אש ח"א סי' מב.

55 ראה להלן.

56 שו"ת משפט כהן סי' קמד אות טז.

57 יחוסי תנאים ואמוראים ע' בן פטורין עמ' 41.

58 חזו"א יו"ד סי' סט אות ב.

59 מהרש"א ח"א ב"מ סב א. וראה שו"ת אג"מ חיו"ד ח"א סי' קמה ד"ה ובא ר"ע.

60 הוריות יג א, ונפסק להלכה ברמב"ם מתנות עניים ח יז-יח, ובטושו"ע יו"ד רנא ח-ט. וראה הוריות שם במשנה הקודמת שאיש קודם לאשה להחיות ולהשיב אבדה. וראה רמב"ם שם טו שדן רק בהקדמת איש לאשה לפדות משבי, אבל לא הזכיר כלל קדימות איש לאשה להצלה.

חכם קודם לכהן גדול עם הארץ), והיינו על פי הכלל שכל המקודש מחברו, קודם לחברו[61].

יש מי שכתב שהכוונה בקדימויות אלו היא דווקא למצב של שביה, וכאשר האיש והאשה רוצים להתאבד בטביעה, שאז מקדימים להציל את האיש, שהוא עושה מתוך צער גדול יותר מהאשה[62]; יש מי שכתבו שהמדובר כאן דווקא בקדימות לפרנסה, לצדקה ולמזון, ולא בפיקוח נפש ממש[63]; אך רוב הפוסקים התייחסו לקדימויות אלו כפשטות הדברים שהמדובר במשנה זו גם כאשר השאלה הנידונה נוגעת לפיקוח נפש, דהיינו אם שני אנשים בסכנה, וניתן להציל אחד מהם—יש להציל לפי סדר הקדימויות המפורט במשנה[64].

הגמרא על המשנה בהוריות שם מביאה רשימה נוספת של קדימויות להצלה משבי[65]. ובנוסף לרשימת הקדימויות המנויה לעיל, מצינו בפוסקים שהוסיפו עוד קדימויות, כגון כל המנויים במשנה קודמים לחרש שוטה וקטן, אפילו שלושה אלו הם ישראלים מיוחסים; חרש וקטן קודמים לשוטה; יש מי שהסתפק אם גם הנקבות של כהן, לוי, וישראל יש להן מעלה זו על זו בעניין הצלת נפשות[66]. יש מי שכתב שכל הקודם בנחלה קודם להצלה, וכל הקרוב—קרוב קודם,

---

61 הוריות שם; זבחים פט א. בשיטה מקובצת הוריות שם כתב שהוא מדין "וקדשתו", של כל המקודש מחברו וכו', אך ראה פירוש אחר בספרו של הנצי"ב מרומי שדה על הוריות שם, וכן בקובץ שיעורים ב"ב אות רעז, וראה חזון יחזקאל לתוספתא ב"מ ב יג.

62 לבוש יו"ד רנב ח. וראה בברכ"י שם שתמה על פירוש זה. וראה יבמות ק א שמקדימים אשה לאיש במעשר עני, וכאשר עומדים לדין, משום זילותא של האשה, שבושתה מרובה (רמב"ם סנהדרין כא ו).

63 המאירי הוריות יג א; עיון יעקב על עין יעקב הוריות שם; החיד"א בשער יוסף על הוריות שם; פני משה ומראה הפנים ירושלמי הוריות ג ד; צפנת פענח על רמב"ם מתנות עניים ח טו; שו"ת ציץ אליעזר חיו"ח סי' א אות ה.

64 תוס' נזיר מז ב ד"ה והתניא; ב"י יו"ד סי' רנא; ש"ך שם סקי"א; רמ"א שם רנב ח; ט"ז שם סק"ו; תויו"ט ומלאכת שלמה על משנה הוריות ג ז; באר שבע על הוריות שם. וראה תוס' הרא"ש נזיר מז ב ד"ה והתניא, שמביא את שני הפירושים, גם פיקוח נפש וגם מזון. וראה הע' הגרש"ז אויערבאך בנשמת אברהם חיו"ד סי' רנב, הע' 5.

65 וראה ירושלמי הוריות ג ד, וב"י יו"ד סי' רנא, ורמ"א שם ט שאשת חבר קודמת לעם הארץ לעניין כסות, פרנסה וכד', וכתב במראה הפנים ירושלמי שם שבפיקוח נפש, כגון כששניהם טובעים בנהר, חיי עם הארץ קודמים. ויש להעיר, שלא נימנו ברמב"ם שם כל החילוקים הנוספים מהגמרא בבלי וירושלמי.

66 ראה מגדל עוז אבן בוחן פינה א סקפ"ט.

ולפיכך בן קודם לאח ולבן הבן וכיו"ב[67,68]; ויש מי שכתבו שדין זה אינו אמור ברופא המועסק על ידי אחרים, וכאשר המכשור הרפואי אינו שלו, שלעניין הצלה אין להעדיף קרובי משפחה, ומי שממונה על הציוד להצלה חייב לחלקו בהתאם לקדימויות שבמשנה, ולא להקדים את קרובי משפחתו[69], ובכלל בענייני הצלת נפשות אין לקרבת המשפחה מקום בדירוג הקדימויות, ואם יש התנגשות בין קדימה לפי המעמד והחשיבות על פי המשנה, לבין קדימה של קרבה משפחתית, יש להקדים את ההצלה לפי הקדימות של המשנה[70].

יש מי שכתב שצעיר קודם לזקן, וזקן בריא קודם לחולה[71]; ויש מי שכתבו שהגיל איננו מהווה גורם בקביעת הקדימות, ולכן זקן וצעיר שבאו בבת אחת, יש לקבוע לפי דרגות הקדימויות של המשנה, או לפי המצב הרפואי, ולא לפי הגיל[72].

אכן הלכה למעשה כתבו גדולי הפוסקים בדורנו שלא נוהגים במשנה זו[73]. וניתנו מספר נימוקים לכך: לעניין הקדמת איש לאשה,

---

67 מגדל עוז שם. והוא על פי המבואר בהלכות צדקה—ראה טושו"ע יו"ד רנא ג. וראה סיכום סדר נחלות באנציקלופדיה תלמודית, כרך כה, ע' ירושה, עמ' קלג ואילך.

68 ואם יכול להציל או את אביו או את בנו—יש מי שכתב שאביו קודם (אמת ליעקב לר"י קמינצקי בראשית מקץ מג ח, על פי הפסוק וְנִחְיֶה וְלֹא נָמוּת גַּם אֲנַחְנוּ גַם אַתָּה גַּם טַפֵּנוּ, שחייו קודמים, אחר כך חיי אביו, ואחר כך חיי הבנים), ויש מי שכתב שאם הרופא רוצה להציל את בנו כדי שיהיה לו חוטרא לידא ומרה לקבורה—בנו קודם (הגרי"ש אלישיב, הובאו דבריו בס' קב ונקי ח"ב סי' רעה, ובס' נס להתנוסס סי' סז).

69 הגר"ש דיכובסקי, דיני ישראל, ז, תשל"ו, עמ' מה ואילך; הר"א רוט, עמק הלכה, ח"ב, תשמ"ט, עמ' 119 ואילך. וראה בשו"ת חב"צ סי' ע שמבדיל לעניין קדימות בצדקה בין מי שנותן משל עצמו, שצריך להקדים קרוביו, לבין מי שנותן מכיס של צדקה, שצריך להקדים לפי החשיבות בלבד.

70 שבט מיהודה שער א פי"ז.

71 מגדל עוז שם. וכנראה למד זאת מס' חסידים סי' תרעא שיש עוון גדול יותר בהריגת בחור הראוי להוליד, ממי שהורג זקן וסריס שאינם מולידים. וראה מאמרו של הגר"ש דיכובסקי, דיני ישראל, ז, תשל"ו, עמ' מה ואילך. וראה שו"ת מנחת אשר ח"ב סי' קכו שהניח בצ"ע אם יש להקדים צעיר לזקן, וכתב שלא יודע מקור כלשהו לפשוט שאלה זו, ותמוה שלא ראה דברי היעב"ץ מחד ודברי הגר"מ פיינשטיין והגרש"ז אויערבאך (בהע' הבאה) מאידך.

72 שו"ת אג"מ חחו"מ ח"ב סי' עה אות ז; שו"ת מנחת שלמה ח"ב סי' פב אות ב (תניינא סי' פו אות א), והגרש"ז אויערבאך במכתבו שפורסם בחוב' אסיא, נט–ס, אייר תשנ"ז, עמ' 48, שהתחשבות בגיל לא בא בחשבון כלל. ופלא שלא התייחסו למה שכתב היעב"ץ בהע' קודמת, וצ"ע.

73 ראה שו"ת אג"מ חחו"מ ח"ב סי' עד אות א, שאפילו כשהגיעו בבת אחת, ואין עדיפות רפואית לאחד מהם, קשה לעשות מעשה על פי המשנה בהוריות בלא עיון גדול (וראה גם במסורת משה ח"א חחו"מ סי' סב); ושו"ת מנחת שלמה ח"ב סי' פב אות ב (תניינא סי' פו אות א),

אמנם יש מי שכתב שדין זה נכון גם בימינו[74], אך מנהג העולם אינו כן, ולא ראינו מי שנוהג כך כיום[75]. בטעם הדבר יש שכתבו שלא תמיד יודעים אנו למי זכויות גדולות יותר[76]. אכן טעם זה הוא קשה, שהרי הוא היה שייך גם בתקופת התנאים והאמוראים, ובכל זאת קבעה המשנה שאיש קודם לאשה. ואולי סומכים בימינו על שיטת הראשונים שלא מנו כלל קדימות איש לאשה[77], אף שפוסקים אחרים הביאו דין זה להלכה[78]. ועוד יש לומר שבימינו שייך הכלל מוטב יהיו שוגגים ואל יהיו מזידים[79], שהרי מבואר בפוסקים שאם יודע בבירור שדבר הלכה לא יתקבל על לב השומעים, אפילו מדובר באיסור תורה, ובלבד שהוא איננו מפורש בתורה, כגון תוספת יום הכפורים, אין להוכיחו על כך[80]. והרי דין קדימת איש לאשה הוא לכל היותר איסור מן התורה שאינו מפורש בתורה, ואולי הוא בכלל איסור מדרבנן, ובימינו ברור וגלוי לכל שהבחנה כזו בהצלה בין איש לאשה לא יתקבל על דעת רובא דרובא של הציבור.

לעניין כהן קודם ללוי ולישראל, מנהג העולם שלא להקפיד על כך[81], ויתכן שהדבר נובע מכך שאין אנו בקיאים ביחוסי כהונה[82].

שבזמננו קשה מאד להתנהג לפי כללי הקדימויות של המשנה. אמנם ראה בשו"ת שבט הלוי ח"י סי' קסז אות א שגם כיום יש לנהוג על פי הקדימויות של המשנה. וראה שו"ת מנחת אשר ח"ב סי' קכו שהקדימות הראשונית נקבעת לפי המצב הרפואי, אבל במקום ששניהם שווים יש לנהוג לפי המשנה בהוריות.

74 שו"ת שבט הלוי שם.

75 נשמת אברהם מהדורה שניה חיו"ד סי' רנא סק"א.

76 ראה תענית כג א, במעשה אבא חלקיה; כתובות סז ב, במעשה מר עוקבא.

77 רמב"ם בהל' מתנות עניים; טור יו"ד סי' קנא. וכבר העירו על כך בצפנת פענח על רמב"ם מתנות עניים ח טו; החו"ח בספרו נתיב החסד על אהבת חסד הע' לב; שו"ת ציץ אליעזר חי"ח סי' א.

78 ב"י יו"ד סי' קנא; רמ"א יו"ד קנב ח, על פי באר הגולה, ביאור הגר"א וברכ"י שם.

79 ביצה ל א; ב"ב ס ב.

80 ראה תוס' ב"ב שם ד"ה מוטב; רא"ש ביצה פ"ד סי' ב, בשם העיטור; רמ"א או"ח תרח ב. וראה בביאוה"ל שם ד"ה אבל, רשימת ראשונים הסוברים כדעת הרמ"א. וראה עוד ס' חסידים סי' רסב; שו"ת מעיל צדקה סי' יט.

81 שו"ת ציץ אליעזר חי"ח סי' סט אות א.

82 כמבואר במג"א סי' רא סק"ד; יעב"ץ במגדל עוז אבן בוחן פינה א סקפ"ט. וראה באריכות באנציקלופדיה תלמודית כרך כז ע' כהן טור' רמג ואילך על גדרי כהני חזקה בזמן הזה.

לעניין תלמיד חכם קודם לעם הארץ, מנהג העולם שלא להקפיד על כך[83], ויתכן שהדבר נובע מכך שאין אנו יודעים לשקול בין התורה והמצוות של יהודי אחד כנגד השני[84], ובזמן הזה אין דין תלמיד חכם לכמה עניינים[85].

ובכל מקרה במצב של פציעה המונית על פי רוב לא ניתן לברר את מרבית סוגי הקדימויות שנמנו במשנה, בגמרא ובפוסקים, למעט איש ואשה וזקן וילד.

ד. מספר סוגיות קובעות את העקרון שאין דוחים נפש מפני נפש—הן באי-מסירת אדם אחד להריגה[86], או לפגיעה מינית[87], כדי להציל אחרים, והן באי-העדפת מבוגר על פני תינוק[88].

ה. מספר סוגיות מסדירות את היחס בין טובת היחיד וטובת הכלל במקרים של משאבים מוגבלים[89].

ו. בהלכה מצינו הבדלים בקביעת קדימויות להצלה בין חולים הבאים בבת אחת, לבין חולים הבאים בזה אחר זה. בדרך כלל כשבאים בזה אחר זה נוהג הכלל הראשון קודם, וצריך לתת טיפול מציל

---

83 נשמת אברהם מהדורה שניה חיו"ד סי' רנא סק"א.

84 ראה ב"ב י ב, ובתוס' שם ד"ה עליונים.

85 ראה רמ"א יו"ד רמג ב,ז; ש"ך יו"ד סי' רנא סקט"ז; פת"ש שם סק"ב; מג"א סי' תצח סק"ב, ושם סי' תקמז סק"ח; מ"ב שם סקי"ב, ושעה"צ שם סק"ד. וראה עוד שו"ת ציץ אליעזר ח"ה רמת רחל סי' מא; פני ברוך פ"א הע' כב; פסקי תשובות לסי' תקמז; שו"ת באר משה ח"ז סי' נד; י. הנשקה, תחומין, כד, תשס"ד, עמ' 292 ואילך.

86 תוספתא תרומות ז כג; ירושלמי תרומות ח ד; בראשית רבה צד ט.

87 משנה תרומות ח יב; רמב"ם יסודי התורה ה ה; טושו"ע יו"ד קנז א.

88 משנה אהלות ז ו; סנהדרין עב ב.

89 משנה: אין פודין את השבויין יתר על כדי דמיהן, מפני תיקון העולם (גיטין מה א; רמב"ם מתנות עניים ח יב; טוש"ע יו"ד רנב ד). וראה תוס' שם ד"ה דלא, רמב"ן, רשב"א ומאירי שם, אם מחלוקת זו היא כמחלוקת ת"ק ורשב"ג בכתובות נב א, בעניין פדיון אשתו, עיי"ש. ואגב, ראה שו"ת רדב"ז ח"ג סי' מ, שעולה מדבריו כי "כדי דמיו" אינו ערכו של האדם בשוק עבדים, אלא הערך שמקובל לשלם בעולם לפדיון שבויים; מעיין של בני העיר—חייהן וחיי אחרים, חייהן קודמין לחיי אחרים; בהמתם [ובהמת אחרים, בהמתם] קודמת לבהמת אחרים; כביסתן וכביסת אחרים, כביסתן קודמת לכביסת אחרים; חיי אחרים וכביסתן, חיי אחרים קודמין לכביסתן. רבי יוסי אומר, כביסתן קודמת לחיי אחרים (נדרים פ ב. וראה תוספתא ב"מ (ליברמן) יא לג-לה; ירושלמי שביעית ח ה, ושם נדרים יא א. וראה בנידון בשו"ת לב שומע לשלמה (ר"ש דיכובסקי) ח"ב סי' לט. וראה גם ר"ש דיכובסקי, תורה שבעל-פה, לא, תש"נ, עמ' מ ואילך; והנ"ל תחומין לב תשע"ב עמ' 153 ואילך). וראה באריכות בסוגיה זו בספרי "הרפואה כהלכה" כרך ה עמ' 107 ואילך.

חיים למי שבא כעת[90], וכל דיני הקדימות נאמרו דווקא כשבאו בבת אחת, שאז לא ניתן לתת את הטיפול לכולם וצריך להקדים לפי כללים שונים.

אכן במצב כמו מגפת הקורונה, גם אם כרגע יש מיטות ומכשירי הנשמה פנויים, ידוע בוודאות שיגיעו חולים קשים הזקוקים לטיפול הנשמתי ויש להם סיכויים לשרוד, ולפיכך כל כללי הקדימויות הנידונים במצב של חולים הבאים בבת אחת חלים גם במצב שיש עדיין מיטות טיפול נמרץ ומנשמים פנויים[91,92]. ובכל מקרה במצבי הקיצון של ריבוי חולים הזקוקים להנשמה ומחסור במיטות טיפול נמרץ ו/או במכשירי הנשמה—המצב יהא כזה שהרבה יבואו בבת אחת, ויהא צורך לקבוע קדימויות ביניהם.

ז. לאור זאת שלמעשה לדעת רובא דרובא של הפוסקים אין הולכים לפי סדר הקדימויות שבמשנה בהוריות הרי הכלל לקביעת קדימויות מבוסס על השיקול הרפואי כך שמי שסיכוייו הרפואיים טובים יותר לשרוד את הטיפול ולהפיק תועלת מהטיפול להצלתו, הוא קודם לאלו שהסיכויים הרפואיים שלהם קלושים[93].

---

90 שו"ת שבט הלוי ח"י סי' קסז. וראה נשמת אברהם מהדורה שניה חיו"ד סי' רנא סק"א.

91 ראה שו"ת ציץ אליעזר חי"ז סי' עב אות כ, וכן שם סי' י. הגרש"ז אויערבאך הסכים לפסק זה, הובאו דבריו במאמרו של הגר"מ קליין, בשבילי הרפואה, ח, תשמ"ז, עמ' טז ואילך. וראה שו"ת מנחת שלמה ח"ב סי' פב אות ב; שו"ת תשובות והנהגות ח"א סי' תתנח. וכן כתב בפסקי קורונה של הגר"צ שכטר, פורסם באתר https://www.kolcorona.com/rav-schachter-official-pesakim. אמנם בשו"ת שבט הלוי ח"י סי' קסז אות א פסק שכאשר באים זה אחר זה יטפלו במי שבא ראשון, אך אין כן דעת רוב הפוסקים. ואמנם בפועל, אף במצבי שגרה לא מקבלים כל חולה הזקוק להנשמה ליחידה לטיפול נמרץ על פי אותם שיקולים, וק"ו במצב של פנדמיה עולמית.

92 והדבר דומה לכלל שקבע בשו"ת נובי"ת חיו"ד סי' רי, שהיתר ניתוח המת הוא דווקא שהחולה שיכול להפיק תועלת מהנתיחה נמצא בפנינו (וראה שו"ת חת"ס חיו"ד סי' שלו; שו"ת מהר"ם שיק חיו"ד סי' שמז–שמח; נחל אשכול על ספר האשכול ח"ב עמ' 117 ואילך; שו"ת מלמד להועיל חיו"ד סי' קח; שו"ת דודאי השדה סי' עו; שבט מיהודה בסוף הספר במהדורת תשט"ו; ר"י אריאלי, תורה שבעל פה, ו, תשכ"ד, עמ' מ ואילך, והנ"ל, נועם, ו, תשכ"ג, עמ' פב ואילך; שו"ת שבט הלוי ח"ח סי' רס אות א). אך כבר קבע החזו"א יו"ד סי' רח אות ז (אהלות סי' כב סקל"ב) שבימינו לאור אמצעי התקשורת המשוכללים כל העולם הוא בגדר לפנינו (וראה הגרי"ד סולובייציק, הובאו דבריו במאמרו של צ. זינגר, טורי ישורון, גליון ה, תשרי תשכ"ז, עמ' 33; הגרי"א ליבעס, נועם, יד, תשל"א, עמ' כח; הגר"י אריאלי, נועם, ו, תשכ"ג, עמ' פב ואילך, והנ"ל תורה שבעל פה, ו, תשכ"ד, עמ' מ ואילך; הגרח"ד רגנשברג, הלכה ורפואה, ב, תשמ"א, עמ' ט ואילך; תורת הרפואה, עמ' 209 ואילך).

93 שו"ת אג"מ חחו"מ ח"ב סי' עג אות ב; שו"ת מנחת שלמה ח"ב סי' פב אות ב (תניינא סי' פו

לכך יש דוגמאות בהלכה:

בריא ומסוכן—בריא קודם[94], והיינו ש"בריא" הוא מי שצריך טיפול רפואי, ויש לו סיכויים טובים. וכן אחד טריפה, ואחד אינו טריפה—יש קדימות להצלת זה שאינו טריפה על פני הטריפה[95]. וכן חיי עולם וחיי שעה—חיי עולם קודם[96], ואפילו ספק חיי עולם קודם לחיי שעה[97].

ח. הרופאים הם המופקדים על פי ההלכה לקבוע את מידת הסכנה של כל חולה, ואת סיכויי ההישרדות שיש לכל חולה. על הרופאים לקבוע אמות מידה רפואיים שעל פיהם ניתן לקבוע את סיכויי ההישרדות. אמות מידה אלו צריכים להיות אחידים בכל מקום, מופעלים באופן שוויוני כלפי כל החולים, ושקופים לציבור.

ט. גיל כרונולוגי כשלעצמו איננו מהווה שיקול להעדפת צעיר על פני זקן[98], אלא כחלק ממכלול גורמי הסיכון.

אות א). וכן כתב הגרש"ז אויערבאך במכתבו שפורסם בחוב' אסיא, נט–ס, אייר תשנ"ז, עמ' 48, שצריך להתחשב בקביעת הקדימויות בעיקר עם גודל הסכנה ועם הסיכויים להצלה; שו"ת ציץ אליעזר ח"ט סי' כח אות ג, ושם חי"ז סי' עב אות טו ואילך; שו"ת שבט הלוי ח"י סי' קסז; שו"ת קובץ תשובות ח"ג סי' קנט, שמסוכן קודם לתלמיד חכם; שו"ת תשובות והנהגות ח"א סי' תתנח; שו"ת מנחת אשר ח"א סי' קטו, ושם ח"ב סי' קכו. וראה עוד בס' חקר הלכה אות ח בעניני חולה, ובשו"ת ציץ אליעזר ח"ט סי' כח אות ג.

94 פמ"ג או"ח סי' שכח משב"ז סק"א; שולחן עצי שטים (לבעל המרכבת המשנה) סי' א ס"ו (וראה שו"ת ציץ אליעזר ח"ט סי' יז פ"י אות ה, ושם חי"ז סי' עב אות יז); באה"ט או"ח סי' שלד סקכ"ב; חי' רעק"א יו"ד סי' שלט ס"א.

95 ס' חסידים סי' תשכד; שו"ת ציץ אליעזר חי"ז סי' י, וסי' עב; ר"מ וינברגר, עמק הלכה–אסיא, א, תשמ"ו, עמ' 109 ואילך.

96 תפא"י יומא פ"ח בועז אות ג; יעב"ץ במגדל עז פרק אבן הבוחן פינה א אות צב; שו"ת אג"מ חחו"מ ח"ב סי' עג אות ב; שו"ת ציץ אליעזר חי"ז סי' עב אות טו ואילך; שיעורי תורה לרופאים ח"ב סי' קכג; שו"ת מנחת אשר ח"ב סי' קכו. וראה במעשה עולא ומי שרצח את חברו בנדרים כב א, שעולא אמר לרוצח שטוב עשה, ועוד הוסיף שיפרע את בית השחיטה של הנרצח לוודא מותו—ומשמע שעשה כן מפחד שיהרגוהו, ומכאן שחיי עולם של עצמו קודמים לחיי שעה של זולתו, וראה רא"ש שם; תפא"י סוף יומא; שו"ת מנחת שלמה ח"ב סי' פו.

97 הגרז"נ גולדברג, הובאו דבריו במאמרו של א. סדן, אסיא פא–פב תשס"ח עמ' 42, והנ"ל תחומין לו תשע"ו עמ' 209 ואילך. בשיטת החזו"א בנידון יש לכאורה סתירה בביאורו את מחלוקת ר"ע ובן פטורא בסוגיא של שנים שהולכים במדבר (ב"מ סב א), בין מה שכתב בליקוטים למס' ב"מ סי' כ, לבין מה שכתב בגליונות על ר"ח מבריסק בהל' יסודי התורה, וי"ל. וראה מנחת אשר עה"ת ויקרא סי' נט אות ג.

98 שו"ת אג"מ חחו"מ ח"ב סי' עה אות ז; שו"ת מנחת שלמה ח"ב סי' פב אות ב, והגרש"ז אויערבאך במכתבו שפורסם בחוב' אסיא, נט–ס, אייר תשנ"ז, עמ' 48, שהתחשבות בגיל לא בא בחשבון כלל. אמנם ראה יעב"ץ, מגדל עוז פרק אבן הבוחן פינה א, שיש להקדים צעיר

י. כמו כן מוגבלות גופנית או נפשית כשלעצמה איננה מהווה שיקול למניעת טיפול מציל חיים, אלא כחלק ממכלול גורמי הסיכון.

3. בזמן חירום עם מחסור באמצעי ההצלה—אחרי התחלת הטיפול

א. אם כבר התחיל הרופא לטפל בחולה, כגון שהוא אושפז ביחידה לטיפול נמרץ, ואחר כך חלה הידרדרות במצבו, וכעת לדעת הרופאים סיכוייו לשרוד קלושים מאד—ואחר כך הגיע חולה שיש לו סיכויים גבוהים לשרוד, וכמו כן אם התחיל הרופא לטפל בחולה שיש לו חיי שעה, ואחר כך הגיע חולה שיש לו סיכויים לחיי עולם, אף אם יש ביניהם הבדלים לפי דיני קדימה, ואפילו הראשון הוא אדם פשוט, או זקן מופלג, או אפילו הוא חרש שוטה וקטן, והשני הוא גדול הדור וצדיק גמור—לא יעזוב את הטיפול בחולה שהתחיל בו; וכן אם חולה שסיכוייו יותר קטנים לשרוד כבר מחובר למכשיר הנשמה, אין להעביר ממנו את המכשיר לאחר, אף שסיכוייו גדולים יותר[99].

ב. והוא-הדין אם הרופא הקדים לטפל שלא כדין באיש שלפי דיני קדימה היה צריך להקדים אחר, אף שלכתחילה נהג שלא כשורה, מכל מקום אין הוא בגדר שופך דמים ומונע הצלה, ואם כבר התחיל לטפל בו, חייב להמשיך לטפל בו[100].

ג. בטעם הדבר יש מי שכתב שהוא משום שהחולה בחיי שעה כבר זכה במקום, ו'קנה' את הזמן שצריך להיות בטיפול נמרץ והשעבודים שיש על בית החולים והרופאים לרפאותו[101]; ויש מי שכתב שהטעם הוא שאין דוחין נפש מפני נפש, ולכן אם כבר התחילו לטפל בחולה בחיי שעה אין לדחות אותו לטובת נפש אחרת, אפילו היא לחיי עולם[102]. לשיטה שהטעם הוא משום קניין, יש מי שכתב שאם

לזקן. וכן התפרסמה תשובתו של הגר"צ שכטר באתר של ישיבה-יוניברסיטי להקדים צעיר לזקן מופלג. וראה עוד במאמרו של הגר"ש דיכובסקי, דיני ישראל ז תשל"ו עמ' מה ואילך.

99 שו"ת אג"מ חחו"מ ח"ב סי' עג אות ב; שו"ת מנחת שלמה ח"ב סי' פב אות ב (תניינא סי' פו אות א), והגרש"ז אויערבאך, הובאו דבריו בנשמת אברהם מהדורה שניה חיו"ד סי' רנב סק"ב(1); הגר"מ הרשלר, הלכה ורפואה, ד, תשמ"ה, עמ' פד ואילך; הגרז"נ גולדברג, הלכה ורפואה, ב, תשמ"א, עמ' קצא ואילך; שו"ת קובץ תשובות ח"ג סי' קס; שו"ת דבר חברון ח"ב סי' תקכא. וראה מאמרו של א. סדן, אסיא פא-פב תשס"ח עמ' 40 ואילך.

100 הגרז"נ גולדברג, הלכה ורפואה, שם; הגר"מ הרשלר, הלכה ורפואה, שם.

101 שו"ת אג"מ שם.

102 הגרש"ז אויערבאך שם.

מדובר במתנדבים בחברת הצלה, שאין הם משועבדים ממונית לשום אדם, ישתנה הדין, ואם החלו לטפל בחולה חיי שעה, ואחר כך הגיע חולה חיי עולם, יכולים להפסיק הטיפול בו[103]. ונראה שזו טעות, שכן לא מיבעי לשיטה שהטעם הוא משום שאין דוחין נפש מפני נפש, שכמובן אין כל נפקא מינה אם מדובר בבית חולים, או בארגון מתנדבים, אלא גם לשיטה שהטעם הוא משום קניין ממוני, הרי כתב באג"מ שם שמה שהחולה חיי שעה קנה עקב התחלת הטיפול בו הוא גם הזמן שצריך להיות שם, וגם בזה אין נפקא מינה אם מדובר בזמן של רופא ביחידה לטיפול נמרץ, או בזמן של מתנדב בארגון הצלה.

ד. במקרה שכבר הנשימו חולה קשה, ומתברר שסיכוייו לשרוד קלושים ביותר, ודינו כחולה הנוטה למות[104]—יש להימנע מלהתחיל כל טיפול רפואי חדש מאריך או תומך חיים; יש להימנע מחידוש תרופות כולל תרופות לשמירת לחץ דם; יש להפסיק לבצע בדיקות שונות, כגון בדיקות דם המיועדות לעמוד על מצבו של החולה; אין להמשיך ולנטר את החולה במצב זה, היינו להמשיך ולבדוק את לחץ הדם, קצב הלב, וריווי החמצן, ואין לתקן את המדדים של מכשיר ההנשמה בהתאם למצבו של החולה; יש להימנע מפעולות החייאה כלשהן[105].

ה. מותר גם להוריד בהדרגה את קצב ההנשמה ואת ריכוז החמצן של מכונת ההנשמה עד למידה שלא ניכרת הרעה מיידית במצבו הנשימתי של החולה[106], ואם התייצב מצבו של החולה על מערכת ההנשמה המופחתת אין להחזיר את דרגת ההנשמה לקדמותה אם חלה החמרה מאוחר יותר.

ו. חולה קורונה שאושפז בטיפול נמרץ, ואף אם הוא מונשם, ומצבו הידרדר ואובחן כמי שסיכוייו לשרוד קלושים—מותר להוציאו מטיפול נמרץ על מנת לפנות את המיטה לחולה שסיכוייו לשרוד

---

103 ס' תורת ההצלה סי' יט.

104 דין זה נכון גם אם הוא שרוי בחוסר הכרה מוחלט, ולא ברור שהוא סובל יסורים, מותר גם בו להימנע מהארכת חייו (שו"ת אגרות משה חיו"ד ח"ב סי' קעד ענף ג, ושם חחו"מ ח"ב סי' עד אות א; הגרש"ז אויערבאך, הובאו דבריו בנשמת אברהם מהדורה שניה חיו"ד סי' שלט סק"ד4א2).

105 ראה בכל זה בספרי הרפואה כהלכה, כרך ו עמ' 370–369.

106 א. שטינברג, חוב' אסיא, סג–סד, תשנ"ט, עמ' 19–18, בשם הגרש"ז אויערבאך והגר"ש וואזנר.

גבוהים, ולאשפזו במחלקה רגילה, ובלבד שימשיכו לטפל בו במחלקה הרגילה בטיפולים המקובלים, ולא ינתקו אותו ממכשיר ההנשמה[107]. זאת אף על פי שהטיפול במחלקה רגילה נחות יותר מהטיפול ביחידה לטיפול נמרץ. והטעם הוא שגם במצב כזה יש דיני קדימות כמבואר לעיל, מבלי לדחות נפש מפני נפש מכיון שאדם בהגדרה של חיי עולם קודם למי שיש לו רק חיי שעה[108]. האמור שמותר להעביר חולה מהיחידה לטיפול נמרץ להמשך טיפול במחלקה רגילה נכון גם אם החולה כבר מוגדר מבחינה הלכתית כגוסס[109].

ז. מותר לחבר שני חולים למנשם אחד, אף שזה מפחית את יעילות הטיפול לכל אחד, אבל במצב של מחסור מותר לעשות זאת[110].

ח. גם במצבי חירום ומחסור בהם נעשה תהליך של קביעת קדימויות שבמסגרתו הוחלט לא לקבל את החולה ליחידה לטיפול נמרץ, או לא לתת לו טיפול הנשמתי, או להוציאו מהיחידה לטיפול נמרץ—חייבים להמשיך ולתת לו טיפול מיקל [פליאטיבי] על פי הסטנדרטים המקובלים במקצוע זה, ואסור להזניח אותו מבחינה גופנית ונפשית כאחת.

ט. אם חיברו מראש את מכשיר ההנשמה עם קוצב זמן שמפסיק באופן אוטומטי את תפקוד המכונה כפי שנקבע מראש[111], אם מתברר בעת שהקוצב עומד להיכנס לפעולה שאפסו סיכוייו של החולה לשרוד, מותר לאפשר לקוצב הזמן להפסיק את פעולת מכשיר

107 שו"ת מנחת אשר ח"א סי' קטו. אמנם ראה בשו"ת אג"מ חחו"מ ח"ב סי' עג אות ב שאף שהוא בגדר חיי שעה, אין להוציאו ולדחותו גם כשיש צורך במיטה לטפל בחולה שיש לו סיכויים לחיי עולם, כיון שהראשון כבר זכה במקומו, ואין הוא חייב למסור נפשו כדי להציל את חברו. ואולי במצב כה חמור של מחסור באמצעי הצלה לרבים מאד, אף הגר"מ פיינשטיין יודה, וצ"ע.

108 שיעורי תורה לרופאים ח"ב סי' פה, ושם ח"ג סי' קסד (וכן שושנת העמקים (ר"י זילברשטיין) פרק ורפא ירפא סי' לד). וכן שמעתי מהגרי"ש אלישיב.

109 הגרש"ז אויערבאך, הגר"ש ואזנר, והגרש"ב לייזרזון, אסיא נה, תשנ"ד, עמ' 43–45; ספר אסיא יא (תשס"ט) עמ' 11–9.

110 פסקי קורונה של הגר"צ שכטר, פורסם באתר: https://www.kolcorona.com/rav-schachter-official-pesakim.

111 על הצעה מעשית לבניית מכשיר כזה ועל עקרונות ופרטי הפעלתו—ראה ר"מ הלפרין, אסיא פא–פב תשס"ח עמ' 93 ואילך.

ההנשמה[112]. אכן, בשלב זה לא קיים קוצב זמן למנשמים שהוא מאושר לשימוש[113].

י. במקרים שבהם כמה חולים זקוקים לטיפול מציל חיים, וניתן לטפל רק בחלק מהם מחמת מחסור באמצעי ההצלה, אבל הסיכויים הרפואיים של כולם שווים—יש אומרים שיטפל במי שרוצה[114]; ויש אומרים שהדרך העדיפה היא לחלק על פי גורל[115]. דרך נוספת היא לתת קדימות למי שבא ראשון.

112 שו"ת ציץ אליעזר חי"ג סי' פט; שו"ת תשובות והנהגות ח"א סי' תתנח; שיעורי תורה לרופאים ח"ג סי' קפד (הובאו דבריו בשו"ת תשובות והנהגות שם); רי"י נויבירט ור"א נבנצאל, הובאו דבריהם בחוב' אסיא עא–עב, תשס"ג עמ' 39, ושם פא–פב תשס"ח עמ' 103–104; ר"מ הלפרין, בית הלל שנה יב אד"ב תשע"א עמ' צה ואילך. וכן דעת הגר"א וייס בתשובה כת"י אלי. אמנם יש שאסרו את השימוש בקוצב זמן—ראה נשמת אברהם מהדורה שלישית סי' שלט(1) סק"ו, בשם הגרי"ש אלישיב (ויש מי שהביאו שמועה בשם הגרי"ש אלישיב שאמנם מעיקר הדין אין הוא אוסר את קוצב הזמן, אך גזר לאסור מהלך זה, מחשש שיבואו להשתמש בו בדרך שאיננה מותרת בהלכה). וראה שם גם מה שכתב בשם הגרש"ז אויערבאך שיש בזה גרם רציחה, ובשם הגרי"י נויבירט שחזר בו מההיתר.

113 יש אומרים שכאשר מפסיקים את פעולת מכשיר ההנשמה לצורך טיפול בחולה או במכשיר, כגון להחלפת הצינור הנכנס לריאות ומחובר למכשיר ההנשמה (הגרז"נ גולדברג, מוריה פח–פט עמ' נה ואילך, והנ"ל, עמק הלכה–אסיא, ח"א עמ' 64 ואילך), או אם מכשיר ההנשמה מחובר למיכל חמצן שהתרוקן (שו"ת אג"מ חיו"ד ח"ג סי' קלב), אין חיוב לחזור ולחבר את המכשיר לחולה אם התברר שאינו נושם עוד (שו"ת אג"מ שם; הגרז"נ גולדברג, שם).

114 חזו"א יו"ד סי' סט אות ב, ושם ב"מ ליקוטים סב א סי' כ (וראה חזו"א סנהדרין סי' סט); שבט מיהודה שער א פ"ח; הגר"מ הרשלר, הלכה ורפואה, ד, תשמ"ה, עמ' פב ואילך.

115 שו"ת אג"מ חחו"מ ח"ב סי' עה אות ב; במראה הבזק ח"א סי' פ"ט הע' 2, בשם ר"ש ישראלי. וראה עוד רמב"ן בראשית יט ח; בס' חסידים (מרגליות) סי' תרעט, ושם סי' תשא; תפארת למשה על יו"ד קנז א, והגהות ברוך טעם שם (הובא בפת"ש יו"ד סי' קנז סקנ"ד); מנחת אשר במדבר סי' עב.

שונות

1. היה דֶבֶר בעולם, ואמרה אשה שבעלה מת בדבר—יש אומרים שהיא נאמנת[1], ויש אומרים שאינה נאמנת[2].
2. מנהג קדום היה להעמיד חופה של יתומים או עניים בבית העלמין כסגולה לעצירת מגיפות[3].
3. קטלנית היא אשה שנישאה, או היתה מאורסת, לשני אנשים, ומתו, ודינה שאינה רשאית להינשא עוד לאיש שלישי[4]. אבל אם מת בדֶבֶר, או כל מגיפה ומכת מדינה[5] וכיו"ב, אין כאן דין קטלנית, ולכן רבים מקילים בדברים אלו, ואין מוחים בידם[6], ואפילו אם מתו שלושה בעלים בדֶבֶר—יש להקל[7]. ויש מי שכתב שהיינו דווקא אם מתו שני בעלים בדֶבֶר אין לחוש, אך אם מתו שלושה בעלים בדֶבֶר הרי זו חזקה גדולה, ולא תינשא[8].

---

1 יבמות קיד ב, מחלוקת אם נאמנת אם לאו; רמב"ם גירושין יג ז. וראה בגירסאות השונות בשיטת הרמב"ם באוצה"פ סי' יז ס"ק תטז; המחבר, שו"ע אבהע"ז יז נה.

2 טור ורמ"א, אבהע"ז יז נה; שו"ת הר"ן סי' ג; יש"ש יבמות פט"ו סי' ג. וראה באוצה"פ שם בשיטות האחרונים בנידון. וראה עוד שם כשהאשה אמרה 'קברתיו', וכן פרטי דינים בעד אחד המעיד שמת בעלה בדבר, עיי"ש.

3 ראה שו"ת מהרש"ם ח"א סי' מ; משמרת שלום חלק דינים הלכות שמחות אות ח סקל"ט; שולחן העזר ח"ב סי' ז. וראה בס' שערי ירושלים שער ז, ובס' כתר שם טוב ח"ב עמ' תרפד, בעניין המגפה בירושלים בשנת תרכ"ו שמתו בה רבים ובתוכם גדולים מפורסמים ועשו חופת יתום ויתומה בבית הקברות. וראה עוד בריש ס' אהל יהושע באריכות. וראה בס' השואה במקורות רבניים עמ' 358 ואילך על מנהג זה בגטאות שונים בעת השואה. יש שקראו לחתונות אלו "חתונות שחורות", או "חתונות יתומים". וראה בספר Zimmels HJ: Magicians, Theologians and Doctors. E Goldston & Son, 1952, pg. 233 n.141.

4 כתובות סד ב, מחלוקת; רמב"ם איסורי ביאה כא לא; טושו"ע אבהע"ז ט א.

5 ראה אוצה"פ סי' ט סקי"ז.

6 רמ"א שם. וראה עוד שו"ת חות יאיר סי' קצז; שו"ת אמרי יושר ח"א סי' קצ.

7 שו"ת נובי"ת חאבהע"ז סי' ט.

8 שו"ת רדב"ז ח"ב סי' תרפב.

4.   אין לקבוע זמן לבא לבית דין בזמן שיש חשש מגפה באותה העיר,
     ואם קבעו אין לחוש⁹, היינו שאין בעל הדין חייב להתיצב לדיון.

---

9   ברכי יוסף חו״מ סי׳ ה סק״ט, בשם מהריק״ש.

דברי סיכום

כולנו תפילה לבורא עולם שיאמר לצרותינו די, ושתיעלם המגפה הרעה הזו מן העולם: אבינו מלכנו, מנע מגפה מנחלתנו.

מגפת הקורונה לימדה את האנושות כולה, ואת המדענים והרופאים בראשה, פרק חשוב בצניעות ובענווה. חשבנו שהקידמה המדעית והרפואית תתן בידי האנושות יכולת שליטה מלאה בעולם. אבל שוב הוכח שיש כל כך הרבה דברים בעולמנו שאין אנו יודעים עליהם, וצריכים אנו להתמודד עמהם בדרכים חדשות ויצירתיות. נגיף זעיר וחדש מצליח לדאבון הלב לגרום למוות ולתחלואה בממדים עצומים, והאנושות עומדת משתאה מול מגפה חדשה זו[1].

מגפה זו, כמו קודמותיה בהיסטוריה האנושית, לימדה אותנו לקיים את המצוות של ונשמרתם מאד לנפשותיכם, לא תעמוד על דם רעך, חמירא סכנתא מאיסורא—שכולם באים להורות על קדימויות בקיום מצוות הבורא יתברך.

ואף כי אין כמו תפילה ותחינה לבורא עולם להעביר את רוע הגזרה, אבל צריכים אנו לעשות את ההשתדלויות בדרך הטבע, מה שמחייב את כולנו בכל אתר ואתר לקיים את כל ההנחיות וההוראות של הרופאים ושל רשויות הבריאות והמדינה ככתבם וכלשונם, מגדרי פיקוח נפש, ומגדרי רודף.

ליהודי המאמין לימדה מגפת הקורונה את גודלו של בורא עולם שבאמצעות נגיף קטנטן מלמד הוא אותנו את נוכחותו ואת כוחו. דוד המלך אמר: מַה גָּדְלוּ מַעֲשֶׂיךָ ה׳ מְאֹד עָמְקוּ מַחְשְׁבֹתֶיךָ (תהלים צב ו), וכן: מָה רַבּוּ מַעֲשֶׂיךָ ה׳

---

1 וכבר היו דברים מעולם כמבואר בגיטין נו ב שיתוש קטן גרם לתחלואה קשה ולמוות אצל טיטוס הכובש הגדול. וראה במדבר רבה (וילנא) פרשת קרח יח כב: שכן דרכו של הקדוש ברוך הוא לעשות שליחותו ע״י דברים קלים לכל המתגאין עליו, שלח להם בריה קלה להפרע מהם להודיעך שאין גבורתן ממש, ולעתיד לבוא עתיד הקדוש ברוך הוא ליפרע מן האומות ע״י דברים קלים, שנאמר (ישעיה ז) והיה ביום ההוא ישרוק ה׳ לזבוב אשר בקצה יאורי מצרים ולדבורה אשר בארץ אשור.

כֻּלָּם בְּחָכְמָה עָשִׂיתָ מָלְאָה הָאָרֶץ קִנְיָנֶךָ (תהלים קד כד), ובפרפרזה יכולים אנו לומר: מה קטנו מעשיך ה׳...[2].

אכן, האירועים יוצאי הדופן שהתרחשו בגין מגפת הקורונה מחייבים חשבון נפש עמוק דווקא אצל ציבור שומרי המצוות החרדים לדבר ה׳, ואצל המנהיגים הרוחניים. כדבר שבעובדה המגפה פגעה באחוזים גבוהים הן בתחלואה והן בתמותה דווקא בריכוזים החרדיים בישראל ובעולם. יתר על כן, נדמה שזו הפעם הראשונה בהיסטוריה של עם ישראל שבתקופת שיא המגפה נסגרו כל בתי הכנסיות ובתי המדרשות, ונסגרו כל תלמודי התורה והישיבות בכל רחבי העולם. דבר כזה אין לו אח ורע מאז ומעולם, שהרי גם בתקופות הקשות ביותר לעם ישראל—אם היו גזרות או מגפות במקום אחד היו ריכוזים יהודיים במקומות אחרים שהמשיכו להתפלל בבתי כנסיות ובבתי מדרשות, וקול התורה לא נדם מהיכלי הישיבות ותלמודי התורה.

לפיכך מוטלת חובה קדושה על כל מי ששייך לעולם התורה והמצוות לפשפש במעשיו—הן כפרט והן כקהילה וכציבור. וכבר אמר שלמה המלך: ״אדם אין צדיק בארץ אשר יעשה טוב ולא יחטא״[3], ודוק: אדם—כל אדם, מגדול שבגדולים ועד קטון שבקטנים, וכל אחד לפי דרגתו ומדרגתו.

מבין הרעות החולות הבולטות לעין כל הן המחלוקות הקשות בתוככי הציבורים שומרי התורה לכל הגוונים, יחד עם שנאה יוקדת בין חלקי הציבור.

מי יתן ומעז יצא מתוק, והמגפה הקשה תביא לחשבון נפש ולתשובה הן של היחידים, והן של הציבורים.

ועל כל אלה נאמר: ותשובה, ותפילה, וצדקה—מעבירין את רוע הגזרה.

---

2 ראה אורות התורה ג ח; עין איה שבת פ״ה אות יב.

3 קהלת ז כ.